W. SOMERSET MAUGHAM
SILBERMOND UND KUPFERMÜNZE

W. SOMERSET MAUGHAM

SILBERMOND UND KUPFERMÜNZE

ROMAN

DEUTSCHER BÜCHERBUND
STUTTGART · HAMBURG

Titel des englischen Originals:
»The Moon and Sixpence«
Ins Deutsche übertragen von Hans Kauders

Mit Genehmigung des Alfred Scherz Verlages, Bern und Stuttgart
© 1963 by Alfred Scherz Verlag, Bern und Stuttgart
Buchausstattung: Eva Kausche-Kongsbak
Druck: Hieronymus Mühlberger, Augsburg
Papier: Peter Temming AG., Glückstadt

Erstes Kapitel

Ich gestehe, daß ich an Charles Strickland, als ich zum erstenmal seine Bekanntschaft machte, nichts bemerkte, das ihn über das Gewöhnliche hinaushob. Und doch werden heute nur wenige seine Größe leugnen wollen. Ich spreche nicht von der Größe, die etwa der vom Glück begünstigte Politiker oder der siegreiche Soldat erlangt; diese Art von Größe ist eine Eigenschaft, welche mehr an der Stellung haftet, die der Betreffende bekleidet, als zu dem Manne selbst gehört; und eine Änderung der Umstände beschränkt sie meist auf ein sehr bescheidenes Maß. Der Premierminister außer Dienst wird nur allzu oft als aufgeblasener Schwätzer erkannt, und der General ohne Armee ist bloß der zahme Held eines Landstädtchens. Charles Stricklands Größe war echt. Mag sein, daß dieser oder jener seine Kunst nicht schätzt, doch wird man ihm kaum den Tribut menschlichen Interesses versagen können. Er wühlt auf und hält fest. Die Zeit, da er ein Gegenstand des Gelächters war, ist vorbei; und es ist nicht mehr ein Zeichen der Überspanntheit, ihn zu verteidigen, oder ein Zeichen verderbten Geschmacks, ihn zu loben. Seine Fehler werden als das notwendige Komplement seiner Vorzüge hingenommen. Es ist noch möglich, über seinen Rang in der Kunst zu streiten, und die Lobhudelei seiner Bewunderer ist vielleicht nicht weniger abgeschmackt als der hämische Tadel seiner Verächter; aber eines steht außer Zweifel: daß er Genie besaß.

Mich interessiert in der Kunst am meisten die Persönlichkeit des Künstlers selbst, und wenn diese außergewöhnlich ist, so will ich ihm gerne tausend Fehler verzeihen. Vermutlich war Velazquez ein besserer Maler als Greco, aber Gewohnheit hat unsere Bewunderung für ihn abgestumpft; der Kreter, eine Gestalt von wilder Glut und Tragik, bringt das Mysterium seiner Seele gleich einem immerwährenden Opfer dar. Der Künstler — Maler, Dichter oder Musiker — befriedigt unsern ästhetischen Sinn durch die Schönheit oder Erhabenheit seiner das Leben schmückenden Arbeit; aber das ist mit dem sexuellen Instinkt verwandt und hat teil an seiner Barbarei; der wahre Künstler tut noch mehr: er bietet uns die Gabe seiner selbst. Diesen Geheimnissen nachzuspüren, hat etwas von dem Faszinierenden einer Detektivgeschichte. Hier ist ein Rätsel, das mit dem Weltall das Verdienst teilt, unentzifferbar zu sein. Auch das unbedeutendste von Stricklands Werken läßt eine Persönlichkeit von großer Eigenart, Intensität und Kompliziertheit erraten. Und sicherlich ist es gerade dieser Eindruck, der selbst jene, die seine Bilder nicht lieben, daran hindert, sich ihnen gegenüber gleichgültig zu verhalten, und der ein so bohrendes Interesse ebensowohl an seinem Leben wie an seinem Charakter weckt.

Erst vier Jahre nach Stricklands Tod erschien im *Mercure de France* der Artikel von Maurice Huret, der den unbekannten Maler der Vergessenheit entriß und jenen Lebensweg absteckte, an den sich spätere Schriftsteller mehr oder weniger willig gehalten haben. Die Behauptungen Hurets, eines der anerkanntesten Kritiker in Frankreich, mußten notwendig großes Aufsehen erregen. Sie schienen damals extravagant; und doch hat die Nachwelt sein Urteil in vollem Umfang bestätigt, und heute ist der Ruhm Charles Stricklands auf den von Huret festgelegten Linien unerschütterlich begründet. Der Aufgang dieser Ruhmessonne bildet eine der romanhaftesten Episoden in der Geschichte der Kunst. Aber ich habe hier nicht die Absicht, mich mit Charles Stricklands Œuvre zu befassen, es sei denn, soweit es mit seiner Persönlichkeit in Verbindung steht. Ich kann mich nicht der Meinung jener Maler anschließen, die hochnäsig behaupten, daß der Laie von Malerei nichts verstehe und seine Schätzung ihrer Werke am besten durch Schweigen und das Ziehen seines Scheckbuchs beweise. Hier liegt ein groteskes Mißverständnis vor, welches die Kunst als ein bloßes Handwerk ansieht, das dem Handwerker allein begreiflich ist. Die Kunst ist eine Manifestation des Gefühls, und das Gefühl spricht seine Sprache, die jedermann verstehen kann. Immerhin will ich einräumen, daß der Betrachter, der nicht über ein großes technisches Wissen verfügt, selten in der Lage sein wird, über den Gegenstand etwas wirklich Maßgebliches zu äußern, und meine Ignoranz auf diesem Gebiet ist beträchtlich. Zum Glück brauche ich mich in ein solches Abenteuer nicht zu stürzen, da mein Freund Mr. Edward Leggatt, ein ebenso begabter Schriftsteller wie hervorragender Maler, das Œuvre von Charles Strickland in einem kleinen Buche* erschöpfend behandelt hat — das bezau-

---

* »A Modern Artist: Notes on the work of Charles Strickland«, by Edward Leggatt, A. R. H. A. Martin Secker, 1917.

bernde Beispiel einer in England gewöhnlich mit weniger Erfolg als in Frankreich gepflegten Form.

Maurice Huret gab in seinem berühmten Artikel einen kurzen Abriß von Charles Stricklands Leben, der geschickt darauf berechnet ist, die Wißbegier zu reizen. Mit seiner uneigennützigen Leidenschaft für die Kunst war er ehrlich bestrebt, die Aufmerksamkeit der Kunsthistoriker auf ein im höchsten Grade originelles Talent zu lenken; doch war er sich als guter Journalist zugleich bewußt, daß die Erweckung des »menschlichen Interesses« ihn um so leichter zu dem gewünschten Ziele führen mußte. Und als Menschen, die früher einmal mit Strickland in Berührung gekommen waren, Schriftsteller, die ihn in London gekannt, Maler, die ihn in Cafés am Montmartre getroffen hatten, zu ihrer Verblüffung entdeckten, daß sie dort, wo sie nur einen erfolglosen Künstler wie tausend andere zu sehen geglaubt, mit dem Ellbogen den Rock eines echten Genies gestreift hatten, begann in französischen und amerikanischen Zeitschriften eine Reihe von Artikeln zu erscheinen — Erinnerungen des einen, Lobeserhebungen des anderen, die zu Stricklands Bekanntheit beitrugen und zugleich der Neugier des Publikums Nahrung boten, ohne sie doch ganz zu sättigen. Der Gegenstand erwies sich als ergiebig, und der fleißige Weitbrecht-Rotholz war in seiner imposanten Monographie* in der Lage, eine beträchtliche Liste autoritativer Urteile anzuführen.

Die Fähigkeit, Mythen zu schaffen, ist dem Menschengeschlecht angeboren. Sie greift mit Begier nach allen über-

---

* »Karl Strickland, sein Leben und seine Kunst«, von Dr. phil. Hugo Weitbrecht-Rotholz. Schwingel und Hanisch, Leipzig 1914.

raschenden oder geheimnisvollen Ereignissen im Lebenslauf derer, die sich unter der Masse der andern irgendwie hervorgetan haben, und erfindet eine Legende, der sie dann fanatisch Glauben schenkt. Es ist der Protest der Romantik gegen die Alltäglichkeit des Lebens. Die Ereignisse der Legende werden zum sichersten Reisepaß des Helden auf seinem Weg zur Unsterblichkeit. Der Philosoph verzeichnet mit ironischem Lächeln die Tatsache, daß Sir Walter Raleigh sich dem Gedächtnis der Menschheit fester dadurch einprägte, daß er vor der jungfräulichen Königin seinen Mantel ausgebreitet hatte, damit sie darüber hinschreite, als dadurch, daß er den Namen Englands in unentdeckte Länder trug. Charles Strickland lebte in der Verborgenheit. Er machte sich mehr Feinde als Freunde. So ist es nicht verwunderlich, daß Leute, die über ihn schrieben, ihre dürftigen Erinnerungen mit lebhafter Phantasie ergänzten, und es ist klar, daß unter dem Wenigen, was man von ihm wirklich wußte, sich manches befand, das dem romantischen Bedürfnis des Schreibenden entgegenkam. In Stricklands Leben hat es viel Seltsames und Schreckliches gegeben, in seinem Charakter manches Abstoßende, und in seinem Schicksal nicht wenig, das tief ergreifend war. Im Laufe der Zeit entstand eine Legende von einer solchen ins einzelne gehenden Anschaulichkeit, daß ein kluger Historiker Bedenken tragen würde, sie anzufechten.

Aber ein kluger Historiker war der Reverend Robert Strickland gerade nicht. Er schrieb seines Vaters Biographie*, und zwar eingestandenermaßen in der Absicht, »ge-

---

* »Strickland, The Man and His Work«, by his son, Robert Strickland. Wm. Heinemann, 1913.

wisse falsche Auffassungen zu beseitigen«, die sich in bezug auf den späteren Lebensabschnitt seines Vaters Geltung verschafft und »noch lebenden Personen viel Kummer bereitet hatten«. Es läßt sich nicht leugnen, daß der gemeinhin für wahr gehaltene Bericht über Stricklands Leben vieles enthält, was eine ehrbare Familie in Verlegenheit setzen kann. Ich habe dieses Werk des Sohnes mit viel Belustigung gelesen, wozu ich mich beglückwünsche, denn es ist schal und dumm. Mr. Strickland-Sohn hat uns das Bild eines ausgezeichneten Gatten und Vaters gemalt, eines Mannes von freundlichem Wesen, betriebsamem Charakter und moralischer Veranlagung. Der moderne Geistliche hat in der Wissenschaft, die man, glaube ich, Exegese nennt, eine erstaunliche Gewandtheit erworben, Tatsachen wegzuerklären. Immerhin wird die Spitzfindigkeit, mit welcher der Reverend Robert Strickland alle Dinge in seines Vaters Leben, deren sich zu erinnern ein pflichtbewußter Sohn peinlich finden muß, »interpretiert« hat, ihm, wenn die Zeit gekommen ist, sicherlich zu den höchsten kirchlichen Würden verhelfen. Schon sehe ich seine prallen Waden in bischöfliche Gamaschen gezwängt. Es war ein mißliches, wenn auch vielleicht ein ritterliches Unterfangen, da es wahrscheinlich ist, daß die allgemein anerkannte Legende an dem Wachstum von Stricklands Ruhm einen nicht unerheblichen Anteil hatte; denn viele waren durch den Abscheu vor seinem Charakter oder durch die Ergriffenheit über die Art seines Todes zu seiner Kunst hingezogen worden, und des Sohnes wohlmeinende Bemühungen kühlten die Bewunderer des Vaters beträchtlich ab. So ist es kein Zufall, daß, als eines seiner bedeutenden Werk, »Die Samariterin«*, kurz nach der Veröffentlichung von Mr. Stricklands Biographie bei Christie versteigert wurde, es um 235 Pfund Sterling weniger erzielte als neun Monate vorher, wo es von einem angesehenen Sammler erstanden worden war, dessen plötzlicher Tod es neuerlich unter den Hammer brachte. Vermutlich würde es Charles Stricklands hoher Begabung und Originalität kaum gelungen sein, obzusiegen, hätte nicht die mythenschaffende Kraft der Menschen eine Erzählung, die ihrer Sehnsucht nach dem Außergewöhnlichen ins Gesicht schlug, stürmisch beiseitegeschoben. Und bald darauf brachte Dr. Weitbrecht-Rotholz das Buch heraus, das allen Zweifeln der Kunstliebenden ein Ende bereitete.

Dr. Weitbrecht-Rotholz gehört jener Schule von Geschichtsschreibern an, welche die Meinung vertreten, daß die menschliche Natur nicht bloß ungefähr so schlecht ist, als sie nur sein kann, sondern noch um ein gut Teil schlimmer; und gewiß kann der Leser in ihren Händen sicherer auf Unterhaltung hoffen, als in denen jener Schriftsteller, die ein boshaftes Vergnügen daran finden, uns die großen romantischen Gestalten der Historie als ein Muster häuslicher Tugenden darzustellen. Mir zum Beispiel täte es leid, denken zu müssen, daß zwischen Antonius und Kleopatra nichts bestanden habe als eine wirtschaftliche Beziehung; und es wird eines noch weit kräftigeren Beweises bedürfen, als er — Gott sei Dank — jemals herbeigeschafft werden kann, um mir die Überzeugung beizubringen, daß Tiberius ein ebenso untadeliger Monarch war wie König Georg V. Dr. Weitbrecht-Rotholz hat die harmlose Biographie von Reverend

---

* Es wurde in Christies Katalog folgendermaßen beschrieben: »Ein nacktes Weib, Eingeborene der Gesellschaftsinseln, liegt an einem Bach auf der Erde. Dahinter eine Tropenlandschaft, Palmen, Bananen usw. 60 Zoll × 48 Zoll.«

Robert Strickland mit solchen Ausdrücken heruntergemacht, daß es schwer fällt, für den unglücklichen Pastor nicht eine gewisse Sympathie zu empfinden. Sein schickliches Vertuschen wird als Heuchlertum gebrandmarkt, seine Umschreibungen werden rundheraus Lügen genannt, sein Schweigen wird als Verrat gegeißelt. Und diese geringfügigen Sünden, die bei einem andern Autor wohl tadelnswert wären, bei einem Sohne aber entschuldbar sind, werden zum Anlaß genommen, um die gesamte angelsächsische Rasse der Prüderie, des Schwindelns, der Anmaßung, des Betruges, der Hinterlist und der schlechten Küche zu bezichtigen. Ich meinesteils halte es für vorschnell von Mr. Strickland, daß er, um die allgemein geglaubte Erzählung von gewissen »Unstimmigkeiten« zwischen seinen Eltern zu widerlegen, behauptet, Charles Strickland habe in einem Brief aus Paris seine Gattin als »eine ausgezeichnete Frau« bezeichnet; denn leider war Dr. Weitbrecht-Rotholz in der Lage, den angeführten Brief in Faksimile abzudrucken, woraus sich ergibt, daß die betreffende Stelle tatsächlich folgendermaßen lautet: »Gott verdamme meine Gattin! Sie ist eine ausgezeichnete Frau. Ich wollte, sie führe zur Hölle.« In ihren großen Tagen ist die Kirche mit unerwünschten Aussagen nicht in solcher Weise umgesprungen.

Da Dr. Weitbrecht-Rotholz ein enthusiastischer Bewunderer von Charles Strickland war, bestand bei ihm nicht die Gefahr des Weißwaschens. Er besaß einen unfehlbaren Blick für den niedrigen Beweggrund von Handlungen, die allen Anschein der Unschuld aufwiesen. Er war sowohl ein Pathologe der Psyche als ein Kunstgelehrter, und das Unterbewußte barg nur wenige Geheimnisse für ihn. Kein Mystiker hat jemals tiefere Bedeutung in gewöhnlichen Dingen gesehen. Der Mystiker sieht das Unsägliche; der Pathologe der Seele sieht das Erbärmliche. Es ist geradezu faszinierend, zu beobachten, wie der gelehrte Autor jeden Umstand aufspürt, der seinem Helden Schande bringen kann. Sein Herz erglüht für ihn, wenn er die Möglichkeit hat, ein Beispiel seiner Grausamkeit oder Niedertracht anzuführen; und er frohlockt wie ein Inquisitor beim Autodafé eines Ketzers, wenn er durch irgendeine der Vergessenheit entrissene Geschichte die kindliche Pietät des Reverend Robert Strickland Lügen strafen kann. Sein Fleiß ist erstaunlich. Nichts, mochte es noch so geringfügig sein, entging seinem scharfen Auge, und wir können sicher sein, daß, wenn Charles Strickland etwa eine unbeglichene Wäscherinnenrechnung hinterlassen hätte, er sie vom Anfang bis zum Ende abdrucken würde, oder, wenn der Künstler es verabsäumt hätte, einige entliehene Schillinge zurückzugeben, keine Einzelheit dieser Transaktion uns erspart bliebe.

Zweites Kapitel

Da über Charles Strickland so viel geschrieben worden ist, mag es überflüssig scheinen, daß ich noch mehr über ihn schreibe. Das Denkmal eines Malers ist sein Werk. Allerdings habe ich ihn näher gekannt als die meisten andern Menschen: ich begegnete ihm zum erstenmal, als er noch kein Maler war, auch sah ich ihn nicht selten während seiner schwierigen Pariser Jahre. Trotzdem würde ich wohl nie daran gedacht haben, meine Erinnerungen an ihn niederzulegen, hätten mich nicht die Wechselfälle des Krieges nach Tahiti verschlagen. Dort nämlich verbrachte er, wie allgemein bekannt ist, die letzten Jahre seines Lebens, und ebendort kam ich mit Personen in Berührung, die mit ihm verkehrt hatten. So bin ich in der Lage, gerade jenen Teil seiner tragischen Laufbahn zu erhellen, der bisher am meisten im Dunkel geblieben ist. Wenn diejenigen, die an Stricklands Größe glauben, recht haben, dürften die persönlichen Berichte derer, die ihn in Fleisch und Blut gesehen haben, kaum überflüssig sein. Was gäben wir nicht für die Erinnerungen eines Menschen, der mit Greco so intim gewesen wäre wie ich mit Strickland!

Aber ich will nicht in solchen Rechtfertigungsgründen meine Zuflucht suchen. Irgend jemand, ich weiß nicht wer, hat den Menschen zum Heile ihrer Seele geraten, jeden Tag zwei Dinge zu tun, die ihnen zuwider sind. Das war ein weiser Mann, und ich habe seine Vorschrift pünktlich befolgt; denn jeden Tag bin ich aufgestanden und jeden Tag zu Bett gegangen. Aber in meiner Natur liegt ein Hang zur Askese, und so habe ich mein Fleisch jede Woche einer noch härteren Abtötung unterzogen. Ich habe niemals verfehlt, die literarische Beilage der *Times* zu lesen. Es ist eine heilsame Kasteiung, die Unzahl der Bücher, die geschrieben werden, zu betrachten, sich die frohen Hoffnungen, mit denen ihre Verfasser sie in die Öffentlichkeit bringen, zu vergegenwärtigen und des Schicksals zu gedenken, das ihrer harrt. Welche Aussicht besteht, daß irgendein Buch in diesem Gedränge seinen Weg machen wird? Und dabei sind die erfolgreichen Bücher nur die Erfolge einer Saison. Der Himmel weiß, welche Mühsal der Autor auf sich genommen, welche bitteren Erfahrungen er durchgemacht, welches Herzeleid er erduldet hat, um einem Zufallsleser einige Stunden der Entspannung zu schenken oder die langweilige Zeit einer Bahnfahrt zu verkürzen. Und wenn ich nach den Zeitschriften urteilen darf, sind viele dieser Bücher gut und mit Sorgfalt geschrieben; einigen von ihnen wurde sogar die angestrengte Arbeit eines ganzen Lebens geweiht. Die Moral, die ich daraus zog ist, daß der Schriftsteller seinen Lohn in dem Vergnügen an seiner Tätigkeit und in der Befreiung von der Frucht seines Geistes suchen soll: gleichgültig für alles andere, unbekümmert um Lob oder Tadel, Fehlschlag oder Erfolg.

Dann kam der Krieg und mit ihm eine neue Haltung. Die Jugend hat sich Göttern zugewandt, die wir einer früheren Zeit Entstammenden nicht kannten, und schon ist es möglich, die Richtung zu erkennen, in der die, die nach uns kommen, sich bewegen werden. Die jüngere Generation, kraftbewußt und stürmisch, hat sich mit Klopfen an der Tür nicht lange aufgehalten; sie platzte herein und setzte sich auf unsere Stühle. Die Luft hallt wider von ihrem Geschrei. Von den Älteren versuchen einige, indem sie die Faxen der Jugend nachahmen, sich einzureden, daß ihre Zeit noch nicht vorüber sei; sie tun es im Brüllen den Muntersten gleich, aber der Kriegsruf in ihrem Munde klingt hohl; sie sind wie jene armen Kokotten, die sich bemühen, mit Lippenstift, Schminke, Puder und schriller Heiterkeit die Illusion ihres Frühlings vorzugaukeln. Die Klügeren gehen mit dezenter Grazie ihres Weges. In ihrem abgeklärten Lächeln ist nachsichtige Ironie. Sie erinnern sich, daß auch sie eine satte Generation niedergetreten haben, genau mit dem gleichen

Stimmaufwand und der gleichen hochmütigen Verachtung; und sie sehen voraus, daß diese wackern Fackelträger gar bald ihren Platz werden räumen müssen. Es gibt kein letztes Wort. Die neue Verkündigung war alt, als Ninive seine Gewaltigkeit zum Himmel emporreckte. Diese prächtigen Worte, die denen, die sie sprechen, so neuartig scheinen, wurden in kaum verschiedenem Tonfall schon hunderte Male vorher geäußert. Das Pendel schwingt rückwärts und vorwärts. Der Kreis wird immer wieder von neuem beschrieben.

Bisweilen lebt ein Mann beträchtlich über die Zeit hinaus, in der er etwas bedeutet hat, und gelangt in eine, die ihm fremd ist; dann wird den Neugierigen eines der seltsamsten Schauspiele in der menschlichen Komödie geboten. Wer denkt zum Beispiel heute an einen George Crabbe? Er war in seinen Tagen ein berühmter Dichter, und die Welt hat sein Genie mit einer Einmütigkeit anerkannt, die heute infolge der größeren Kompliziertheit des modernen Lebens selten geworden ist. Er lernte seine Kunst in der Schule von Alexander Pope und schrieb moralische Erzählungen in gereimten Strophen. Dann brach die Französische Revolution herein, die napoleonischen Kriege kamen, und die Dichter sangen neue Gesänge. Mr. Crabbe fuhr fort, moralische Erzählungen in gereimten Strophen zu schreiben. Ich stelle mir vor, wie er die Verse dieser jungen Männer las, die in der Welt so großes Aufsehen erregten, und denke, daß er sie für armseliges Zeug hielt. Gewiß war vieles davon armselig. Aber die Oden von Keats und von Wordsworth, ein paar Gedichte von Coleridge, einige mehr von Shelley enthüllten weite Reiche des Geistes, die bisher noch keiner erforscht hatte. Mr. Crabbe war so tot wie ein Stück Vieh, aber er schrieb noch immer moralische Erzählungen in gereimten Strophen. Ich habe die Werke der jüngeren Generation flüchtig gelesen. Mag sein, daß unter ihnen ein noch glühenderer Keats, ein noch ätherischerer Shelley Verse veröffentlicht hat, deren die Welt sich mit Freude erinnern wird. Ich kann es nicht sagen. Ich bewundere ihre Gefeiltheit — diese Jugend ist bereits so vollkommen, daß es absurd wäre, sie hoffnungsvoll zu nennen —, ich staune über den Glanz ihres Stils; aber bei aller Reichhaltigkeit des Ausdrucks (ihr Wortschatz legt die Vermutung nahe, daß sie schon in der Wiege in Roget's *Thesaurus* geblättert haben) sagen sie mir nichts: für meinen Geschmack wissen diese Dichter zuviel und fühlen zu aufdringlich; ich kann die Herzlichkeit, mit der sie mir auf die Schultern klopfen, oder die Aufregung, mit der sie sich mir an die Brust werfen, nicht vertragen; ihre Leidenschaft kommt mir ein wenig blutlos vor, ihre Träume ein bißchen albern. Ich mag sie nicht. Ich bin ausrangiert. Ich werde fortfahren, moralische Erzählungen in gereimten Strophen zu schreiben, aber ich wäre ein dreifacher Narr, wenn ich damit mehr als mein eigenes Vergnügen bezweckte.

Drittes Kapitel

Doch all dies nur nebenbei.

Ich war sehr jung, als ich mein erstes Buch schrieb. Durch einen glücklichen Zufall erregte es Aufmerksamkeit, und mehrere Personen suchten meine Bekanntschaft.

Nicht ohne Schwermut lasse ich meine Gedanken zurück-
wandern in die literarischen Kreise von London, in die der
Schüchterne, aber Begierige damals zum erstenmal Eingang
fand. Lang ist es her, daß ich in dieser Welt verkehrte, und
wenn die Romane, die heute ihre Eigenheiten schildern, die
Wahrheit sagen, hat sich inzwischen vieles geändert. Der
Ort der Handlung ist verschieden. Chelsea und Bloomsbury
sind an die Stelle von Hampstead, Notting Hill Gate und
High Street in Kensington getreten. Damals galt es als Vor-
zug, weniger als vierzig Jahre alt zu sein, heute sind schon
mehr als fünfundzwanzig verpönt. Mir scheint es, als hätten
wir uns in jener Zeit gescheut, unsere Gefühle zur Schau zu
tragen, und die Furcht vor der Lächerlichkeit mäßigte die
auffälligeren Formen der Prätention. Ich glaube nicht, daß
man in jener anmutigen Boheme die Tugend der Keuschheit
besonders pflegte, doch kann ich mich an eine so krasse Pro-
miskuität, wie sie heute gang und gäbe ist, nicht erinnern.
Wir hielten es nicht für heuchlerisch, über unsere Ausschweifungen den Vorhang schicklichen Schweigens zu ziehen. Man fand es noch nicht fabelhaft, die Dinge unweigerlich mit ihren häßlichsten Namen zu benennen. Die Emanzi-
pation der Frau war noch nicht allgemein.

Ich wohnte nahe Victoria Station und entsinne mich langer Reisen im Omnibus zu den gastlichen Häusern der literarischen Welt. Schüchtern, wie ich war, wandelte ich lange
auf der Straße auf und ab, bis ich endlich den Mut fand, auf
die Klingel zu drücken, um dann, krank vor Beklemmung, in
ein stickiges Zimmer voll von Menschen zu geraten. Ich
wurde bald der einen, bald der andern gefeierten Persönlichkeit vorgestellt, und die freundlichen Worte, die man mir

über mein Buch sagte, erweckten in mir das äußerste Unbehagen. Ich fühlte, daß man von mir geistreiche Bemerkungen erwartete, doch fielen sie mir immer erst ein, wenn die Gesellschaft vorüber war. Meine Verlegenheit suchte ich zu verbergen, indem ich Tassen mit Tee und ziemlich schlecht geschnittene Butterbrötchen herumreichte. Ich wünschte, nicht beachtet zu werden, damit ich Muße fände, diese berühmten Geschöpfe nach Herzenslust zu betrachten und ihren gescheiten Reden zu lauschen.

In meiner Erinnerung sehe ich mächtige, entschlossene Frauen mit großen Nasen und Raubtieraugen, die ihre Kleider wie eine Rüstung trugen, und kleine, mausartige alte Jungfern mit sanften Stimmen und verschmitztem Blick. Immer wieder faszinierte mich ihre Hartnäckigkeit, die mit Butter bestrichenen Toasts mit behandschuhten Händen zu essen, und ich staunte über die Gelassenheit, mit der sie, wenn sie sich unbeobachtet glaubten, ihre Finger am Bezug ihres Stuhls abwischten. Das muß den Möbeln nicht gut bekommen sein, doch glaube ich, daß die Gastgeberin sich an den Möbeln ihrer Bekannten rächte, wenn sie ihrerseits bei ihnen zu Besuch war. Manche von ihnen waren elegant gekleidet und sagten, sie sähen bei Gott nicht ein, warum sie schlampig aussehen sollten, bloß weil sie einen Roman geschrieben hätten; wenn man eine hübsche Gestalt habe, könne man sie ruhig zur Geltung bringen, und ein fescher Schuh an einem kleinen Fuß habe noch nie einen Redakteur verhindert, ihr »Geschreibsel« zu drucken. Aber andere fanden das frivol, und sie trugen »kunstgewerbliche Gewänder« und barbarischen Schmuck. Die Männer waren in ihrem Äußeren selten exzentrisch. Sie bemühten sich, so wenig wie möglich wie Schriftsteller auszusehen. Man sollte sie für Herren der guten Gesellschaft halten und hätte, wenn man sie so sah, in ihnen jederzeit bessere Angestellte einer Cityfirma vermuten können. Immer wirkten sie ein bißchen müde. Ich hatte bis dahin keine Schriftsteller kennengelernt, und sie schienen mir seltsam, doch kamen sie mir eigentlich nie ganz wirklich vor.

Ich erinnere mich, ihre Konversation glänzend gefunden zu haben; staunend pflegte ich den Äußerungen beißenden Humors zu lauschen, mit denen sie einen Kollegen im Augenblick, da er den Rücken gekehrt hatte, in Fetzen rissen. Der Künstler hat vor der übrigen Welt dies voraus, daß seine Bekannten ihm für die satirische Betrachtung nicht nur ihre Erscheinung und ihren Charakter, sondern auch ihr Werk darbieten. Nie — dachte ich — würde es mir gelingen, mich so gewandt und so geläufig auszudrücken! In jenen Tagen wurde die Konversation noch als eine Kunst gepflegt: eine treffende Entgegnung wurde höher bewertet als das Prasseln des Feuers im Kamin, und das Epigramm, damals noch nicht ein mechanisches Mittel, durch das sich der Dumme den Anschein der Witzigkeit geben will, verlieh dem Geplauder des feingebildeten Mannes beschwingte Munterkeit. Wie schade, daß ich mich heute an nichts von diesem Funkengesprühe erinnern kann! Am behaglichsten gestaltete sich das Gespräch unter Schriftstellern, wenn es sich den geschäftlichen Dingen zuwandte, welche die andere Seite ihrer Kunst bilden. Wenn wir die Vorzüge und Fehler eines jüngst erschienenen Buches genugsam erörtert hatten, war es nur natürlich, daß die Rede auf die pekuniären Fragen kam. Wie viele Exemplare waren wohl verkauft worden? Welchen Vorschuß hatte der Autor erhalten, und welcher Gewinn war aus dem Buche herauszuholen? Dann sprachen wir von diesem oder jenem Verleger, stellten die Großmut des einen der Knickerigkeit des andern gegenüber, erwogen, ob es besser sei, zu einem zu gehen, der anständige Tantiemen zahle, oder zu einem, der ein Buch zu »lancieren« verstehe. Manche waren in ihren Reklamen geschickt, manche ungeschickt, manche waren modern, manche altmodisch, dann wurde von den Agenten und den Angeboten, die sie für uns erzielt hatten, gesprochen, auch von den Redakteuren, und welche Art von Beiträgen sie wünschten. Zahlte dieser oder jener gut und pünktlich? Ich fand das alles höchst romantisch und kam mir insgeheim wie das Mitglied einer mystischen Bruderschaft vor.

Viertes Kapitel

Damals war Rose Waterford besonders freundlich zu mir. Sie vereinte männliche Intelligenz mit weiblichen Kapricen, und die Romane, die sie schrieb, waren originell und verblüffend. In ihrem Hause lernte ich eines Tages die Frau von Charles Strickland kennen. Miß Waterford gab eine Teegesellschaft, und in ihrem kleinen Zimmer war es noch voller als gewöhnlich. Alle waren in eifrigem Gespräch begriffen, nur ich saß schweigend und ungeschickt da; ich war zu schüchtern, um in eine dieser Gruppen einzubrechen, die ganz mit ihren eigenen persönlichen Angelegenheiten beschäftigt schienen. Miß Waterford war eine gute Gastgeberin; sie bemerkte auch meine Verlegenheit und kam auf mich zu.

»Sie müssen Mrs. Strickland kennenlernen«, sagte sie. »Sie ist von Ihrem Buch ganz hingerissen.«

»Was treibt sie?« fragte ich.

In meiner bodenlosen Ignoranz hielt ich es für angezeigt, mich vorher zu vergewissern, ob Mrs. Strickland vielleicht eine bekannte Schriftstellerin sei.

Rose Waterford schlug mit gemimter Zimperlichkeit die Augen nieder, um ihrer Antwort größeren Effekt zu verleihen.

»Denken Sie nur, sie gibt Mittagsgesellschaften. Sie brauchen sich nur ein bißchen in Szene zu setzen, und sie wird Sie einladen.«

Rose Waterford war eine Zynikerin. Sie betrachtete das Leben als eine günstige Gelegenheit zum Romanschreiben, und das Publikum als ihr Rohmaterial. Ab und zu lud sie Mitglieder ihrer Leserschaft, vorausgesetzt, daß sie ihr Talent schätzten, in ihr Haus ein und amüsierte sie königlich. Auf die Schwäche dieser Leute für literarische Modegrößen sah sie gutgelaunt herab, spielte aber vor ihnen mit Würde die Rolle der distinguierten Literaturdame.

Ich wurde Mrs. Strickland vorgestellt, und wir plauderten wohl ein Viertelstündchen. Es fiel mir an ihr nichts Bemerkenswertes auf, außer, daß sie eine angenehme Stimme besaß. Sie hatte in Westminster eine Wohnung mit dem Blick auf die unvollendete Kathedrale, und die Tatsache, daß wir beide in derselben Gegend wohnten, stimmte uns freundlich gegeneinander. Das Warenhaus des Heeres und der Flotte verknüpft wie ein gemeinsames Band alle, die zwischen der

Themse und St. James Park daheim sind. Mrs. Strickland erkundigte sich nach meiner Adresse, und einige Tage später erhielt ich eine Einladung zum Lunch.

Ich hatte in der Stadt nur wenige gesellschaftliche Beziehungen, so nahm ich gerne an. Als ich eintraf — ein wenig verspätet, da ich aus Angst, zu früh zu kommen, dreimal um die Kathedrale herumgelaufen war —, fand ich die ganze Gesellschaft schon versammelt. Miß Waterford war da, ferner Mrs. Jay, Richard Twining und George Road. Wir waren alle Schriftsteller und befanden uns an diesem heiteren Vorfrühlingstag in bester Laune. Man redete über tausenderlei. Miß Waterford, in ihrem Geschmack hin und her gerissen zwischen dem Ästhetizismus ihrer frühen Jugend, wo sie in züchtiger Jungfräulichkeit, eine Narzisse in der Hand, in Gesellschaften zu erscheinen pflegte, und der Frivolität ihrer reiferen Jahre, die zu hohen Stöckelschuhen und Pariser Toiletten neigten, trug heute einen neuen Hut, der sie in gehobene Stimmung versetzte. Noch nie hatte ich sie so boshaft über unsere gemeinsamen Freunde reden hören. Mrs. Jay, in dem Bewußtsein, daß Unanständigkeit die Seele des Witzes ist, machte im Flüsterton Bemerkungen, die das schneeweiße Tischtuch zum Erröten hätte bringen können. Richard Twining sprudelte von schrulligen Absurditäten über, und George Road, wohl wissend, daß er sein fast sprichwörtlich gewordenes Brillantfeuerwerk nicht abzubrennen brauchte, öffnete den Mund nur, um ihn mit Nahrung zu füllen. Mrs. Strickland sprach nicht viel, aber sie besaß die angenehme Gabe, alle in das gemeinsame Gespräch zu ziehen und die stockende Konversation durch eine passende Bemerkung wieder in Gang zu setzen. Sie mochte ungefähr siebenunddreißig Jahre alt sein. Ihre Gestalt war groß und derb, aber nicht dick; ihre Gesichtszüge waren nicht eigentlich hübsch, aber doch einnehmend, wohl hauptsächlich wegen ihrer freundlichen braunen Augen. Ihr Teint war eher bleich. Das dunkle Haar hatte sie sorgfältig frisiert. Sie war die einzige unter den drei Frauen, die ihr Gesicht nicht schminkte, und wirkte, im Gegensatz zu den andern, einfach und unaffektiert.

Das Eßzimmer war nach dem Geschmack der damaligen Zeit in strengem Stil gehalten. Die Wand war bis zu Schulterhöhe mit weiß gestrichenem Holz verkleidet und darüber mit einer grünen Tapete bespannt, auf der Radierungen von Whistler in glatten, schwarzen Rahmen hingen. Die grünen Vorhänge mit dem Pfauenmuster fielen in geraden Falten herab, und der grüne Teppich, der tummelnde Kaninchen zwischen belaubten Bäumen zeigte, gemahnte an den Einfluß von William Morris. Auf dem Kaminsims gab es blaues Delfter Porzellan. Es mag um diese Zeit in London wohl fünfhundert genauso ausgestattete Eßzimmer gegeben haben — schlicht, künstlerisch und öde.

Beim Nachhausegehen begleitete ich Miß Waterford; das schöne Wetter und ihr neuer Hut veranlaßten uns, noch ein wenig durch den Park zu bummeln.

»Das war aber eine wirklich sehr nette Gesellschaft«, sagte ich.

»Fanden Sie das Essen gut? Ich sagte ihr, wenn sie Schriftsteller haben wolle, müsse sie sie gut füttern.«

»Ein bewundernswerter Rat«, versicherte ich. »Aber warum will sie eigentlich Schriftsteller haben?«

Miß Waterford zuckte die Achseln.

»Sie findet sie unterhaltsam. Sie möchte gern modern sein. Meiner Ansicht nach ist sie ein bißchen simpel, das arme Ding, und sie hält uns alle für fabelhaft. Schließlich macht es ihr Spaß, uns zum Essen einzuladen, und uns schadet es nichts. Ich finde das nett an ihr.«

Wenn ich an diese Zeit zurückdenke, will mir scheinen, daß Mrs. Strickland zu den harmlosesten aller Snobs gehörte, die, von den Höhen Hampsteads bis zu den Niederungen der Ateliers von Cheyne Walk, ihrem Wild nachjagten. Sie hatte eine sehr stille Jugend auf dem Lande verlebt, und die Bücher, die sie sich aus der Hauptstadt schicken ließ, brachten ihr mit dem in ihnen enthaltenen Roman auch die ganze Romanhaftigkeit Londons mit. Ihre Leidenschaft für das Lesen war echt (was bei Menschen ihrer Art selten ist, die sich zumeist mehr für den Autor als für das Buch, mehr für den Maler als für seine Bilder interessieren), und sie erfand sich eine Phantasiewelt, in der sie mit einer Ungebundenheit lebte, die ihr in der Welt des Alltags versagt war. Als sie Schriftsteller kennenlernte, war ihr so abenteuerlich zumute, als sei sie plötzlich mitten auf einer Bühne, die sie vorher nur von der andern Seite der Rampenlichter her gekannt hatte. Sie sah diese Menschen in theatralischen Farben und glaubte wirklich, ein großzügigeres Leben zu leben, weil sie sie bewirtete und in ihren Festungen aufsuchen durfte. Sie akzeptierte den Rhythmus, nach dem sie das Spiel ihres Daseins gestalteten, als gültig für diese Menschenklasse, dachte aber keinen Augenblick daran, ihre eigene Lebensführung im gleichen Sinne zu regeln. Die moralischen Übergriffe dieser Menschen, die Sonderbarkeit ihres Anzugs, ihre wilden Theorien und Paradoxe betrachtete sie als angenehme Belustigung, die aber auf ihre eigenen Überzeugungen nicht den geringsten Einfluß ausübte.

»Gibt es einen Mr. Strickland?« fragte ich.

»Gewiß, er ist irgend etwas in der City. Ich glaube, er ist Börsenmakler. Er ist sehr blöd.«

»Stehen die beiden gut miteinander?«

»Sie beten einander an. Sie werden ihn kennenlernen, wenn Sie einmal zum Dinner hinkommen. Aber sie lädt nicht oft Leute zum Dinner ein. Er ist sehr still. Er interessiert sich nicht im geringsten für Literatur oder Kunst.«

»Warum nur heiraten nette Frauen dumme Männer?«

»Weil intelligente Männer keine netten Frauen heiraten wollen.«

Da mir auf diese Weisheit keine treffende Antwort einfiel, fragte ich, ob Mrs. Strickland Kinder habe.

»Ja, sie hat einen Buben und ein Mädchen. Beide sind auswärts in Internaten.«

Damit war der Gegenstand erschöpft, und wir begannen von andern Dingen zu reden.

Fünftes Kapitel

Während des Sommers sah ich Mrs. Strickland ziemlich häufig. Ab und zu wurde ich von ihr zu angenehmen kleinen Mittagsgesellschaften geladen und außerdem zu umfangreicheren Tees. Wir fanden Geschmack aneinander. Ich war noch sehr jung, und vielleicht gefiel sie sich in dem Gedanken, meine jungfräulichen Schritte auf der rauhen Bahn der

Literatur zu leiten; während ich meinerseits die Annehmlichkeit genoß, jemand zu haben, dem ich meine kleinen Sorgen anvertrauen konnte in dem sicheren Bewußtsein, ein aufmerksames Ohr und vernünftigen Rat zu finden. Mrs. Strickland hatte die Gabe des Mitempfindens. Das ist eine bezaubernde Fähigkeit, doch wird sie von denen, die sich ihres Besitzes erfreuen, oft mißbraucht: denn in der Gier, mit der sie sich auf das Mißgeschick ihrer Freunde stürzen, um dann ihre Geschicklichkeit im Trösten zu erweisen, liegt etwas Vampirhaftes. Das Gefühl spritzt aus ihnen wie aus einem Petroleumbohrloch, und der Mitempfindende gießt seine Sympathie in einem Schwalle aus, der sein Opfer manchmal zu ersticken droht. Es gibt Busen, an denen schon so viele Tränen vergossen worden sind, daß ich sie nicht noch mit meinen betauen möchte. Mrs. Strickland bediente sich ihrer Gabe mit Takt. Man fühlte, daß man sie verpflichtete, wenn man ihre Sympathie entgegennahm. Als ich in jugendlicher Begeisterung zu Rose Waterford davon sprach, bemerkte sie:

»Milch ist sehr gut, besonders mit einem Schuß Schnaps darin, aber die Hauskuh ist froh, wenn sie sie los wird. Ein geschwollenes Euter ist sehr unangenehm.«

Rose Waterford hatte eine verdammt scharfe Zunge. Niemand konnte so bittere Dinge sagen, und anderseits so reizende Dinge tun.

Es gab noch etwas, das mir an Mrs. Strickland gefiel. Sie verstand es, ihr Milieu mit Anmut zu gestalten. Ihre Wohnung war immer adrett und heiter, freundlich mit Blumen geschmückt, und die Chintzüberzüge im Salon wirkten trotz ihres strengen Musters hell und hübsch. Die Mahlzeiten in dem künstlerisch ausgestatteten kleinen Speisezimmer waren angenehm; der Tisch war nett gedeckt, die beiden Dienstmädchen waren gewandt und schmuck, das Essen war trefflich zubereitet. Es war unmöglich, nicht zu sehen, daß Mrs. Strickland eine ausgezeichnete Hausfrau war. Und sicherlich war sie auch eine wunderbare Mutter. Im Salon gab es Fotografien ihres Sohnes und ihrer Tochter. Der Sohn — er hieß Robert —, ein Junge von sechzehn Jahren, war in der Schule in Rugby. Man sah ihn mit Flanellhosen und einer Kricketmütze, und dann wieder in schwarzem Rock und steifem Kragen. Er hatte das offene Gesicht seiner Mutter und schöne strahlende Augen. Er sah sauber, gesund und normal aus.

»Ich weiß nicht, ob er sehr klug ist«, sagte sie eines Tages, als ich die Fotografie betrachtete, »aber ich weiß, daß er ein guter Mensch ist. Er hat einen entzückenden Charakter.« Die Tochter war vierzehn. Ihr Haar, dicht und dunkel wie das ihrer Mutter, fiel in schöner Fülle auf die Schultern herab, und sie hatte den gleichen gütigen Ausdruck und die gleichen friedlichen, klaren Augen.

»Sie sind Ihnen beide wie aus dem Gesicht geschnitten«, sagte ich.

»Ja, sie gleichen wohl mehr mir als ihrem Vater.«

»Warum haben Sie mich nie mit ihm bekannt gemacht?«

»Würden Sie ihn gern kennenlernen?«

Sie lächelte; ihr Lächeln war wirklich sehr süß. Wie sonderbar, daß eine Frau in ihrem Alter so leicht erröten konnte! Vielleicht war ihre Naivität ihr größter Charme.

»Wissen Sie«, sagte sie, »er ist ganz und gar nicht literarisch. Er ist der vollkommene Philister.«

Sie sagte dies nicht in abschätzigem, sondern eher in liebevollem Ton, als wünschte sie ihn, indem sie seine schlechteste Eigenschaft zugab, vor den Spötteleien ihrer Freunde zu schützen.

»Er ist an der Börse beschäftigt und ist der typische Makler. Wahrscheinlich würde er Sie zu Tode langweilen.«

»Langweilt er Sie auch?« fragte ich.

»Sehen Sie, ich bin ja eben seine Frau. Ich habe ihn sehr gern.«

Sie lächelte, um ihre Befangenheit zu verdecken; vermutlich fürchtete sie, ich würde einen jener bösen Witze machen, den ein solches Geständnis unfehlbar bei Rose Waterford hervorgerufen hätte. Mrs. Strickland zögerte ein wenig, in ihre Augen trat ein zärtlicher Schimmer.

»Er erhebt nicht den Anspruch, ein Genie zu sein. Er verdient nicht einmal viel Geld an der Börse. Aber er ist furchtbar gut und nett.«

»Ich glaube, er würde mir sehr gefallen.«

»Ich werde Sie nächstens einmal zu uns zum Dinner einladen. Aber, notabene, Sie kommen auf Ihre eigene Gefahr. Tadeln Sie mich nicht, wenn Sie einen sehr langweiligen Abend verleben.«

Sechstes Kapitel

Aber als ich schließlich mit Charles Strickland zusammentraf, geschah es unter Umständen, die mir just erlaubten, seine flüchtige Bekanntschaft zu machen. Eines Morgens er-

hielt ich von Mrs. Strickland ein Billett, in dem sie mir mit-
teilte, daß sie heute abend ein Dinner gebe, einer der Gäste
habe abgesagt, und sie bitte mich, die Lücke zu stopfen. Sie
schrieb:

»Ich halte es für meine Pflicht, Ihnen vorher zu sagen,
daß Sie sich bodenlos langweilen werden. Die Leute, die Sie
heute bei mir treffen werden, waren immer schon öde, aber
ich wäre Ihnen außerordentlich dankbar, wenn Sie kämen.
Und wir beide können ein kleines Extragespräch haben.«

Als guter Nachbar mußte ich annehmen.

Als Mrs. Strickland mich ihrem Gatten vorstellte, hielt er
mir eine ziemlich gleichgültige Hand zum Schütteln hin. Sie
wandte sich ihm lächelnd zu und versuchte einen kleinen
Scherz zu machen:

»Ich habe ihn eingeladen, um ihm zu zeigen, daß ich
wirklich einen Mann habe. Ich glaube, er begann daran zu
zweifeln.«

Strickland gab das höfliche kleine Lachen von sich, mit
dem Menschen Witze quittieren, an denen sie nichts Komisches finden. Aber er sprach kein Wort. Die Ankunft neuer
Gäste beanspruchte seine Aufmerksamkeit, und ich blieb
einsam stehen. Als schließlich alle versammelt waren und
auf die Ankündigung warteten, daß das Essen serviert sei,
mußte ich, während ich mit der Dame, die ich zu Tisch führen sollte, plauderte, daran denken, was für einen befremdlichen Scharfsinn der zivilisierte Mensch darauf verwendet,
die kurze Spanne seines Lebens mit lästigen Beschäftigun-
gen zu vergeuden. Es war jene Art von Gesellschaft, bei der
man sich unwillkürlich fragt, warum eigentlich die Hausfrau
die Mühe auf sich nahm, die Gäste einzuladen, und warum

die Gäste die Mühe auf sich nahmen, zu kommen. Zehn Leute waren da. Sie kamen mit gleichgültiger Miene und würden mit erleichterter Miene wieder abziehen. Natürlich handelte es sich um eine rein gesellschaftliche Funktion. Die Stricklands waren »verpflichtet«, eine Anzahl von Personen, an denen sie keinerlei Interesse hatten, zum Dinner zu bitten, und hatten sie infolgedessen eingeladen. Diese Personen hatten die Einladung angenommen. Warum? Um der Langeweile eines Abendessens im Tête-àTête zu entgehen; um ihren Dienstboten einen freien Abend zu verschaffen; weil es keinen Grund zur Ablehnung gab; weil man ihnen ein Dinner »schuldig war«.

Das Eßzimmer war übermäßig voll. Es gab einen Kronanwalt mit seiner Frau, einen Regierungsbeamten mit seiner Frau, ferner die Schwester von Mrs. Strickland mit ihrem Gatten, dem Obersten MacAndrew, und schließlich die Frau eines Parlamentsmitglieds. Da dieses Parlamentsmitglied gefunden hatte, es könne seine Sitzung nicht im Stiche lassen, war ich eingeladen worden. Die Ehrbarkeit dieser Gesellschaft war schauderhaft. Die Frauen waren zu bieder, um hübsch angezogen zu sein, und ihrer Stellung zu sicher, um amüsant zu sein. Die Männer waren gediegen. Über allen schwebte eine Atmosphäre satter Prosperität.

Jeder sprach ein bißchen lauter als natürlich, in dem instinktiven Bestreben, der Unterhaltung Schwung zu geben, und es herrschte im Zimmer ein rechter Lärm. Aber das Gespräch war nicht allgemein. Jeder Herr sprach mit seiner Nachbarin: mit der Nachbarin zur Rechten während der Suppe, des Fisches und des Entrées; mit der Nachbarin zur Linken während des Bratens, der Süßspeise und des Desserts. Sie sprachen über die politische Lage und über das Golfspiel, über ihre Kinder und das letzte Theaterstück, über die Bilder in der Königlichen Akademie, über das Wetter und über ihre Ferienpläne. Es gab nie eine Pause, und der Lärm wuchs an. Mrs. Strickland konnte sich beglückwünschen: die Gesellschaft war ein voller Erfolg. Ihr Gatte spielte seine Rolle mit Anstand. Vielleicht war er nicht sehr gesprächig, denn ich glaubte, gegen Ende des Mahles in den Gesichtern der Damen zu seinen beiden Seiten einen Zug von Abgespanntheit zu entdecken. Sie fanden ihn lastend. Ein- oder zweimal ruhten Mrs. Stricklands Augen etwas ängstlich auf ihm.

Endlich erhob sie sich und geleitete die Damen in das andere Zimmer. Strickland machte hinter ihr die Tür zu, begab sich an das andere Ende des Tisches und nahm zwischen dem Kronanwalt und dem Regierungsbeamten Platz. Er ließ noch einmal den Portwein herumgehen und bot uns allen Zigarren an. Der Kronanwalt machte eine Bemerkung über die Güte des Weines, und Strickland sagte uns, woher er ihn bezog. Nun begannen wir über Jahrgänge und über Tabak zu sprechen. Der Kronanwalt erzählte von einem Prozeß, mit dem er zu tun hatte, und der Oberst verbreitete sich über Polo. Ich wußte nichts zu sagen, saß schweigend da und bemühte mich aus Höflichkeit, Interesse an der Konversation zu zeigen. Da ich nun annahm, daß niemand mich beachte, konnte ich nach Herzenslust Strickland mustern. Seine Gestalt war mächtiger, als ich erwartet hatte: ich weiß nicht, warum ich ihn mir schlank und in seiner Erscheinung unansehnlich vorgestellt hatte; tatsächlich war er breit und schwer mit großen Händen und Füßen, und der Smoking saß ihm schlecht, ungefähr so, als ob man einen Kutscher in diese Kleider gesteckt hätte. Er mochte ein Vierziger sein, ein Mann, nicht schön, aber auch nicht häßlich, denn sein Gesicht war gut geschnitten; nur wirkten alle Einzelheiten ein wenig überlebensgroß, was einen unvorteilhaften Eindruck machte. Er war sorgfältig rasiert, und sein großes Gesicht sah unangenehm nackt aus. Sein Haar war rotblond, aber ganz kurz geschoren, die kleinen Augen schienen blau oder grau zu sein. Er sah gewöhnlich aus. Ich wunderte mich nicht mehr, daß Mrs. Strickland sich für ihn ein wenig genierte; ein solcher Mann bedeutet kaum eine Empfehlung für eine Frau, die sich in der Welt der Kunst und Literatur eine Stellung schaffen will. Offensichtlich besaß er auch keine gesellschaftliche Gewandtheit, aber ein Mann kann ohne sie auskommen; nicht einmal etwas Exzentrisches, das ihn aus der Alltagsmenschheit herausgehoben hätte, war an ihm zu entdecken: er war nun einmal nichts als ein braver, langweiliger, redlicher und uninteressanter Mensch. Man schätzte seine ausgezeichneten Eigenschaften, vermied es aber, mit ihm umzugehen. Vermutlich war er ein achtbares Mitglied der menschlichen Gesellschaft, ein guter Gatte und Vater, ein redlicher Börsenmakler; aber nichts konnte einen veranlassen, seine Zeit mit ihm zu verschwenden.

Siebentes Kapitel

Die Londoner Saison schleppte sich ihrem staubigen Ende zu, und jedermann bereitete sich auf das Verlassen der Stadt vor. Mrs. Strickland wollte sich mit ihrer Familie an die Küste von Norfolk begeben; die Kinder würden dort die See, der Gatte sein Golfspiel haben. Wir nahmen Abschied und sagten einander auf Wiedersehen bis zum Herbst. Jedoch an meinem letzten Tag in der Stadt, als ich gerade aus dem Warenhaus kam, begegnete ich ihr mit ihrem Sohn und ihrer Tochter. Sie hatte, genau wie ich, vor ihrer Abreise noch einige letzte Einkäufe gemacht, und jetzt waren wir beide erhitzt und müde. Ich schlug ihr vor, mit ihr und den Kindern zusammen im Park Eis zu essen.

Mrs. Strickland war anscheinend froh, mir ihre Sprößlinge vorzuführen; sie nahm meine Einladung erfreut an. Die beiden waren in Wirklichkeit noch viel reizender als auf den Fotografien, und sie hatte recht, stolz auf sie zu sein. Ich war so jung, daß ich die beiden nicht einschüchterte, und so plauderten sie fröhlich über dies und jenes. Es waren außerordentlich hübsche und gesunde junge Geschöpfe, und unter den Bäumen saß es sich sehr angenehm.

Als sie eine Stunde später in eine Droschke schlüpften, um heimzufahren, schlenderte ich gemächlich meinem Klub zu. Ich fühlte mich vielleicht ein wenig einsam, und so dachte ich mit einer Spur von Neid an das trauliche Familienleben, in das ich hatte einen kurzen Blick tun dürfen. Sie schienen einander alle sehr zugetan und hatten ihre kleinen privaten, für den Außenseiter unverständlichen Scherze, über die sie sich königlich amüsierten. Vielleicht war Charles Strickland dumm, wenn man an ihn den Maßstab legt, der vor allem Wortfeuerwerke verlangt; aber seine Intelligenz stand im Einklang mit seiner Umgebung, und das ist der beste Passierschein nicht nur zu einem anständigen Erfolg, sondern, was noch weit mehr ist, zum Glück. Mrs. Strickland war eine reizende Frau, und sie liebte ihn. Ich malte mir das von keinem widrigen Abenteuer getrübte Leben der beiden Ehegatten aus, ein rechtschaffenes, ehrbares Leben, das durch die heranwachsenden anmutigen Kinder so sichtlich dazu bestimmt war, die normale Tradition von Rasse und Beruf fortzusetzen, und dadurch tiefere Bedeutung erhielt. Das Ehepaar würde ganz unmerklich alt werden; es würde Sohn und Tochter in die Jahre der Vernunft kommen und zur rechten Zeit sich verheiraten sehen: sie ein hübsches Mädchen, künftige Mutter gesunder Kinder; er ein schöner, wackerer Bursche, offensichtlich zum Soldaten geschaffen. Und schließlich würden die Alten, behäbig und in achtbarer Zurückgezogenheit, geliebt von ihren Nachkommen, nach einem glücklichen und nicht unnützlichen Leben, nachdem sie ihre Zeit erfüllt, ins Grab sinken.

Das muß die Geschichte von zahllosen Ehepaaren sein, und das Bild ihres Lebens hat einen traulichen Reiz. Es erinnert an ein friedliches Flüßchen, das sich, beschattet von angenehmen Bäumen, sanft durch grüne Weideplätze schlängelt, bis es sich endlich in das ungeheure Meer ergießt; aber das Meer hat etwas so Undurchdringliches, Verschwiegenes und Gleichgültiges, daß man bei diesen Gedanken ein plötzliches Unbehagen verspürt. Vielleicht lag es bloß an einer Absonderlichkeit meines Gemüts, die auch schon in jenen Tagen sich geltend machte, daß ich in einem solchen Dasein, dem Schicksal der großen Mehrheit, etwas wie einen Mangel empfand. Ich mußte seinen sozialen Wert anerkennen, ich sah sein wohlgeordnetes Glück, aber ein Fieber in meinem Blut verlangte nach wilderem Pulsen. Diese leicht erreichbaren Freuden hatten für mich etwas Beängstigendes. In meinem Herzen war der Wunsch nach einem gefährlicheren Leben. Ich scheute nicht zurück vor zackigen Klippen und tückischen Untiefen, wenn ich nur Veränderung haben konnte — Veränderung und das Erregende des Unvorhergesehenen.

Achtes Kapitel

Indem ich überlese, was ich über die Stricklands geschrieben habe, werde ich mir bewußt, daß ihre Gestalten recht schattenhaft wirken müssen. Es war mir nicht vergönnt, sie mit jenen charakteristischen Merkmalen auszustatten, welche die Personen eines Buches erst mit wirklichem Eigenleben erfüllen; und ich martere nun, ungewiß, ob ich die Schuld daran trage, mein Gehirn ab, um mich irgendwelcher Wunderlichkeiten zu entsinnen, mit denen ich ihnen Anschaulichkeit verleihen könnte. Ich weiß, daß ich durch den Hinweis auf irgendeinen Sprachfehler oder eine ausgefallene Gewohnheit ihren Gestalten eine eigentümlichere Kontur geben würde. So aber, wie sie nun einmal dastehen, gleichen sie den Figuren einer alten Tapete: sie heben sich nicht von dem Hintergrund ab und scheinen aus der Entfernung in das Muster zu verschwimmen, so daß man im Grunde nur eine angenehme Farbenzusammenstellung vor sich sieht. Meine einzige Rechtfertigung ist, daß der Eindruck, den sie auf mich machten, nicht anders war. Sie hatten eben jene Wesenlosigkeit an sich, die man bei Menschen findet, deren

Leben nichts als ein Teil des sozialen Organismus ist, so daß sie nur in ihm und durch ihn existieren. Sie sind wie die Zellen im Körper, zwar richtig, aber, solange sie gesund sind, unmerklich aufgegangen in dem bedeutsamen Ganzen. Die Stricklands waren eine durchschnittliche Familie des Mittelstands. Eine angenehme, gastfreundliche Frau mit einer harmlosen Schwärmerei für die kleinen Größen der Literatur; ein ziemlich beschränkter Mann, der in dem engen Lebenskreis, in den ihn eine barmherzige Vorsehung gestellt hatte, seine Pflicht tat; zwei hübsche und gesunde Kinder. Nichts konnte alltäglicher sein. Es war mir nichts an ihnen bekannt, das die Neugier eines interessierten Beobachters hätte erwecken können.

Wenn ich heute an all das denke, was später geschah, muß ich mich fragen, ob ich damals vor den Kopf geschlagen war. Hätte ich sonst nicht wenigstens an Charles Strickland etwas Ungewöhnliches bemerken müssen? Vielleicht. Ich bin der Meinung, daß ich mir in den Jahren, die zwischen damals und jetzt vergangen sind, eine gewisse Menschenkenntnis angeeignet habe, aber selbst wenn ich zur Zeit, da ich die Stricklands kennenlernte, die Erfahrung schon besessen hätte, die ich heute habe, würde ich sie, glaube ich, doch nicht anders beurteilt haben. Immerhin habe ich inzwischen gelernt, daß der Mensch unberechenbar ist, und darum wäre ich heute nicht so verblüfft über die Nachricht, die mich im Frühherbst nach meiner Rückkehr nach London erreichte, wie damals in jener weit zurückliegenden Zeit.

Ich war kaum vierundzwanzig Stunden in der Stadt, als ich in der Jermyn Street schon Rose Waterford in die Arme lief.

»Sie sehen so munter und aufgekratzt aus«, sagte ich. »Was ist denn mit Ihnen los?«

Sie lächelte, in ihren Augen war ein boshaftes Blitzen, das ich bereits kannte. Es bedeutete, daß sie von irgendeinem Skandal in ihrer Bekanntschaft erfahren hatte und sich mit dem Instinkt der Literatin darauf stürzte.

»Sie haben doch Charles Strickland kennengelernt, nicht wahr?«

Nicht nur ihr Gesicht, ihr ganzer Körper vermittelte das Gefühl von Amüsiertheit. Ich nickte. Was mochte dem armen Kerl wohl passiert sein? War er für zahlungsunfähig erklärt oder von einem Omnibus überfahren worden?

»Denken Sie, wie furchtbar! Er ist seiner Frau fortgelaufen.«

Miß Waterford hatte sicherlich das Gefühl, daß sie ihren Gegenstand auf dem Trottoir der Jermyn Street nicht mit der nötigen Ausführlichkeit behandeln könne, und so warf sie mir wie ein Akrobat die nackte Tatsache zu und erklärte, daß sie keine Einzelheiten wisse. Ich konnte ihr nicht die Schande antun, anzunehmen, daß ein so geringfügiger Umstand sie daran gehindert hätte, diese Einzelheiten trotzdem zu liefern, aber sie blieb hartnäckig.

»Ich sage Ihnen doch, daß ich nichts weiß«, erwiderte sie auf meine aufgeregten Fragen, um schließlich mit einem leichtfertigen Schulterzucken hinzuzufügen: »Ich glaube, daß eine junge Person in einer Teestube der City ihre Stellung aufgegeben hat.«

Sie warf mir ein triumphierendes Lächeln zu, versicherte, daß sie zum Zahnarzt müsse, und ging beschwingt davon. Ich war mehr interessiert als betrübt. In jenen Tagen war meine Lebenserfahrung aus erster Hand noch recht dürftig, und daß ein Vorfall, wie ich ihn sonst nur aus Büchern kannte, sich unter Menschen, mit denen ich verkehrte, ereignete, regte mich mächtig auf. Ich muß gestehen, daß ich mich seither daran gewöhnt habe, von Vorfällen dieser Art auch in meinem Bekanntenkreis zu hören. Aber damals war ich auch ein wenig schockiert. Strickland war bestimmt vierzig, und ich fand es widerwärtig, daß ein Mann seines Alters sich mit Liebesaffären abgab. Mit dem Vorwitz der grünen Jugend sah ich fünfunddreißig Jahre als die oberste Grenze an, wo es einem Mann noch erlaubt ist, sich zu verlieben, ohne einen Narren aus sich zu machen. Zudem hatte diese Nachricht auch für mich persönlich etwas Irritierendes, da ich von meinem Landaufenthalt aus Mrs. Strickland geschrieben, ihr meine Rückkehr angekündigt und mich, falls sie mir nicht absage, für einen bestimmten Tag bei ihr zum Tee angemeldet hatte. Nun, dieser Tag war heute, und von Mrs. Strickland war kein Brief gekommen. Wünschte sie mich zu sehen oder nicht? Es war ziemlich wahrscheinlich, daß meine Mitteilung ihr in der Aufregung des Moments aus dem Gedächtnis entschwunden war. Vielleicht war es klüger, nicht zu ihr zu gehen. Anderseits mochte ihr daran gelegen sein, die Angelegenheit zu vertuschen; in diesem Falle wäre es höchst taktlos von mir, sie fühlen zu lassen, daß die befremdliche Nachricht bis zu mir gedrungen war. Ich sagte mir, daß sie sicherlich leide, und ich wünschte nicht einen Schmerz zu sehen, den ich nicht lindern konnte; aber in meinem innersten Herzen war noch ein Wunsch, für den ich mich ein bißchen schämte, nämlich zu sehen, wie sie es aufnahm. Ich wußte nicht, was tun.

Schließlich fiel mir ein Ausweg ein: bei ihr vorzusprechen, als ob nichts geschehen wäre, und vorher das Mädchen mit der Frage hineinzuschicken, ob Mrs. Strickland mein Besuch erwünscht sei. Dadurch erhielt sie die Möglichkeit, mich abzuweisen. Aber als es soweit war und ich dem Mädchen den vorbereiteten Satz sagte, überkam mich, während ich in einem dunklen Gang auf die Antwort wartete, eine so entsetzliche Befangenheit, daß ich alle meine Kraft zusammennehmen mußte, um nicht davonzulaufen. Das Mädchen kam zurück. In meiner Aufregung glaubte ich, ihrer Art zu entnehmen, daß ihr das häusliche Mißgeschick in seinem vollen Umfang bekannt sei.

»Wollen Sie, bitte, hier hereinkommen«, sagte sie.

Ich folgte ihr in den Salon. In dem Zimmer herrschte Dämmerung, die Jalousien waren teilweise herabgelassen, und Mrs. Strickland saß mit dem Rücken gegen das Licht. Oberst MacAndrew, ihr Schwager, stand vor dem Kamin und wärmte seinen Rücken an einem Feuer, das nicht da war. Ich fand mein Erscheinen geradezu tölpelhaft. Ich bildete mir ein, die beiden wären durch meine Ankunft überrascht worden, und Mrs. Strickland hätte mich nur hereinbitten lassen, weil sie vergessen hatte, mir abzusagen. Es kam mir auch vor, als ob der Oberst über die Unterhaltung ungehalten sei.

»Ich war nicht ganz sicher, ob Sie mich erwarten«, sagte ich, bemüht, den Unbefangenen zu spielen.

»Natürlich habe ich Sie erwartet; Anna wird gleich den Tee bringen.«

Selbst in dem verdunkelten Zimmer konnte ich nicht umhin, zu bemerken, daß Mrs. Stricklands Gesicht vom Weinen ganz geschwollen war. Ihr Teint, auch sonst nicht sehr schön, war grau.

»Sie erinnern sich doch an meinen Schwager? Sie haben ihn bei einem Dinner hier kurz vor den Ferien kennengelernt.«

Der Oberst und ich schüttelten einander die Hände. Ich fühlte mich so verzagt, daß mir kein Gesprächsthema einfallen wollte, aber Mrs. Strickland kam mir zu Hilfe. Sie fragte mich, was ich den Sommer über getrieben habe, und so gelang es mir, ein wenig Konversation zu machen, bis endlich der Tee hereingebracht wurde. Der Oberst verlangte einen Whisky-Soda.

»Du tätest gut daran, auch einen zu nehmen, Amy«, sagte er.

»Nein, ich trinke lieber Tee.«

Das war der erste Hinweis darauf, daß etwas nicht in Ordnung war. Ich stellte mich, als ob ich es nicht merkte, und tat mein Bestes, um Mrs. Strickland in eine Plauderei zu ziehen. Der Oberst stand am Kamin und sprach kein Wort. Ich überlegte, wie ich mich in schicklicher Weise wieder verabschieden könnte. Warum nur hatte Mrs. Strickland mich kommen lassen? Es gab keine Blumen im Zimmer, und verschiedene Nippsachen, die während des Sommers weggeschlossen worden waren, fehlten noch immer an ihrem Platz. Das Zimmer, sonst immer so freundlich, hatte nun etwas Freudloses und Steifes. Es wurde einem ganz sonderbar zumute, als läge hinter irgendeiner dieser Wände ein Toter. Ich trank meinen Tee aus.

»Eine Zigarette gefällig?« fragte Mrs. Strickland.

Sie suchte nach der Schachtel, fand aber nirgends eine.

»Es scheinen keine da zu sein.«

Plötzlich brach sie in Tränen aus und eilte aus dem Zimmer.

Ich empfand das als sehr peinlich. Vermutlich hatte das Fehlen der Zigaretten, die in der Regel ihr Gatte zu besorgen pflegte, ihn ihr wieder in die Erinnerung zurückgerufen, und das plötzliche Gefühl, daß sie fortan so viele kleine Annehmlichkeiten, an die sie gewöhnt war, würde entbehren müssen, versetzte ihr einen schmerzlichen Stich. Sie wurde sich bewußt, daß es mit ihrem früheren Leben ein für allemal aus war. — Unter diesen Umständen hatte es keinen Sinn mehr, die gesellschaftliche Verstellung aufrechtzuerhalten.

»Vermutlich möchten sie gerne, daß ich gehe?« sagte ich zum Oberst und stand auf.

»Sie haben wohl schon gehört, daß dieser Lump uns verlassen hat!« platzte er heraus.

Ich zögerte.

»Sie wissen doch, wie die Leute klatschen«, antwortete ich. »Es ist mir irgendwie zu Ohren gekommen, daß etwas nicht in Ordnung ist.«

»Er ist durchgebrannt. Er ist mit einem Frauenzimmer nach Paris abgereist und hat Amy ohne einen Penny zurückgelassen.«

»Das tut mir aber furchtbar leid«, bemerkte ich, da ich nicht wußte, was ich sonst hätte sagen sollen.

Der Oberst stürzte seinen Whisky hinunter. Er war ein großer, hagerer Mann von fünfzig Jahren mit einem hängenden Schnurrbart und grauen Haaren. Er hatte blaßblaue Augen und etwas Schwächliches um den Mund. Von meinem früheren Zusammentreffen mit ihm her erinnerte ich mich an sein läppisches Benehmen, und daß er darauf stolz war, bis zu seiner Pensionierung zehn Jahre hindurch jede Woche dreimal Polo gespielt zu haben.

»Ich möchte Mrs. Strickland mit meiner Gegenwart nicht weiter belästigen«, sagte ich. »Bitte, sagen Sie ihr, wie leid mir das alles tut. Und wenn ich persönlich etwas für sie tun kann, soll es sehr gern geschehen.«

Aber er achtete nicht auf meine Worte.

»Ich weiß nicht, was aus ihr werden soll. Und dann sind noch die Kinder da. Sollen die vielleicht von der Luft leben? Siebzehn Jahre!«

»Wieso siebzehn Jahre?«

»Siebzehn Jahre waren sie verheiratet«, schnauzte er. »Ich habe ihn nie leiden können. Na, er war mein Schwager, und ich versuchte, mich damit abzufinden. Hielten Sie ihn etwa für einen Gentleman? Sie hätte ihn nie heiraten dürfen!«

»Ist denn die Trennung endgültig?«

»Es gibt nur eins, was ihr zu tun bleibt. Sie muß sich von ihm scheiden lassen. Das habe ich ihr gerade erklärt, als Sie kamen. ›Reich schnell deine Klage ein, liebe Amy‹, hab ich ihr gesagt. ›Du schuldest es dir selbst und deinen Kindern.‹ Der Bursche wird gut tun, mir nicht vor die Augen zu kommen. Ich würde ihn verdreschen, daß kein Funken Leben in ihm bleibt.«

Ich konnte mir nicht recht vorstellen, wie Oberst MacAndrew dies bewerkstelligen würde, da mir Strickland als ein besonders kräftiger Mann aufgefallen war, aber ich sagte nichts. Es ist immer bedauerlich, wenn die empörte Sittlich-

43

keit nicht die nötige Stärke des Arms besitzt, um den Sünder zu züchtigen. Eben entschloß ich mich, einen neuerlichen Versuch zum Gehen zu machen, als Mrs. Strickland zurückkam. Sie hatte ihre Tränen getrocknet und sich die Nase gepudert.

»Es tut mir leid, daß meine Nerven versagt haben«, sagte sie. »Ich bin froh, daß Sie nicht gegangen sind.«

Sie setzte sich. Ich wußte wirklich nicht, was ich sagen sollte, da es mir irgendwie widerstrebte, auf Dinge zurückzukommen, die mich nichts angingen. Ich wußte damals noch nichts von der Gewohnheitssünde der Frauen, von ihrer Sucht, mit jedem, der bereit ist, ihnen zuzuhören, über ihre persönlichen Angelegenheiten zu sprechen. Mrs. Strickland gab sich einen Ruck. — »Reden die Leute darüber?« fragte sie.

Ich war sehr bestürzt über ihre Annahme, daß ich von ihrem häuslichen Unglück wußte.

»Ich bin eben erst zurückgekommen. Die einzige Person, die ich gesehen habe, ist Rose Waterford.«

Mrs. Strickland krampfte die Hände zusammen. Endlich bat sie mich:

»Erzählen Sie mir genau, was sie gesagt hat.« Und als ich zögerte, drang sie in mich: »Es ist mir ganz besonders daran gelegen.«

»Sie wissen doch, wie die Leute schwätzen. Sie ist nicht sehr zuverlässig, nicht wahr? Sie sagte, daß Ihr Gatte Sie verlassen habe.«

Ich hielt es nicht für angebracht, Rose Waterfords Anspielung auf ein Mädchen aus einer Teestube zu wiederholen. Ich log.

»Sagte sie nicht, daß er mit irgend jemand durchgebrannt sei?«

»Nein.«

»Das ist alles, was ich wissen wollte.«

Ich war ein bißchen verdutzt, aber soviel begriff ich, daß ich mich nun verabschieden durfte. Als Mrs. Strickland mir die Hand reichte, versicherte ich sie meiner Bereitwilligkeit, ihr in irgendeiner Weise nützlich zu sein. Sie lächelte traurig.

»Ich danke Ihnen herzlich. Ich glaube nicht, daß jemand etwas für mich tun kann.«

Zu schüchtern, um mein Mitgefühl auszudrücken, wandte ich mich dem Obersten zu, um mich von ihm zu verabschieden. Er nahm meine Hand nicht.

»Ich breche auch auf. Wenn Sie durch die Victoria Street gehen, komme ich mit Ihnen.«

»Schön«, sagte ich, »gehen wir!«

Neuntes Kapitel

»Das ist eine schreckliche Geschichte«, sagte er in dem Augenblick, da wir auf die Straße traten.

Ich stellte innerlich fest, daß er in der Absicht mit mir gekommen war, alles, was er schon mit seiner Schwägerin durchgesprochen hatte, noch einmal mit mir zu erörtern.

»Wir wissen nicht, wer das Weib ist«, sagte er. »Wir wissen nur, daß der Schuft nach Paris abgereist ist.«

»Und ich dachte, die Ehe wäre so glücklich.«

»Das war sie auch. Sehen Sie, gerade bevor Sie kamen, sagte mir Amy, daß sie in ihrem ganzen Eheleben keinen Streit mit ihm gehabt hat. Sie kennen Amy. Auf der ganzen Welt gibt es keine bessere Frau.«

Da diese Konfidenzen mir aufgedrängt wurden, hielt ich es nicht für taktlos, auch meinerseits einige Fragen zu stellen.

»Hatte sie nicht den geringsten Argwohn?«

»Nicht den geringsten. Er verbrachte den August mit ihr und den Kindern in Norfolk und war genau derselbe wie immer. Wir, meine Frau und ich, kamen auf ein paar Tage auf Besuch zu ihnen, und ich spielte mit ihm Golf. Im September kehrte er in die Stadt zurück, damit sein Kompagnon in die Ferien gehen könne, und Amy blieb auf dem Land. Sie hatten ein Haus für sechs Wochen gemietet, und gegen Ende dieser Frist teilte sie ihm brieflich mit, an welchem Tag sie in London ankommen werde. Er antwortete ihr aus Paris; in seinem Briefe hieß es, er habe sich entschlossen, mit ihr nicht mehr zusammenzuleben.«

»Welche Erklärung gab er dafür?«

»Gar keine, mein lieber Junge. Ich habe den Brief selbst gesehen, er war keine zehn Zeilen lang.«

»Das ist wirklich sonderbar!«

Wir mußten nun die Straße überqueren und der lebhafte Verkehr hinderte uns am Sprechen. Die Angaben des Obersten kamen mir sehr unwahrscheinlich vor, und ich hatte Mrs. Strickland im Verdacht, ihm aus Gründen, die nur ihr bekannt waren, einen Teil der Tatsachen verhehlt zu haben. Es war klar, daß ein Mann nach siebzehnjähriger Verheiratung seine Frau nicht verließ, ohne daß sich vorher gewisse

Dinge ereignet hatten, welche die Frau hätten warnen müssen.

Der Oberst unterbrach meinen Gedankengang:

»Selbstverständlich hätte er keine andere Erklärung geben können, als daß er zusammen mit einer Frau durchgegangen ist. Vermutlich dachte er, sie würde das von selber herausfinden. So 'n Kerl ist er eben.«

»Und was wird Mrs. Strickland jetzt tun?«

»Nun, zuerst müssen wir Beweise haben. Ich werde persönlich nach Paris gehen.«

»Und sein Geschäft?«

»Darin war er besonders gerieben. Er hat sich im letzten Jahr mehr und mehr davon zurückgezogen und die Arbeit anderen überlassen.«

»Hat er seinen Kompagnon von seinem Ausscheiden aus dem Geschäft verständigt?«

»Nicht die Spur.«

Oberst MacAndrew hatte nur eine sehr oberflächliche Kenntnis von geschäftlichen Dingen und mir fehlte sie gänzlich, so daß ich nicht begriff, unter welchen Bedingungen Strickland sich hatte freimachen können. Ich nahm an, daß der im Stich gelassene Sozius sehr böse war und mit Prozeß drohte. Es sah so aus, als ob er nach Regelung aller Angelegenheiten vier- bis fünfhundert Pfund Sterling zu zahlen haben würde.

»Ein Glück, daß die Möbel in der Wohnung auf Amys Namen geschrieben sind. Auf jeden Fall bleibt ihr wenigstens das.«

»Das meinten Sie wohl, als Sie sagten, sie würde keinen Penny haben?«

»Selbstverständlich. Sie besitzt zwei- bis dreihundert Pfund und die Möbel.«

»Aber wovon soll sie leben?«

»Das weiß Gott allein.«

Die Sache wurde immer undurchsichtiger, und der Oberst mit seinen Verwünschungen und seiner Entrüstung verwirrte mich mehr, als er mich informierte. So war ich herzlich froh, als er beim Anblick der großen Uhr auf dem Warenhaus des Heeres und der Flotte sich plötzlich daran erinnerte, daß er in seinem Klub zum Kartenspiel erwartet wurde, sich verabschiedete und seinen Weg durch den Saint James Park nahm.

Zehntes Kapitel

Ein paar Tage später erhielt ich von Mrs. Strickland ein kurzes Schreiben, in dem sie mich bat, sie am Abend nach dem Dinner aufzusuchen. Ich fand sie allein. Ihr schwarzes Kleid, einfach, fast streng, gemahnte an ihre traurige Lage, und ich in meiner Unschuld war erstaunt, daß sie trotz ihres echten Schmerzes noch fähig war, sich für die Rolle, die sie zu spielen hatte, nach ihren Begriffen von Schicklichkeit richtig zu kleiden.

»Sie sagten letzthin, Sie wären bereit, etwas für mich zu tun, wenn ich Sie darum bäte«, begann sie.

»Es war mir ganz ernst damit.«

»Würden Sie nach Paris fahren und einmal mit Charlie reden?«

»Ich?« — Ich war sprachlos. Ich sagte mir, daß ich ihn nur einmal gesehen hatte, und konnte mir nicht vorstellen, was sie eigentlich von mir wollte.

»Fred ist darauf erpicht, nach Paris zu reisen.« Fred war der Oberst MacAndrew. »Aber ich bin sicher, daß er nicht der richtige Mann ist. Er wird alles nur schlimmer machen. Ich weiß nicht, wen ich sonst darum bitten soll.«

Ihre Stimme bebte, und ich wäre mir wie ein Rohling vorgekommen, wenn ich auch nur gezögert hätte.

»Aber ich habe doch mit Ihrem Gatten keine zehn Worte gesprochen. Er kennt mich ja gar nicht. Vermutlich wird er mich zum Teufel schicken.«

»Das würden Sie wohl nicht als Beleidigung auffassen«, meinte Mrs. Strickland lächelnd.

»Was soll ich nun eigentlich tun?«

Sie gab keine direkte Antwort.

»Ich halte es eher für einen Vorteil, daß er Sie nicht kennt. Sehen Sie, er hat Fred nie gemocht, sprach von ihm immer als einem Dummkopf; er hat kein Verständnis für das Militär. Fred würde in Wut geraten, es würde zu einem Streit kommen, und alles würde schlimmer werden statt besser. Wenn Sie ihm aber sagen, daß Sie in meinem Auftrag kommen, kann er sich nicht gut weigern, Sie anzuhören.«

»Ich kenne Sie ja auch noch nicht sehr lange«, antwortete ich, »wie kann man von jemand verlangen, daß er sich an ein solches Unternehmen wagt, ohne alle Einzelheiten zu kennen? Ich möchte nicht in Dinge die Nase stecken, die mich nichts angehen. Warum reisen Sie nicht selbst nach Paris und sprechen mit ihm?«

»Sie vergessen, daß er nicht allein ist.«

Ich schwieg. Ich stellte mir vor, wie ich bei Charles Strick-
land läutete und meine Visitenkarte abgab; ich sah ihn, die
Karte zwischen Zeigefinger und Daumen haltend, in das
Zimmer treten:

»Welcher Angelegenheit verdanke ich die Ehre?«

»Ich möchte mit Ihnen wegen Ihrer Frau sprechen,«
würde ich wohl antworten.

»So so. Wenn Sie ein bißchen älter geworden sind, werden Sie zweifellos gelernt haben, daß es klüger ist, sich um
die eigenen Angelegenheiten zu kümmern. Bitte seien Sie so
gut und drehen Sie den Kopf ein wenig nach links. Dort ist
die Tür. Ich wünsche Ihnen einen guten Nachmittag.«

Ich sah voraus, daß es unter diesen Umständen schwierig
sein würde, einen würdevollen Abgang zu bewerkstelligen,
und wünschte aus ganzer Seele, nicht nach London zurück-
gekehrt zu sein, ehe Mrs. Strickland mit ihren Nöten selber
fertig geworden war. Ich warf ihr einen verstohlenen Blick
zu. Sie war in Gedanken versunken. Dann sah sie auf,
seufzte tief und lächelte.

»Es kam alles so unerwartet«, sagte sie. »Wir waren
siebzehn Jahre verheiratet. Nie hätte ich mir träumen lassen,
daß Charlie zu den Männern gehört, die sich von einer andern Frau bestricken lassen. Wir sind immer so gut miteinander ausgekommen. Natürlich hatte ich viele Interessen,
die er nicht teilte.«

»Haben Sie herausgefunden, wer« — ich wußte nicht
recht, wie ich mich ausdrücken sollte —, »wer die Person ist,
mit der er abreiste?«

»Nein. Niemand scheint eine Ahnung zu haben. Es ist so
seltsam. Wenn sonst ein Mann mit einer fremden Frau an-

bändelt, sieht man die beiden doch irgendwo miteinander, zum Beispiel in einem Restaurant beim Essen, und die Bekannten kommen und berichten es der Gattin. Mir wurde von keiner Seite ein Wink gegeben — nichts dergleichen. Sein Brief kam wie ein Blitz aus heiterem Himmel. Ich hielt meinen Mann für vollkommen glücklich.«

Sie begann zu weinen, die Arme, und sie tat mir sehr leid. Doch bald darauf wurde sie ruhiger.

»Es hat keinen Sinn, sich nutzlos abzuquälen«, sagte sie, ihre Tränen trocknend. »Das einzig Wichtige ist, daß ich entscheide, was ich zu tun habe.«

Sie redete weiter, kam sprunghaft bald auf dieses, bald auf jenes zu sprechen, einmal auf die jüngste Vergangenheit, dann wieder auf ihr erstes Zusammentreffen mit ihm und ihre Heirat. Aus alledem gewann ich ein ziemlich zusammenhängendes Bild ihres Ehelebens und stellte mit Befriedigung fest, daß meine Mutmaßungen nicht unrichtig gewesen waren. Mrs. Strickland war die Tochter eines indischen Zivilbeamten, der sich nach seiner Pensionierung ganz aufs Land zurückzog, aber die Gewohnheit hatte, jeden August mit seiner Familie der Seeluft wegen nach Eastbourne zu gehen. Und dort war es, wo sie in ihrem zwanzigsten Lebensjahr Charles Strickland kennenlernte, der damals dreiundzwanzig war. Sie spielten zusammen Tennis, gingen miteinander auf der Strandpromenade spazieren und lauschten gemeinsam den Negersängern. Eine Woche, bevor er um sie anhielt, war sie schon entschlossen, ja zu sagen. Sie lebten in London, anfangs in Hampstead, später, als er wohlhabender wurde, im Zentrum der Stadt. Zwei Kinder wurden ihnen geboren.

»Ich hatte immer den Eindruck, daß er die Kinder sehr gern habe, selbst wenn er meiner für einen Moment überdrüssig gewesen sein sollte. Ich wundere mich, daß er das Herz hatte, sie zu verlassen. Es ist alles so unwahrscheinlich. Selbst jetzt bringe ich es noch nicht fertig, zu glauben, daß es wahr ist.«

Schließlich zeigte sie mir seinen Abschiedsbrief. Ich war natürlich begierig, ihn zu lesen, hatte aber nicht gewagt, sie darum zu bitten.

»Liebe Amy,
ich hoffe, Du wirst in der Wohnung alles in Ordnung finden. Ich habe Anna Deine Anweisungen mitgeteilt, und das Essen wird für Dich und die Kinder bei Eurer Ankunft bereit sein. Ich werde zu Deinem Empfang nicht da sein. Ich habe mich nämlich entschlossen, getrennt von Dir zu leben, und reise heute vormittag nach Paris ab. Diesen Brief werde ich dort bei meiner Ankunft einwerfen. Ich komme nicht wieder zurück. Mein Entschluß ist unwiderruflich.

Dein Charles Strickland.«

»Und kein Wort der Erklärung oder des Bedauerns. Finden Sie das nicht unmenschlich?«

»Es ist wirklich ein unter diesen Umständen höchst seltsamer Brief«, erwiderte ich.

»Es gibt nur eine Erklärung, daß er nicht mehr er selbst ist. Ich weiß nicht, wer diese Person ist, die sich seiner bemächtigt hat, aber sie hat aus ihm einen andern Menschen gemacht. Die Sache dauert offenbar schon lange.«

»Woraus schließen Sie das?«

»Fred hat es herausgefunden. Angeblich spielte mein Gatte drei- bis viermal in der Woche am Abend Bridge in seinem Klub. Nun ist Fred mit einem der Mitglieder bekannt und äußerte gelegentlich diesem Herrn gegenüber, daß Charles ein leidenschaftlicher Bridgespieler sei. Der Mann war erstaunt, sagte, er habe Charles noch nie im Spielzimmer gesehen. Heute ist mir ganz klar, daß Charles mit *ihr* zusammen war, während ich meinte, daß er in seinem Klub sei.«

Ich schwieg eine Weile. Dann fielen mir ihre beiden Kinder ein.

»Es muß für Sie schwer gewesen sein, es Robert auseinanderzusetzen«, sagte ich.

»Ich habe keinem der Kinder etwas verraten. Sie müssen wissen, daß ich mit ihnen gerade an dem Tage eintraf, bevor die beiden in ihre Schulen zurückmußten, und ich hatte die Geistesgegenwart, ihnen zu sagen, daß ihr Vater geschäftlich abgerufen worden sei.«

Es mußte ihr sicher nicht leichtgefallen sein, mit diesem Geheimnis im Herzen die Fröhliche und Sorglose zu spielen und dafür zu sorgen, daß die Kinder, mit allem Nötigen versehen, in ihre Schule reisten. Wieder zitterte ihre Stimme.

»Ach, was soll aus ihnen werden, aus den armen Lieblingen? Wovon sollen wir jetzt leben?«

Sie rang nach Selbstbeherrschung; ich bemerkte, wie ihre Hände sich bald krampfhaft öffneten, bald schlossen. Es war ein herzzerreißender Anblick.

»Ich bin natürlich bereit, nach Paris zu gehen«, sagte ich, »wenn Sie glauben, daß ich Ihnen wirklich von Nutzen sein kann. Sie müssen mir aber genau sagen, was ich tun soll.«

»Er soll zurückkommen.«

»Den Äußerungen von Oberst MacAndrew glaubte ich zu entnehmen, daß Sie sich entschlossen haben, die Scheidungsklage einzureichen.«

»Niemals werde ich mich von ihm scheiden lassen«, rief sie mit plötzlicher Heftigkeit aus. »Sagen Sie ihm das von mir. Er wird nie die Möglichkeit haben, diese Frau zu heiraten. Ich bin genauso eigensinnig wie er, ich lasse mich nicht scheiden. Ich habe auch an meine beiden Kinder zu denken.«

Die letzten Worte fügte sie, glaube ich, zur Erklärung ihres Verhaltens hinzu, aber meiner Ansicht nach war dieses weit mehr ihrer sehr begreiflichen Eifersucht als ihrer mütterlichen Fürsorge zuzuschreiben.

»Lieben Sie ihn denn noch?«

»Ich weiß es nicht. Ich will, daß er zurückkommt. Wenn er das tut, wollen wir Vergangenes vergangen sein lassen. Schließlich waren wir siebzehn Jahre verheiratet. Ich bin eine großzügige Frau und hätte ihm alle Freiheit gelassen, solange ich nichts Genaues wußte. Er muß sich doch sagen, daß seine Verliebtheit nicht lange dauern kann. Falls er jetzt zurückkommt, kann alles noch vertuscht werden, und niemand wird etwas erfahren.«

Ich fühlte mich etwas abgekühlt, daß Mrs. Strickland dem Gerede der Leute nachfragte, denn ich wußte damals noch nicht, wie groß die Rolle ist, die die Meinung der andern im Leben der Frauen spielt. Dadurch fällt selbst noch auf ihre tiefstempfundenen Gefühle der Schatten der Unaufrichtigkeit.

Stricklands Adresse war bekannt. Sein Kompagnon hatte

ihn in einem heftigen Brief an seine Bank bezichtigt, daß er sich verstecke; worauf ihm Strickland in einer zynischen und humorvollen Antwort genau angab, wo er zu finden sei. Er wohnte in einem Hotel.

»Ich habe den Namen dieses Hotels nie nennen hören«, sagte Mrs. Strickland. »Aber Fred kennt es. Er sagt, es sei sehr teuer.«

Sie wurde dunkelrot. Vermutlich malte sie sich aus, wie ihr Gatte eine luxuriöse Zimmerflucht bewohnte, bald in diesem, bald in jenem eleganten Restaurant speiste und seine Tage mit Pferderennen, seine Abende beim Spiel verbrachte.

»Das kann doch bei seinem Alter nicht so weitergehen«, sagte sie. »Er ist ja doch vierzig. Ich könnte das allenfalls bei einem jungen Mann begreifen, aber bei einem Mann in seinen Jahren, mit Kindern, die fast erwachsen sind, ist so etwas entsetzlich. Seine Gesundheit wird das einfach nicht aushalten.«

In ihrer Brust rang der Ärger mit dem Kummer.

»Sagen Sie ihm, daß sein Heim nach ihm ruft. Alles ist sich gleich geblieben, und doch ist alles anders. Ich kann ohne ihn nicht leben! Lieber bringe ich mich um! Sprechen Sie ihm von der Vergangenheit, von allem, was wir gemeinsam erlebt haben! Was soll ich den Kindern sagen, wenn sie nach ihm fragen? Sein Zimmer ist noch genauso, wie er es verlassen hat. Es wartet auf ihn. Wir alle warten auf seine Rückkehr.«

Nun gab sie mir genau an, was ich sagen sollte. Auf jede seiner möglichen Äußerungen hatte sie eine Antwort vorbereitet.

»Sie werden alles, was Sie können, für mich tun, nicht wahr?« sagte sie weinerlich. »Erzählen Sie ihm, in welchem Zustand Sie mich gefunden haben.«

Sie wünschte offenbar, daß ich mit allen mir zur Verfügung stehenden Mitteln an sein Mitgefühl appelliere. Sie weinte, ohne sich vor mir zu schämen. Ich war tief gerührt. Stricklands kalte Grausamkeit war wirklich empörend, und ich versprach, das Äußerste zu versuchen, um ihn zu ihr zurückzubringen. Ich erklärte mich bereit, am übernächsten Tag nach Paris zu reisen und dort so lange zu bleiben, bis ich etwas ausgerichtet hätte. Es war inzwischen spät geworden, und wir beide waren durch so viel Aufregung ganz erschöpft. Ich verließ sie.

Elftes Kapitel

Während meiner Reise erfüllte mich der Gedanke an meinen Auftrag mit tiefer Besorgnis. Jetzt, wo ich nicht mehr Mrs. Stricklands Verzweiflung sichtbar vor Augen hatte, war es mir möglich, die Angelegenheit mit mehr Ruhe zu betrachten. Ich war verblüfft über die Widersprüche, die ich in dem Benehmen meiner Freundin feststellte. Gewiß war sie sehr unglücklich, aber sie war zugleich imstande, ihr Unglück zur Schau zu stellen, um mein Mitgefühl zu erregen. Offensichtlich war sie darauf vorbereitet gewesen, zu weinen, denn sie hatte sich mit einem hinreichenden Vorrat von Taschentüchern versehen. Einerseits bewunderte ich diese Voraussicht, anderseits wurden bei nachträglicher Überlegung ihre Tränen dadurch etwas weniger rührend. Ich konnte nicht entscheiden, ob sie die Rückkehr ihres Gatten wünschte, weil sie ihn liebte, oder weil sie die bösen Zungen des Skandals fürchtete; zudem verwirrte mich der Argwohn, daß sich in ihrem gebrochenen Herzen die Pein verschmähter Liebe mit den (für meine damaligen jugendlichen Anschauungen verächtlichen) Nadelstichen der gekränkten Eitelkeit verband. Ich hatte damals noch nicht gelernt, wie widerspruchsvoll die menschliche Natur ist, wußte nicht, wieviel Pose in dem Aufrichtigen, wieviel Niedertracht in dem Edlen, wieviel Güte in dem Verworfenen stecken kann.

Aber in meiner Exkursion lag etwas Abenteuerliches, und mein Gemüt erhellte sich, als der Zug sich Paris näherte. Überdies sah ich mich in einem dramatischen Lichte und gefiel mir in meiner Rolle des zuverlässigen Freundes, der den verirrten Gatten seinem verzeihenden Weibe wieder zuführt. Ich beschloß, Strickland am nächsten Abend aufzusuchen, denn ich fühlte instinktiv, daß ich die Stunde mit Takt zu wählen hatte. Ein Appell an das Gefühl hat vor dem Lunch wenig Aussicht auf Wirkung. Damals befaßten sich meine Gedanken zwar ständig mit Liebe, aber das Eheglück konnte ich mir erst nach dem Nachmittagstee vorstellen.

Ich erkundigte mich in meinem Hotel nach dem, in welchem Charles Strickland wohnte. Es hieß *Hôtel des Belges*. Aber der Portier hatte zu meinem Erstaunen nie davon gehört. Den Angaben von Mrs. Strickland hatte ich zu entnehmen geglaubt, daß es sich um ein großes prächtiges Gebäude hinter der Rue de Rivoli handle. Ich schaute im Adreßbuch nach. Das einzige Hotel dieses Namens befand sich in der Rue des Moines. Der Stadtteil war nicht elegant, ja nicht einmal respektabel. Ich schüttelte den Kopf.

»Das kann es nicht sein«, sagte ich.

Der Portier zuckte die Achseln. Es gebe in Paris kein anderes Hotel dieses Namens. Mir kam der Verdacht, Strickland habe vielleicht eine falsche Adresse angegeben und seine Mitteilung an den Sozius sei nur ein böser Streich gewesen. Irgendwie glaubte ich zu wittern, daß es Strickland einen Heidenspaß machen würde, einen wütenden Börsenmakler an der Nase zu führen und ihn in ein übelberüchtigtes Haus in einer gemeinen Straße zu locken. Immerhin war es das beste, selbst hinzugehen und mich zu überzeugen. Am nächsten Tage nahm ich um sechs Uhr abends eine Droschke und fuhr in die Rue des Moines, entließ sie aber an der Straßenecke, weil ich mir das Hotel zuerst von außen ansehen wollte, bevor ich hineinging. In der Straße gab es kleine Läden für die Bedürfnisse armer Leute, und ungefähr in der Mitte derselben auf der linken Seite befand sich das *Hôtel des Belges*. Mein eigenes Hotel war gewiß recht bescheiden, aber im Vergleich zu diesem wirkte es elegant. Es war ein großes, schäbiges Gebäude, das wohl seit Jahren keinen neuen Anstrich erhalten hatte, und sah so verwahrlost aus, daß seine Nachbarhäuser dagegen schmuck und sauber wirkten. Die Fenster mit den trüben Scheiben waren alle geschlossen. Hier wahrlich konnte Charles Strickland seine Tage nicht in schuldbeladenem Glanz verbringen mit jener unbekannten Circe, um derentwillen er Ehre und Pflicht aufgegeben hatte. Ich ärgerte mich, denn ich fühlte, daß ich zum Narren gehalten worden war, beinahe hätte ich kehrtgemacht, ohne mich auch nur zu erkundigen. Schließlich ging ich doch hinein, um Mrs. Strickland wenigstens berichten zu können, daß ich mein möglichstes für sie getan hatte.

Der Eingang befand sich seitwärts von einem Laden. Die Tür stand offen und gleich beim Eintritt stieß ich auf ein Schild: *Bureau au premier*. Ich ging die enge Treppe hinauf und fand im ersten Stock eine Art verglaster Loge, mit einem Pult und zwei Stühlen darin. Vor der Loge gab es eine Bank, auf der wohl der Nachtportier seine peinlichen Nachtstunden verbrachte. Zu sehen war niemand, aber unter einer elektrischen Klingel stand: *Garçon*. Ich drückte auf den Knopf, und gleich darauf erschien ein Kellner, ein junger Mann, der mürrisch und verboten aussah, in Hemdsärmeln und buntgemusterten Pantoffeln.

Ich weiß nicht, warum ich meine Frage in möglichst beiläufigem Ton stellte.

»Wohnt hier zufällig ein Herr Strickland?« fragte ich.

»Nr. 32, sechster Stock.«

Ich war so überrascht, daß ich einen Augenblick lang zu antworten vergaß.

»Ist er zu Hause?«

Der Kellner warf einen Blick auf das Schlüsselbrett im Büro.

»Er hat seinen Schlüssel nicht angehängt. Gehen Sie hinauf und sehen Sie selbst.«

Mir schien, als könnte ich noch eine weitere Frage stellen.

»*Madame est là?*« — »*Monsieur est seul.*«

Der Kellner sah mir argwöhnisch nach, als ich die Stufen hinaufstieg. Die Treppe war dunkel und luftlos. Es herrschte ein widerwärtiger, muffiger Geruch. Drei Stockwerke höher öffnete eine Frau im Schlafrock mit zerzaustem Haar eine Tür und folgte mir stumm mit den Blicken. Endlich war ich im sechsten Stockwerk angelangt und klopfte an der Tür Nummer 32. Ich hörte drinnen ein Geräusch, und die Tür tat sich halb auf. Vor mir stand Charles Strickland. Er sagte kein Wort. Offensichtlich kannte er mich nicht.

Ich nannte meinen Namen und bemühte mich redlich, mit eleganter Selbstverständlichkeit aufzutreten.

»Sie erinnern sich nicht an mich. Ich hatte das Vergnügen, im vergangenen Juni bei Ihnen zu speisen.«

»Treten Sie ein!« sagte er gutgelaunt. »Ich bin erfreut, Sie zu sehen. Nehmen Sie gefälligst Platz!«

Ich trat ein. Das Zimmer war sehr klein und mit Möbeln in dem von den Franzosen nach Louis Philippe benannten Stil überfüllt. Es gab eine große hölzerne Bettstatt, mit einem schwellenden roten Deckbett darauf, ferner einen großen Kleiderschrank, einen runden Tisch, ein ganz kleines Waschgestell und zwei mit rotem Rips überzogene Polsterstühle. Alles war schmutzig und abgenutzt; von dem ruchlosen Luxus, den Oberst MacAndrew so getreulich beschrieben hatte, war keine Spur zu entdecken. Strickland warf die Kleidermasse, die auf einem der Stühle lag, auf den Fußboden, und ich nahm Platz. — »Was steht zu Diensten?« fragte er.

In diesem engen Zimmer kam er mir noch mächtiger vor, als ich ihn in Erinnerung hatte. Er trug eine alte Norfolkjacke und war seit etlichen Tagen nicht rasiert. Als ich ihn zuletzt sah, war er sauber und gepflegt gewesen, schien sich aber unbehaglich zu fühlen, heute hingegen machte er in seiner Unordentlichkeit und Ungekämmtheit einen durchaus zufriedenen Eindruck. Ich fragte mich, wie er wohl meine sorgfältig vorbereitete Rede aufnehmen würde.

»Ich bin gekommen, um wegen Ihrer Gattin mit Ihnen zu sprechen.«

»Ich war gerade im Begriffe wegzugehen und vor dem Dinner einen Aperitif zu nehmen. Kommen Sie doch mit mir. Haben Sie Absinth gern?« — »Ich hab' ihn schon getrunken.«

»Also los!« — Er setzte seinen steifen runden Hut auf, der sehr des Bürstens bedurfte.

»Wir können auch zusammen essen. Sie wissen doch, Sie schulden mir ein Dinner.« —

»Einverstanden. Sind Sie allein?«

Ich schmeichelte mir, diese bedeutsame Frage sehr natürlich vorgebracht zu haben.

»Ja. Ich muß sogar gestehen, daß ich seit drei Tagen mit keiner Seele gesprochen habe. Mein Französisch ist nicht sehr brillant.«

Während ich vor ihm die Treppe hinunterstieg, fragte ich mich, was wohl mit dem Dämchen aus der Teestube passiert sei. Hatten sich die beiden bereits verzankt, oder war seine Verliebtheit vorüber? Das schien mir kaum wahrscheinlich, da er doch offenbar seinen verzweifelten Absprung seit einem Jahr vorbereitet hatte. Wir gingen in die Avenue de Clichy und setzten uns an einen der Tische auf der Terrasse eines großen Cafés.

Zwölftes Kapitel

In der Avenue de Clichy herrschte um diese Stunde großes Gedränge, und eine lebhafte Phantasie hätte sich in den Vorübergehenden die Gestalten aus so manchem Schundroman vorstellen können. Da gab es Kommis und Ladenmädchen; alte Männer, die aus einem Buche von Honoré de Balzac hervorgeschritten schienen; dann männliche und weibliche Vertreter jener Berufe, die aus der menschlichen Sündhaftigkeit Kapital schlagen. In den Straßen der ärmeren Viertel von Paris pulst eine heftige Vitalität, die das Blut aufpeitscht und die Seele auf das Unerwartete vorbereitet.

»Kennen Sie Paris gut?« fragte ich.

»Nein. Wir kamen auf unserer Hochzeitsreise her, seitdem war ich nicht hier.«

»Wie sind Sie nur auf dieses Hotel verfallen?«

»Es war mir empfohlen worden, ich wollte etwas Billiges.«

Der Absinth kam, und wir tropften mit der gebührenden Feierlichkeit Wasser auf die schmelzenden Zuckerstückchen.

»Es wird wohl am besten sein, wenn ich Ihnen gleich mitteile, warum ich Sie aufgesucht habe«, sagte ich ziemlich verlegen. — Er zwinkerte mir zu.

»Ich dachte mir schon, daß jemand früher oder später daherkommen würde. Amy hat mir eine Menge Briefe geschrieben.«

»Dann dürften Sie ziemlich genau wissen, was ich Ihnen zu sagen habe.«

»Ich habe die Briefe nicht gelesen.«

Um einen Moment zur Überlegung zu gewinnen, zündete ich mir eine Zigarette an. Ich wußte wirklich nicht, wie ich mich bei meiner Mission zu benehmen hatte. Die pathetischen, rührenden oder entrüsteten Phrasen, die ich vorbereitet hatte, schienen in der Avenue de Clichy nicht am Platz.

Plötzlich kicherte er.

»Verflucht mieses Geschäft, das Sie da auf sich genommen haben, was?«

»Ach, ich weiß nicht«, sagte ich.

»Wissen Sie was? Machen Sie's schnell ab, und dann wollen wir zusammen einen lustigen Abend verbringen.«

Nach einigem Zögern hob ich an:

»Haben Sie niemals daran gedacht, daß Ihre Frau furchtbar unglücklich ist?«

»Sie wird darüber hinwegkommen.«

Die Gefühllosigkeit, mit der er diese Bemerkung machte, war unbeschreiblich. Ich geriet aus der Fassung, bemühte mich aber, es nicht zu zeigen. Ich schlug den Ton an, den mein Onkel Henry, ein Pfarrer, anzuschlagen pflegte, wenn er einen seiner Verwandten dazu bewegen wollte, einen Beitrag für den Verein der Hilfsgeistlichen zu zeichnen.

»Sie werden es mir nicht übelnehmen, wenn ich ganz offen zu Ihnen spreche?«

Er schüttelte lächelnd den Kopf.

»Verdient sie es, daß Sie sie so behandeln?«

»Nein.«

»Haben Sie irgendeine Beschwerde gegen sie vorzubringen?«

»Nein.«

»Ist es demnach nicht ungeheuerlich, sie nach siebzehnjähriger Ehe in dieser Weise zu verlassen, ohne daß auf ihrer Seite eine Schuld vorliegt?«

»Ungeheuerlich.«

Verblüfft blickte ich ihn an. Seine herzliche Zustimmung zu allem, was ich sagte, zog mir den Boden unter den Füßen weg. Sie machte meine Rolle schwierig, um nicht zu sagen lächerlich. Ich war bereit, überredend, rührend, ermahnend, warnend, beschwörend zu sein, wenn nötig sogar zu Tadel, Entrüstung und Sarkasmus zu greifen, aber was zum Teufel soll ein Moralprediger anfangen, wenn der Sünder nicht die geringsten Schwierigkeiten macht, seine Sünde zu bekennen? Ich hatte in dieser Hinsicht keine Erfahrung, da meine eigene Praxis immer darin bestanden hat, einfach alles zu leugnen.

»Na, und was noch?« fragte Strickland.

Ich versuchte verächtlich zu lächeln.

»Nun, wenn Sie das alles zugeben, ist wohl nicht mehr viel zu sagen.«

»Das scheint mir auch.«

Ich hatte das Gefühl, daß ich meine Mission nicht mit großer Gewandtheit ausführte, und begann mich richtig zu ärgern.

»Donnerwetter, man kann doch eine Frau nicht ohne einen Penny zurücklassen?«

»Warum nicht?«

»Wovon soll sie denn leben?«

»Ich habe sie siebzehn Jahre lang erhalten. Warum soll sie sich zur Abwechslung nicht einmal selbst erhalten?«

»Sie kann es nicht.«

»Sie soll es versuchen.«

Natürlich hätte ich darauf vielerlei erwidern können. Ich hätte von der wirtschaftlichen Stellung der Frau reden können, von der stillschweigenden Verpflichtung, die der Mann durch die Eheschließung übernimmt; doch sagte ich mir, daß nur ein einziger Punkt wirklich von Wichtigkeit sei.

»Lieben Sie sie denn nicht?«

»Nicht die Spur«, erwiderte er.

Die Sache war für alle Beteiligten äußerst ernst, aber in der Art seiner Antworten lag eine so fröhliche Dreistigkeit, daß ich mir in die Lippen beißen mußte, um nicht laut herauszulachen. Ich sagte mir, daß sein Benehmen abscheulich sei, und arbeitete mich in einen Zustand moralischer Entrüstung hinein.

»Verdammt noch mal, Sie müssen doch an Ihre Kinder denken! Die haben Ihnen doch nie etwas zuleid getan und Sie auch nicht gebeten, sie in die Welt zu setzen. Wenn Ihnen alles so gleichgültig ist, werden die beiden nächstens auf der Straße landen.«

»Sie haben eine beträchtliche Anzahl von Jahren ein gutes Leben gehabt, ein besseres, als der Mehrzahl der Kinder beschieden ist. Übrigens wird sich schon jemand um sie kümmern. Wenn es einmal so weit kommt, werden die MacAndrews für sie die Schule bezahlen.«

»Aber haben Sie sie denn nicht gern? Es sind so furchtbar nette Kinder. Soll das heißen, daß Sie gar nichts mehr mit ihnen zu tun haben wollen?«

»Als sie klein waren, hatte ich sie sehr gern, aber jetzt, wo sie bald erwachsen sind, empfinde ich kein besonderes Gefühl für sie.«

»Das ist ja unmenschlich!«

»Scheint so.«

»Sie scheinen sich nicht im geringsten zu schämen.«

»Ich schäme mich auch nicht.«

Ich versuchte eine neue Taktik.

»Die Leute werden Sie für ein vollkommenes Scheusal halten.«

»Mögen sie.«

»Wäre es Ihnen denn gleichgültig, zu erfahren, daß die Menschen Sie hassen und verachten?«

»Vollkommen.« — Seine kurze Antwort klang so geringschätzig, daß sie meine Frage, so natürlich sie an sich war, sinnlos zu machen schien. Ich überlegte eine Weile.

»Ist es denn möglich, sich wirklich wohl zu fühlen, wenn man sich der Mißbilligung seiner Mitmenschen bewußt ist? Sind Sie sicher, daß Sie darunter nicht leiden werden? Jeder Mensch hat so etwas wie ein Gewissen, und eines Tages wird es auch bei Ihnen anklopfen. Angenommen Ihre Frau stürbe, würden Sie nicht von Gewissensbissen gequält werden?«

Er antwortete nicht, und ich wartete einige Zeit auf eine Äußerung von ihm. Schließlich brach ich das Schweigen:

»Was haben Sie dazu zu sagen?«

»Nur, daß Sie ein verdammter Narr sind.«

»Auf jeden Fall können Sie gezwungen werden, Ihre Frau und Ihre Kinder zu unterhalten«, versetzte ich etwas pikiert. »Das Gesetz dürfte die Familie schützen.«

»Kann das Gesetz Blut aus einem Steine ziehen? Ich habe kein Geld. Alles, was ich besitze, sind ungefähr hundert Pfund.«

Ich war noch verdutzter als zuvor. Allerdings wies sein Hotel auf äußerst beengte Verhältnisse hin.

»Was werden Sie tun, wenn Sie dieses Geld ausgegeben haben?«

»Welches verdienen.«

Er war vollkommen kühl, und in seinen Augen war immer der belustigte Ausdruck, der alles, was ich vorbrachte, lächerlich zu machen schien. Ich schwieg eine Weile, um meine nächsten Worte zu überlegen. Aber er sprach zuerst:

»Warum sollte Amy nicht wieder heiraten? Sie ist verhältnismäßig jung und nicht reizlos. Ich kann sie als ausgezeichnete Gattin empfehlen. Wenn sie sich von mir scheiden lassen will, bin ich gerne bereit, ihr die nötigen Gründe zu liefern.«

Nun war an mir die Reihe zu lächeln. Er war sehr schlau, aber offenbar war die Scheidung sein Ziel. Gewiß hatte er seine guten Gründe, die Tatsache zu verhehlen, daß er mit einer Frau durchgebrannt war, und bediente sich jetzt aller erdenklichen Vorsichtsmaßnahmen, um ihren Aufenthalt zu verheimlichen. Ich antwortete scharf:

»Ich habe Ihnen von Ihrer Gattin zu sagen, daß sie sich durch nichts dazu bewegen lassen wird, die Scheidungsklage einzureichen. Das ist ihr fester Entschluß. Schlagen Sie sich also jeden Gedanken an die Möglichkeit einer Scheidung auf immer aus dem Sinn!«

Er sah mich mit einem Erstaunen an, das sicherlich nicht gespielt war. Jetzt lächelte er nicht mehr, sondern sprach in vollem Ernst:

»Aber, mein lieber Mann, mir ist es doch ganz egal. Scheidung oder nicht, was ficht mich das an!«

Ich lachte.

»Ah, da habe ich Sie, wo ich Sie haben wollte. Sie müssen nicht glauben, daß wir gar so dumm sind. Zufällig wissen wir, daß Sie mit einer Frau hierhergekommen sind.«

Er stutzte und brach dann plötzlich in ein lautes Gelächter aus. Er lachte so brüllend, daß die Leute ringsum sich umdrehten und einige von ihnen gleichfalls zu lachen begannen.

»Ich kann aber darin nichts besonders Belustigendes erblicken.«

»Arme Amy«, sagte er grinsend.

Dann nahm sein Gesicht den Ausdruck bitterer Verachtung an.

»Was haben die Weiber doch für einen armseligen Verstand! Liebe, immer muß es Liebe sein. Sie bilden sich ein, daß ein Mann sie nur darum verläßt, weil er eine andere will. Glauben Sie wirklich, daß ich so verrückt bin, das, was ich getan habe, um einer Frau willen zu tun?«

»Wollen Sie damit sagen, daß Sie Ihre Gattin nicht wegen einer anderen Frau verlassen haben?«

»Jawohl.«

»Auf Ihr Ehrenwort?«

Ich weiß nicht, warum ich das von ihm verlangte. Es war sehr naiv von mir.

»Auf mein Ehrenwort!«

»Ja, um Himmels willen, warum haben Sie dann Ihre Frau verlassen?«

»Ich will malen.«

Ich sah ihn eine ganze Weile an. Die Sache war mir unbegreiflich, ich hielt ihn für verrückt. Man vergesse nicht, daß ich damals sehr jung war und daß er mir als ein älterer Mann erschien. Ich war vor Erstaunen fast sprachlos.

»Aber Sie sind doch vierzig Jahre alt!«

»Ja, eben darum fand ich, daß es höchste Zeit sei, mit Malen anzufangen.«

»Haben Sie vorher jemals gemalt?«

»Ich wäre als Junge gern ein Maler geworden, aber mein Vater steckte mich ins Geschäft, weil er meinte, daß mit der Kunst kein Geld zu machen sei. Vor einem Jahr fing ich an, ein bißchen zu malen. Im letzten Jahre habe ich Abendkurse besucht.«

»Aha, dorthin gingen Sie also, während Mrs. Strickland glaubte, Sie spielten Bridge im Klub?«

»So ist es.«

»Warum haben Sie es ihr nicht erzählt?«

»Ich zog vor, es für mich zu behalten.«

»Können Sie malen?«

»Noch nicht. Aber ich werde es können. Deswegen bin ich ja hier. In London fand ich nicht die richtigen Vorbedingungen. Vielleicht finde ich sie in Paris.«

»Halten Sie es für wahrscheinlich, daß ein Mann noch etwas Tüchtiges leisten kann, wenn er erst in Ihrem Alter beginnt? Die meisten beginnen mit achtzehn Jahren zu malen.«

»Ich bin jetzt imstande, schnellere Fortschritte zu machen als ein Achtzehnjähriger.«

»Was veranlaßt Sie zu der Meinung, daß Sie Talent haben?«

Er ließ sich Zeit, bevor er wieder den Mund auftat. Sein Blick verweilte auf der vorüberziehenden Menge, doch glaube ich nicht, daß er sie wirklich sah. Seine Antwort war keine Antwort.

»Ich *muß* malen.«

»Ist das nicht ein ungeheures Wagnis?«

Er schaute mich an. In seinen Augen war etwas Seltsames, so daß mir ganz unbehaglich zumute wurde.

»Wie alt sind Sie eigentlich? Dreiundzwanzig?«

Die Frage schien mir nicht am Platz. Es war nur selbstverständlich, wenn ich mich auf Risiken einließ; aber er war ein Mann, dessen Jugend vorüber war, ein Börsenmakler in geachteter Stellung mit einer Frau und zwei Kindern. Für mich war es natürlich, wenn ich mich ins Ungewisse stürzte, für ihn war es absurd. Ich wollte ihm gegenüber fair sein.

»Natürlich kann ein Wunder geschehen, und Sie können ein großer Maler werden, aber Sie müssen sich doch sagen, daß die Chancen dafür eins zu einer Million stehen. Es wäre doch ein schauderhaftes Fiasko, wenn Sie schließlich feststellen müßten, daß alles vergeblich war.«

»Ich *muß* malen«, wiederholte er.

»Angenommen, daß Sie es nur zur Mittelmäßigkeit bringen, wäre das das Opfer wert, alles aufgegeben zu haben? Schließlich kommt es bei jeder andern Laufbahn nicht so darauf an, ob man sehr tüchtig ist; man bringt sich noch recht anständig durchs Leben, wenn die Fähigkeiten gerade ausreichen; aber bei einem Künstler ist es anders.«

»Sie verdammter Dummkopf!« rief er aus.

»Ich sehe nicht ein, warum ich ein Dummkopf sein soll, es sei denn, daß es dumm ist, das Vernünftige zu sagen.«

»Ich sage Ihnen doch, daß ich malen *muß*, ich kann daran nichts ändern. Wenn ein Mann ins Wasser fällt, fragt er nicht, ob er gut oder schlecht schwimmt: er muß sich einfach herausarbeiten, oder er ersäuft.«

In seiner Stimme war echte Leidenschaft, die mir wider Willen imponierte. Ich glaubte in ihm das Arbeiten einer ungestümen Kraft zu spüren, hatte den Eindruck von etwas sehr Starkem, Überwältigendem, das den Wehrlosen in seiner Macht hielt. Es überstieg meine Begriffe. Er schien mir tatsächlich vom Teufel besessen, der ihn plötzlich rasend machen und zerreißen konnte. Und doch sah er recht gewöhnlich aus. Meine Blicke, die neugierig auf ihm ruhten, brachten ihn nicht in Verlegenheit. Ich fragte mich, wofür ihn wohl ein Fremder halten würde, der ihn so, in seiner alten Norfolkjacke und mit dem ungebürsteten, steifen Hut auf dem Kopf, sitzen sah. Seine Hosen hingen sackartig, seine Hände waren unsauber, und sein Gesicht mit den roten Bartstoppeln auf dem unrasierten Kinn, den kleinen Augen, der großen, aggressiven Nase wirkte ungeschlacht und grob. Sein Mund war groß, die Lippen schwer und sinnlich. Nein, ich wußte nicht, wo ich ihn einordnen sollte.

»Sie wollen also nicht zu Ihrer Frau zurückkehren?« sagte ich schließlich.

»Nie.«

»Sie ist bereit, alles, was geschehen ist, zu vergessen und das Leben mit Ihnen von vorn anzufangen. Sie wird Ihnen nie einen Vorwurf machen.«

»Sie soll zur Hölle fahren.«

»Ist es Ihnen gleichgültig, wenn die Leute Sie für einen ausgemachten Schurken halten? Ist es Ihnen gleichgültig, wenn Ihre Frau und Ihre Kinder um Brot betteln müssen?«

»Es ist mir absolut egal.«

Ich schwieg eine Weile, um meiner nächsten Äußerung größere Wirkung zu verleihen. Ich sagte so entschieden, als es mir möglich war:

»Sie sind ein Erzschurke.«

»Jetzt, wo Sie sich alles von der Leber gesprochen haben, wollen wir essen gehen.«

Dreizehntes Kapitel

Ich darf wohl sagen, daß es anständiger gewesen wäre, diesen Vorschlag abzulehnen. Vielleicht hätte ich die Entrüstung, die ich tatsächlich empfand, deutlicher hervorkehren sollen; ich würde zum mindesten in Oberst MacAndrews Achtung gestiegen sein, wenn ich von meiner unerschütterlichen Weigerung, mit einem Menschen von solchem Charakter an einem Tisch zu sitzen, hätte berichten können. Aber aus Furcht, in der effektvollen Ausführung meines Vorsatzes zu versagen, bin ich immer vor einer moralischen Attitüde zurückgeschreckt. Und im vorliegenden Falle hat die Gewißheit, daß meine Ansichten bei Strickland doch nicht durchdringen würden, es mir besonders schwer gemacht, sie vorzubringen. Nur ein Dichter oder ein Heiliger begießt das Asphaltpflaster in der festen Zuversicht mit Wasser, daß Lilien seiner Mühe Lohn sein werden.

Ich bezahlte, was wir getrunken hatten, und wir gingen zusammen in ein billiges Restaurant voller Menschen und Lustigkeit, wo wir mit Vergnügen aßen. Ich hatte den Appetit der Jugend und er den Appetit des verhärteten Gewissens. Dann begaben wir uns in eine Taverne, um Kaffee und Likör zu trinken.

Ich hatte über das Thema, das der Anlaß meiner Reise nach Paris gewesen war, alles gesagt, und obwohl es mir wie Verrat an Mrs. Strickland vorkam, daß ich meine Bemühungen nicht fortsetzte, war ich mir doch bewußt, wie aussichtslos es gewesen wäre, gegen seine Gleichgültigkeit anzukämpfen. Es gehört ein weibliches Temperament dazu, um mit unvermindertem Eifer dreimal dasselbe zu wiederholen. Ich beschwichtigte mein Gewissen mit dem Gedanken, daß es für mich von Nutzen sein würde, mir über Stricklands Geisteszustand möglichst klarzuwerden. Zudem interessierte mich das weit mehr. Allerdings war dies gar nicht leicht, denn Strickland war kein Mensch, der viel und geläufig sprach. Er schien sich nur mit Mühe auszudrücken, als wären Worte nicht das Material, in dem sein Geist arbeitete. So mußte man die Regungen seiner Seele aus abgedroschenen Redensarten von derber Unbestimmtheit und halbvollendeten Gesten erraten. Aber obgleich er nichts von irgendwelcher Bedeutsamkeit sagte, war doch in seiner Persönlichkeit etwas, das den Eindruck von Dummheit ausschloß. Vielleicht war es Unverfälschtheit. Er schien dieses Paris, das er zum erstenmal sah (den Besuch auf der Hochzeitsreise rechne ich nicht), kaum zu beachten und nahm Schauspiele, die ihm ungewohnt sein mußten, ohne ein Zeichen der Verwunderung hin. Ich selbst bin in Paris wohl hundertmal gewesen, doch nie verfehlt es, mich mit einem Schauer der Erregung zu erfüllen; ich kann nicht durch seine Straßen flanieren, ohne das Gefühl zu haben, am Rande eines Abenteuers zu stehen. Strickland aber blieb völlig ungerührt. Zurückblickend scheint es mir, daß er für alles blind war, außer für die aufwühlenden Visionen in seiner Seele.

Damals ereignete sich ein ziemlich abgeschmackter Vorfall. In dem Lokal gab es einige Dirnen; manche saßen mit Männern, andere allein; und ich bemerkte bald, daß eine von den einsamen zu uns herüberschaute. Als Stricklands Blick sie traf, lächelte sie ihm zu. Ich glaube nicht, daß er sie sah. Etwas später ging sie hinaus, kam aber gleich darauf zurück, trat an unsern Tisch und bat uns sehr höflich, für sie ein Getränk zu bestellen. Sie setzte sich zu uns, und ich begann mit ihr zu plaudern; doch war es klar, daß ihr Interesse Strickland galt. Ich erklärte ihr, daß er nur wenige französische Worte verstände. Sie versuchte, sich mit ihm zu unterhalten, teils mittels Zeichen, teils in einer Art Pidgin-Französisch, das ihr aus irgendeinem Grunde verständlich erscheinen mochte; auch hatte sie ein halbes Dutzend englischer Sätze zu ihrer Verfügung. Was sie nur in ihrer eigenen Sprache ausdrücken konnte, bat sie mich ihm zu übersetzen und erkundigte sich begierig nach dem Sinn seiner Antworten. Er benahm sich nicht unfreundlich, die Sache schien ihn zu belustigen, aber seine Gleichgültigkeit war unverkennbar.

»Sie scheinen ja eine Eroberung gemacht zu haben«, sagte ich lachend.

»Ich fühle mich nicht geschmeichelt.«

An seiner Stelle wäre ich ziemlich verlegen und weniger ruhig gewesen. Sie hatte lachende Augen und einen äußerst lockenden Mund. Und sie war jung. Ich fragte mich, was sie an Strickland so anziehend fand. Sie verhehlte ihre Wünsche nicht, und ich wurde ersucht, sie zu verdolmetschen.

»Sie möchte, daß Sie mit ihr nach Hause gehen.«

»Ich habe keinen Bedarf«, erwiderte er.

Ich umschrieb den Sinn seiner Antwort so liebenswürdig wie möglich. Da es mir unzart erschien, eine derartige Einladung abzulehnen, gab ich als Grund Geldmangel an.

»Aber er gefällt mir«, sagte sie. »Sagen Sie ihm, daß ich es aus Liebe tue.«

Als ich ihm dies übersetzte, hob Strickland ärgerlich die Achseln.

»Sagen Sie ihr, daß sie zum Teufel gehen soll!«

Ton und Gebärde waren nicht mißzuverstehen. Das Mädchen zuckte plötzlich zurück. Vielleicht errötete sie unter ihrer Schminke. Sie erhob sich.

»Monsieur n'est pas poli«, sagte sie und verließ das Lokal.

Ich war recht ärgerlich.

»Sie hatten doch keinen Anlaß, sie zu beleidigen«, sagte ich. »Schließlich mußten Sie ihr Benehmen doch eher als Kompliment auffassen.«

»Von so was wird mir übel«, sagte er schroff.

Ich blickte ihn neugierig an. In seinem Gesicht spiegelte sich ein wirklicher Ekel, und doch war es das Gesicht eines groben, sinnlichen Mannes. Vielleicht hatte eine gewisse Brutalität darin das Mädchen angezogen.

»Ich hätte in London so viele Weiber haben können, wie ich wollte. Dazu bin ich nicht hergekommen.«

Vierzehntes Kapitel

Während meiner Rückreise nach London mußte ich viel an Strickland denken. Ich suchte mir der Reihe nach alles zu vergegenwärtigen, was ich seiner Gattin sagen wollte. Es war recht unerfreulich, und ich konnte mir nicht vorstellen, daß sie mit mir zufrieden sein werde; ich selbst war ja auch nicht mit mir zufrieden. Stricklands Benehmen verwirrte mich. Ich war mir nicht über seine Beweggründe klar. Als ich ihn fragte, was ihn zum erstenmal auf den Gedanken gebracht habe, daß er ein Maler sei, war er nicht imstande oder nicht willens, mir zu antworten. Die Sache blieb mir schleierhaft. Ich versuchte mir einzureden, daß in seinem langsamen Hirn ein dumpfes Revoltegefühl allmählich zum Ausbruch geführt hatte; aber dagegen sprach die unleugbare Tatsache, daß er nie die geringste Ungeduld über die Eintönigkeit seines Lebens gezeigt hatte. Wenn er, von unerträglicher Langeweile gepeinigt, den Entschluß, Maler zu werden, nur darum gefaßt hätte, um lästige Fesseln zu zerreißen, so wäre das begreiflich und irgendwie gewöhnlich gewesen; aber gewöhnlich war er für mein Gefühl gerade nicht. Schließlich machte ich mir eine Erklärung zurecht, die zwar, wie ich zugeben muß, weit hergeholt, aber immerhin die einzige war, die mein romantisches Gemüt halbwegs befriedigte. Ich stellte mir das ungefähr so vor: In seiner Seele war ein tiefeingewurzelter Schöpfertrieb, der durch die Umstände seines Lebens zwar verdunkelt wurde, aber unwiderstehlich wuchs, wie ein Krebsgeschwür in den lebenden Geweben wächst, und endlich von seinem ganzen Wesen Besitz ergriff und es zum Handeln zwang. Der Kuckuck legt sein

Ei in das Nest eines fremden Vogels, und wenn das Junge ausgekrochen ist, drängt es seine Pflegegenossen aus dem Nest heraus und sprengt zuletzt auch dieses sein Obdach.

Aber wie seltsam war es, daß der schöpferische Trieb gerade über diesen öden Börsenmakler kommen mußte, vielleicht zu seinem Verderben, und jedenfalls zum Unglück der Menschen, die von ihm abhingen! Und doch nicht seltsamer als der Weg, den der Geist Gottes nahm, wenn er reiche und mächtige Männer ergriff und sie mit zäher Wachsamkeit verfolgte, bis sie, besiegt, die Freuden der Welt und die Liebe der Frauen aufgaben für die harten Entbehrungen des Klosters. Bekehrung kann unter vielerlei Gestalten erfolgen und durch mancherlei Mittel bewerkstelligt werden. Bei manchen Menschen bedarf es einer Katastrophe, so wie ein Felsblock durch die Wucht eines Wildbachs in Stücke zerbrochen wird; bei andern aber findet der Vorgang allmählich statt, so wie ein Stein unter dem unablässigen Fall von Wassertropfen dahinschwindet.

Strickland hatte die Geradlinigkeit eines Fanatikers und die Grausamkeit eines Apostels.

Aber meinem praktisch denkenden Verstand stellte sich noch die Frage, ob die Leidenschaft, von der er besessen war, sich durch Werke rechtfertigen würde. Als ich ihn fragte, was seine Mitschüler in dem Abendkurs, den er in London besuchte hatte, von seiner Malerei hielten, antwortete er grinsend:

»Sie hielten sie für einen Scherz.«

»Gehen Sie hier in ein Atelier?«

»Ja. Der Trottel kam heute vormittag zur Korrektur — der Lehrer, müssen Sie wissen; als er meine Skizze sah, zog er nur die Augenbrauen hoch und ging weiter.« — Strickland kicherte in sich hinein. Er schien keineswegs entmutigt. Er war unabhängig von der Meinung seiner Mitmenschen.

Und gerade diese Tatsache brachte mich am meisten aus der Fassung. Wenn Menschen behaupten, daß sie nicht danach fragen, was die andern von ihnen denken, belügen sie in den meisten Fällen sich selbst. Gewöhnlich meinen sie damit, daß sie tun werden, was ihnen paßt, in dem Vertrauen, daß niemand von ihren Streichen erfährt, und im äußersten Fall, daß sie gewillt sind, der Meinung der Mehrheit entgegenzuhandeln, weil sie sich von der Billigung Gleichgesinnter unterstützt fühlen. Es ist nicht schwer, unkonventionell in den Augen der Welt zu sein, wenn man damit der Konvention der Gesellschaftsschicht folgt, der man angehört. Das erhöht in regelwidriger Weise die Selbstachtung, denn man erfreut sich der Selbstgefälligkeit des Mutigen, ohne die Ungelegenheiten der Gefahr auf sich zu nehmen. Aber das Bedürfnis nach Anerkennung ist vielleicht im zivilisierten Menschen der am tiefsten eingewurzelte Instinkt. Niemand eilt hastiger unter das Schutzdach der Respektabilität als die unkonventionelle Frau, die sich dem Pfeilhagel ausgesetzt hat, den der verletzte Anstand nach sich zieht. Ich glaube den Leuten nicht, die mir erzählen, daß sie sich um die Meinung ihrer Mitmenschen keinen Deut scheren. Das ist die falsche Bravour der Ahnungslosigkeit. Sie wollen damit nur sagen, daß sie nicht Vorwürfe wegen kleiner Sünden fürchten, von denen sie hoffen, daß keiner sie entdecken wird.

Aber hier war ein Mann, der sich wirklich nicht darum kümmerte, was die Leute von ihm dachten, und deshalb hatte die Konvention keine Macht über ihn. Er war wie ein Ringer, der seinen Körper geölt hat, der Griff des Gegners glitt von ihm ab. Das gab ihm eine Freiheit, die etwas Herausforderndes hatte. Ich entsinne mich, daß ich ihm einmal sagte:

»Wissen Sie, wenn jeder so handelte wie Sie, könnte die Welt nicht weiterbestehen.«

»Da haben Sie was verdammt Dummes gesagt. Es will ja nicht jeder so handeln wie ich. Die große Mehrheit ist vollkommen zufrieden damit, das Übliche zu tun.«

Einmal versuchte ich satirisch zu sein.

»Offenbar glauben Sie nicht an den Grundsatz: ›Handle so, als ob die Maxime deiner Handlung durch deinen Willen zum allgemeinen Sittengesetz werden sollte‹.«

»Das habe ich noch nie gehört, aber es ist ein verfluchter Unsinn.«

»Hm, das hat Kant gesagt.«

»Meinethalben, aber es ist trotzdem ein verfluchter Unsinn.«

Bei einem solchen Mann ließ sich auch nicht erwarten, durch den Appell an sein Gewissen etwas auszurichten. Ebensogut könnte man dort einen Reflex verlangen, wo kein Spiegel ist. Meiner Ansicht nach ist das Gewissen im Einzelwesen der Wächter über die Regeln, welche die Allgemeinheit zu ihrer Erhaltung geschaffen hat. Es ist der Polizist in unser aller Herzen, eingesetzt, um dafür zu sorgen, daß die Gesetze nicht gebrochen werden. Es ist der Spion, der in dem Hauptbollwerk des Ich seinen Sitz hat. Des Menschen Bedürfnis nach der Billigung durch seine Mitmenschen ist so stark, seine Furcht vor ihrem Tadel so heftig, daß er den

Feind selbst in seine Tore eingelassen hat; und das Gewissen ist eifrig bestrebt, Wache über ihn zu halten. Es will ihn zwingen, den Vorteil der Gesellschaft vor seinen eigenen Vorteil zu stellen. Es ist das äußerst starke Band, welches das Individuum mit dem Ganzen verknüpft. Und der Mensch, der sich den Interessen unterwirft, von denen er sich einbildet, sie seien wichtiger als seine eigenen, macht sich selbst zum Sklaven seines Fronvogts. Er setzt ihn auf den Ehrenstuhl. Schließlich sucht er, gleich einem Höfling, der schmeichlerisch unter dem Zepter des Königs kriecht, seinen Stolz in der Empfindlichkeit seines Gewissens. Dann kann er für den Mann, der dessen Herrschaft nicht anerkennt, nicht genug harte Worte finden, denn als Mitglied der Gesellschaft weiß er genau, daß er ihm gegenüber ohnmächtig ist. Als ich sah, daß Strickland wirklich gleichgültig gegen den Tadel war, den seine Aufführung herausforderte, konnte ich mich nur voll Entsetzen vor einem Ungeheuer von kaum noch menschlicher Art zurückziehen.

Seine letzten Worte, als ich ihm gute Nacht bot, lauteten: »Sagen Sie Amy, daß es keinen Sinn hat, mir nachzustellen. Jedenfalls werde ich mein Hotel wechseln, damit sie mich nicht finden kann.«

»Ich habe den Eindruck, daß sie nur froh sein kann, Sie loszusein«, entgegnete ich.

»Mein lieber junger Mann, ich kann nur hoffen, daß Sie imstande sind, sie zu dieser Einsicht zu bringen. Aber Frauen sind sehr unintelligent.«

Fünfzehntes Kapitel

Bei meiner Ankunft in London harrte meiner zu Hause die dringende Aufforderung, mich sofort nach dem Abendessen zu Mrs. Strickland zu begeben. Ich fand sie in Gesellschaft von Oberst MacAndrew und seiner Gattin. Mrs. Stricklands Schwester war älter als sie, zwar ihr nicht unähnlich, aber schon recht verblüht; und sie hatte jenes schneidige Auftreten, als ob sie das britische Empire in der Tasche trüge, den Aplomb, welchen die Gemahlinnen höherer Offiziere aus dem Bewußtsein ziehen, daß sie einer überlegenen Kaste angehören. Ihre Art war brüsk, und die gute Erziehung verdeckte kaum ihre Überzeugung, daß, wenn man kein Militär ist, man ebensogut Heringe verkaufen kann. Sie haßte die Gardeoffiziere, die sie für eingebildet hielt, und sie sprach voll Groll von ihren Damen, die im Erwidern von Besuchen so nachlässig waren. Ihr Kleid war unmodern, aber kostspielig.

Mrs. Strickland war offensichtlich nervös.

»Nun, erzählen Sie uns, was Sie zu berichten haben«, sagte sie.

»Ich habe Ihren Gatten gesprochen. Leider scheint er fest entschlossen zu sein, nicht zurückzukommen.« Ich machte eine kleine Pause. »Er will malen.«

»Was sagen Sie da?« rief Mrs. Strickland mit äußerster Verwunderung aus.

»Wußten Sie wirklich nichts von diesen Absichten Ihres Gatten?«

»Er muß total übergeschnappt sein«, platzte der Oberst heraus.

Mrs. Strickland zog die Stirne kraus. Sie suchte offensichtlich in ihren Erinnerungen.

»Jetzt entsinne ich mich. Vor unserer Verheiratung pflegte er mit einem Malkasten herumzulaufen. Aber Sie haben sicher noch nie solche Sudeleien gesehen. Wir neckten ihn immer damit. Es fehlte ihm wahrhaftig jede Begabung für so was.«

»Das ist natürlich nur eine Ausflucht«, sagte Mrs. MacAndrew.

Mrs. Strickland dachte eine Weile angestrengt nach. Ganz offensichtlich konnte sie mit meiner Mitteilung nichts anfangen. Den Salon hatte sie jetzt einigermaßen in Ordnung gebracht, die hausfraulichen Instinkte hatten über ihre Verstörtheit den Sieg davongetragen; der Raum bot nicht mehr jenen verödeten Anblick eines möblierten Hauses, das lange zum Vermieten ausgeschrieben ist, wie damals, als ich sie unmittelbar nach der Katastrophe besuchte. Doch jetzt, da ich Strickland in Paris gesehen, fiel es schwer, sich ihn in diesem Milieu vorzustellen. Mir schien, seine Angehörigen hätten doch merken müssen, daß er irgendwie aus dem Rahmen fiel.

»Wenn er ein Künstler sein wollte, warum hat er es mir nicht gesagt?« fragte Mrs. Strickland endlich. »Er müßte doch wissen, daß ich die letzte bin, die solchen ... solchen Aspirationen ablehnend gegenübersteht.«

Mrs. MacAndrew kniff die Lippen zusammen. Sie hatte wohl der Sympathie ihrer Schwester für Menschen, die sich der Kunst widmeten, nie ihre Billigung zuteil werden lassen. »Kultur« war für sie ein Schimpfwort.

Mrs. Strickland fuhr fort:

»Schließlich, wenn er Talent hätte, wäre ich die erste, ihn zu ermutigen. Ich würde keine Opfer scheuen. Wieviel lieber hätte ich einen Maler geheiratet als einen Börsenmakler! Wenn es nicht um der Kinder willen wäre, hätte ich nichts dagegen. Ich könnte in einem schäbigen Atelier in Chelsea ebenso glücklich sein wie in dieser Wohnung.«

»Meine Liebe, das ist ja zum Rasendwerden!« rief Mrs. MacAndrew aus. »Willst du am Ende behaupten, daß du ein Wort von diesem Unsinn glaubst?«

»Ich glaube wirklich, daß es die volle Wahrheit ist«, warf ich sanft ein.

Sie warf mir nur ein belustigten und verächtlichen Blick zu.

»Ein Mann von vierzig Jahren gibt nicht sein Geschäft auf und verläßt sein angetrautes Weib und seine Kinder, um Maler zu werden, wenn nicht eine Frau dahintersteckt. Vermutlich hat er eine von deinen ... kunstbeflissenen Freundinnen kennengelernt, und sie hat ihm gehörig den Kopf verdreht.«

Ein Hauch von Röte färbte plötzlich Mrs. Stricklands blasse Wangen.

»Wie sieht sie aus?«

Ich zögerte, ich wußte, daß ich eine Bombe loslassen würde:

»Es gibt keine Frau.«

Oberst MacAndrew und seine Gemahlin ergingen sich in Ausdrücken des Unglaubens. Mrs. Strickland sprang auf.

»Sie haben sie also nicht gesehen?«

»Es gibt einfach keine. Er ist ganz allein.«

»Das ist ja die Höhe!« rief Mrs. MacAndrew aus.

»Ich wußte doch, daß ich persönlich hätte hinüberfahren müssen«, erklärte der Oberst. »Ihr könnt Gift darauf nehmen, daß ich das Frauenzimmer bald aufgestöbert hätte.«

»Wären Sie doch hinübergefahren!« versetzte ich etwas hämisch. »Sie hätten gesehen, daß jede Ihrer Annahmen irrig war. Er ist nicht in einem eleganten Hotel abgestiegen, sondern wohnt ganz erbärmlich in einem winzigen, schmutzigen Zimmer. Wenn er sein Heim verlassen hat, so geschah es sicher nicht, um ein lustiges Leben zu führen. Geld hat er auch kaum.«

»Halten Sie es für möglich, daß er etwas angestellt hat, wovon wir nichts wissen, und sich jetzt vor der Polizei versteckt?«

Diese Vermutung weckte einen Hoffnungsstrahl in den Herzen der Familie, doch ich ging darauf nicht ein.

»Wenn dem so wäre, würde er doch kaum so dumm gewesen sein, seinem Kompagnon seine Adresse mitzuteilen«, versetzte ich scharf. »Wie dem auch sei, eines weiß ich ganz sicher, daß er mit keiner Frau durchgebrannt ist. Von einer Liebesgeschichte ist keine Rede, nichts liegt ihm ferner.«

Es entstand eine Pause, während welcher sie über meine Worte nachdachten.

»Nun, wenn das, was Sie da erzählen, wahr ist, dann steht die Sache nicht ganz so schlimm, wie ich dachte«, äußerte sich endlich Mrs. MacAndrew.

Mrs. Strickland blickte zu ihr hinüber, sagte aber nichts. Sie war jetzt sehr bleich, und ihre gutgeformte Stirn war düster und umwölkt. Ich konnte mir den Ausdruck ihres Gesichts nicht erklären. Inzwischen fuhr Mrs. MacAndrew fort:

»Wenn es sich bloß um eine Laune von ihm handelt, so wird sie vergehen.«

»Fahr doch einfach zu ihm hinüber, Amy!« schlug der Oberst vor. »Warum solltet ihr beide nicht ein Jahr in Paris miteinander verbringen? Wir werden uns um die Kinder kümmern. Meiner Ansicht nach wird er es bald satt bekommen. Früher oder später wird er auch wieder bereit sein, nach London zurückzukehren, und alles kommt wieder ins alte Gleis.«

»Das würde ich nicht empfehlen«, sagte Mrs. MacAndrew. »Ich würde ihn ganz nach seinem Willen gewähren lassen, bis er eines Tages mit eingezogenem Schweif zurückkommt und wieder ein solider Geschäftsmann wird.« Sie warf ihrer Schwester einen kühlen Blick zu. »Vielleicht hast du dich ihm gegenüber nicht immer klug benommen. Männer sind sonderbare Geschöpfe, man muß sie zu behandeln verstehen.«

Mrs. MacAndrew teilte die allgemeine Meinung ihrer Geschlechtsgenossinnen, daß ein Mann, der eine ihm zugetane Frau verläßt, immer ein Rohling ist, daß aber die Frau, die verlassen wird, immer die Schuld trägt. »Le Cœur a ses raisons que la raison ne connaît pas.«

Mrs. Strickland blickte langsam von einem zum andern.

»Er wird nie zurückkommen«, sagte sie.

»Ach, meine Liebe, denk doch daran, was wir gerade gehört haben. Er ist an Komfort gewöhnt und obendrein an die liebende Fürsorge einer Frau. Wie lange, glaubst du, wird es dauern, bis er seines schäbigen Zimmers in seinem schäbigen Hotel überdrüssig ist? Außerdem hat er kein Geld. Er muß einfach zurückkommen.«

»Solange ich glaubte, daß er mit einer Frau durchgebrannt sei, sah ich noch eine Chance. Denn so ein Leben ist nichts für ihn. Nach drei Monaten würde sie ihn zu Tode langweilen. Aber wenn es nicht Liebe war, die ihn zu dieser Flucht bewogen hat, dann ist alles zu Ende.«

»Ei, das ist wohl furchtbar subtil«, sagte der Oberst, indem er in dieses Wort alle Verachtung legte, die er für eine, den Traditionen seines Standes so fernliegende Eigenschaft empfand. »Rede dir das doch nicht ein. Er wird zurückkommen, und — wie Dorothy sagt — wenn er sich inzwischen ein bißchen ausgetobt hat, ist damit noch nichts verdorben.«

»Aber ich will gar nicht, daß er zurückkommt«, sagte sie.

»Amy!«

Es war Zorn, der Mrs. Strickland erfaßt hatte, und ihre Blässe war die Blässe kalter, jäher Wut. Sie sprach schnell und ein wenig atemlos:

»Ich hätte ihm verzeihen können, wenn er in besinnungsloser Verliebtheit mit einer Frau fortgelaufen wäre. Ich hätte das begreiflich gefunden und ihm keine Vorwürfe gemacht. Er wäre mir wie ein Verführter vorgekommen. Die Männer sind so schwach, und die Frauen sind so skrupellos. Aber hier handelt es sich um etwas anderes. Ich hasse ihn und werde ihm niemals verzeihen.«

Oberst MacAndrew und seine Gattin begannen gemeinsam auf sie einzureden. Sie waren erstaunt, sagten ihr, daß sie verrückt sei, begriffen nicht das geringste. Mrs. Strickland wandte sich verzweifelt zu mir.

»Sehen denn *Sie* es nicht ein?« rief sie aus.

»Es ist mir nicht ganz klar. Wollen Sie damit sagen, daß Sie ihm verziehen haben würden, wenn er Sie wegen einer

Frau verlassen hätte, ihm aber nicht verzeihen können, weil er Sie wegen einer Idee verläßt? Sie meinen wohl, daß Sie sich einer andern Frau gewachsen fühlen, aber einer Idee gegenüber machtlos sind?«

Mrs. Strickland warf mir einen Blick zu, der wenig Freundlichkeit verriet, doch schwieg sie. Vielleicht hatte ich den Nagel auf den Kopf getroffen. Sie fuhr mit leiser, bebender Stimme fort:

»Ich wußte bisher nicht, daß es möglich ist, jemanden so zu hassen, wie ich ihn jetzt hasse. Ich hatte mich mit dem Gedanken getröstet, daß, wenn er mir auch noch so lang fernbliebe, er am Ende doch meiner bedürfen werde. Ich wußte, daß er, wenn er im Sterben läge, nach mir schicken würde, und ich war bereit, zu kommen. Ich würde ihn gepflegt haben wie eine Mutter, und dann zum Schluß hätte ich ihm sogar gesagt, daß alles sei, als wäre nichts geschehen, daß ich ihn immer geliebt habe, und daß ich ihm alles verzeihe.«

Ich habe mich immer darüber gewundert, wie sehr die Frauen darauf erpicht sind, sich an dem Totenbett der von ihnen Geliebten durch ein schönes Benehmen auszuzeichnen. Manchmal scheint es fast, als grollten sie der Langlebigkeit, welche die Aussicht auf eine effektvolle Szene immer wieder hinauszögert.

»Doch jetzt — jetzt ist alles zu Ende. Er ist mir so gleichgültig, als wäre er ein Fremder. Meinethalben kann er im Elend sterben, arm, verkommen, ohne befreundete Seele. Hoffentlich bringt ihn eine abscheuliche Krankheit ins Grab. Ich bin mit ihm fertig.« — Unter diesen Umständen hielt ich es für angebracht, Stricklands Vorschlag zu erwähnen.

»Wenn Sie sich von ihm scheiden lassen wollen, ist er bereit, das Nötige zu tun, um Ihnen die Scheidung zu ermöglichen.«

»Warum sollte ich ein Interesse daran haben, ihm die Freiheit wiederzugeben?«

»Ich glaube nicht, daß er Wert darauf legt. Er dachte nur, daß es für Sie erwünscht sein könnte.«

Mrs. Strickland zuckte ärgerlich die Achseln. Ich muß gestehen, daß sie mich ein wenig enttäuschte. Ich stellte mir damals die Menschen mehr aus einem Gusse vor, und war betrübt, bei einer sonst so bezaubernden Frau eine solche Rachsucht zu finden. Ich wußte noch nicht, aus wieviel bunten Flicken der Mensch zusammengesetzt ist. Heute ist mir klar, daß Kleinlichkeit und Größe, Bosheit und Barmherzigkeit, Haß und Liebe in demselben menschlichen Herzen nebeneinander wohnen können.

Ich überlegte, was ich wohl sagen könnte, um das Gefühl bitterer Demütigung, das Mrs. Strickland quälte, ein wenig zu lindern, und versuchte es, indem ich sagte:

»Ich bin nicht sicher, ob Ihr Gatte für seine Handlungen voll verantwortlich ist. Er scheint mir nicht ganz bei Sinnen. Es ist, als wäre er von einer Macht besessen, die ihn zu ihren Zwecken mißbraucht und in deren Krallen er ebenso hilflos ist wie eine Fliege in einem Spinnennetz. Man könnte meinen, daß jemand einen Zauber über ihn gesprochen hat. Unwillkürlich muß ich an jene sonderbare Erzählung denken, die man zuweilen hört, wie plötzlich in einen Menschen eine andere Persönlichkeit eindringt und die alte vertreibt. Die Seele in unserem Körper ist ein unbeständiges Ding und geheimnisvoller Verwandlungen fähig. In alten Zeiten würde man gesagt haben, daß in Charles Strickland ein Teufel gefahren sei.«

Mrs. MacAndrew strich ihren Rock glatt, und die goldenen Armbänder klirrten an ihrem Handgelenk. — »All das scheint mir an den Haaren herbeigezogen«, sagte sie giftig. »Ich leugne nicht, daß Amy sich ihres Mannes vielleicht ein wenig zu sicher gefühlt hat. Hätte sie sich nicht so eifrig mit ihren eigenen Interessen beschäftigt, dann wäre ihr wohl eine Ahnung aufgestiegen, daß etwas nicht in Ordnung war. Wenn Fred seit einem Jahr oder länger irgend etwas im Schilde führte, ich — ich würde ihm schon auf die Sprünge gekommen sein.«

Der Oberst starrte ins Leere; ich fragte mich, ob jemand so unschuldig und bar alles Truges aussehen konnte wie er.

»Doch das ändert nichts an der Tatsache, daß Charles Strickland ein herzloser Rohling ist.«

Sie warf mir einen strengen Blick zu. »Ich will Ihnen sagen, warum er seine Frau verlassen hat: aus purem Egoismus — etwas anderes kommt nicht in Frage.«

»Das ist sicher die einfachste Erklärung«, sagte ich, dachte aber bei mir, daß sie nichts erkläre. Als ich unter dem Vorwand, müde zu sein, aufstand, um zu gehen, machte Mrs. Strickland keinen Versuch, mich zurückzuhalten.

Sechzehntes Kapitel

Die folgenden Ereignisse zeigten, daß Mrs. Strickland eine Frau von Charakter war. Welche Qualen sie auch leiden mochte, sie ließ sich nichts anmerken. Sie war gescheit genug einzusehen, daß die Welt der Erzählung von Mißgeschicken rasch überdrüssig wird und den Anblick der Verzweiflung gern vermeidet. Wenn sie in Gesellschaft ging — und das Mitgefühl mit ihrem Unglück bewog ihre Bekannten, sie häufig einzuladen —, trug sie ein tadelloses Benehmen zur Schau. Sie war tapfer, aber nicht zu offensichtlich; heiter, aber nicht in übertriebener Weise; und es schien ihr mehr daran gelegen, die Sorgen der anderen anzuhören, als über ihre eigenen zu sprechen. Wenn sie von ihrem Gatten sprach, geschah es im Ton des Mitleids. Ihre Haltung ihm gegenüber verblüffte mich anfangs. Eines Tages sagte sie zu mir:

»Sie müssen sich haben täuschen lassen, als Sie behaupteten, daß Charles allein ist, davon bin ich fest überzeugt. Ich habe nämlich aus gewissen Quellen, die ich nicht nennen darf, erfahren, und weiß es ganz bestimmt, daß er England nicht allein verlassen hat.«

»In diesem Falle muß er ein wirkliches Genie für die Verwischung seiner Spur besitzen.«

Sie schaute weg und wurde ein wenig rot.

»Ich wollte damit nur sagen: wenn jemand Ihnen erzählen sollte, daß er mit einer Frau durchgebrannt ist, bitte widersprechen Sie nicht.«

»Natürlich nicht.«

Sie ging zu einem andern Thema über, als handelte es sich um etwas, dem sie keine Wichtigkeit beimaß. Bald darauf entdeckte ich, daß über Stricklands Flucht unter ihren Bekannten eine besondere Geschichte in Umlauf war. Sie sagten, er hätte sich in eine französische Tänzerin verliebt, die er in einem Ballett im Empiretheater gesehen hatte, und habe sie nach Paris begleitet. Es gelang mir nicht, ausfindig zu machen, wie diese Version entstanden war, aber, seltsam genug, sie verschaffte Mrs. Strickland viele Sympathien und sogar ein gewisses Prestige, das ihr in dem neuen Beruf, den sie gewählt hatte, von Nutzen sein sollte. Oberst MacAndrew hatte mit seiner Behauptung, daß sie ohne einen Penny zurückblieb, nicht übertrieben, und sie stand vor der Notwendigkeit, sobald als möglich ihren Lebensunterhalt zu verdienen. Entschlossen, von ihrer Bekanntschaft mit so vielen Schriftstellern zu profitieren, lernte sie, ohne Zeit zu verlieren, Stenographie und Maschinenschreiben. Ihre Bildung ließ erwarten, daß sie eine bessere Schreibkraft abgeben würde als die meisten andern, und ihre Geschichte machte sie interessant. Ihre Freunde versprachen, sie mit Arbeit zu versorgen, und empfahlen sie weiter.

Die MacAndrews, die kinderlos und in guten Verhältnissen waren, verpflichteten sich, für den Unterhalt der Kinder zu sorgen, so daß Mrs. Strickland nur für sich selbst aufzukommen hatte. Sie vermietete ihre Wohnung, verkaufte ihre Möbel, siedelte in zwei winzige Zimmer in Westminster über und fing ein neues Leben an. Sie war eine so tüchtige Frau, daß ihre Unternehmung mit Sicherheit glücken mußte.

Siebzehntes Kapitel

Etwa fünf Jahre später entschloß ich mich, für einige Zeit in Paris zu leben. London bedrückte mich. Ich war dessen überdrüssig, Tag für Tag immer das gleiche zu tun. Meine Bekannten führten ihr ereignisloses Leben weiter; sie hatten keine Überraschungen mehr für mich, und wenn ich sie traf, wußte ich ziemlich genau, was sie sagen würden; sogar ihre Liebesaffären kamen mir abgestanden vor. Wir waren wie Trambahnwagen, die auf ihren Geleisen zwischen Anfang- und Endstation hin- und herpendeln, und die Zahl der Passagiere ließ sich annähernd berechnen. Das Leben war für mich zu angenehm geordnet. Eine Art Panik ergriff mich. Ich gab mein kleines Appartement auf, veräußerte meinen geringfügigen Besitz und beschloß, von vorne anzufangen.

Vor meiner Abreise besuchte ich Mrs. Strickland. Ich hatte sie einige Zeit nicht gesehen und stellte Veränderungen an ihr fest: sie war nicht nur älter, magerer und faltiger geworden, auch ihr Charakter schien sich gewandelt zu haben. Sie betrieb ihren Beruf mit großem Erfolg und besaß jetzt ein Büro in Chancery Lane, wo sie selbst nur wenig auf der Maschine schrieb und ihre Zeit damit verbrachte, die Arbeiten der vier jungen Mädchen, die sie angestellt hatte, zu korrigieren. Sie war auf den Gedanken gekommen, den Manuskripten einen Anstrich von Eleganz zu geben, machte viel Gebrauch von blauer und roter Tinte und band sie in grobkörniges, hellfarbiges Papier ein, das ungefähr wie Moiréseide wirkte. Sie hatte sich einen guten Ruf als sorgfältig und zuverlässig erworben und verdiente recht gut. Indessen kam sie nicht über das Vorurteil hinweg, daß seinen Lebensunterhalt zu verdienen etwas Unfeines sei, und sie erinnerte einen gerne daran, daß sie ihrer Herkunft nach eine Dame war. Immer wieder brachte sie im Gespräch die Namen von vornehmen Bekannten an, um damit zu beweisen, daß sie gesellschaftlich nicht gesunken sei. Sie schämte sich ein bißchen für ihre Tapferkeit und ihre geschäftlichen Fähigkeiten, war aber beglückt, wenn sie erzählen konnte, daß sie heute abend bei einem Kronanwalt in South Kensington speise. Es freute sie, mir mitzuteilen, daß ihr Sohn in Cambridge studiere, und sie sprach mit einem kleinen, befriedigten Lachen von den zahllosen Bällen, zu denen ihre Tochter, die gerade in die Gesellschaft eingeführt wurde, geladen war. Bei dieser Gelegenheit sagte ich etwas ganz Dummes:

»Wird sie in Ihr Geschäft eintreten?«

»Ach nein«, sagte Mrs. Strickland, »das würde ich ihr nicht erlauben. Sie ist so hübsch. Sicher wird sie eine gute Partie machen.«

»Ich dachte, sie könnte Ihnen eine Hilfe sein.«

»Einige Leute fanden, sie solle zur Bühne gehen, aber dazu konnte ich natürlich meine Einwilligung nicht geben. Ich kenne alle Theaterschriftsteller und könnte ihr schon morgen eine Rolle verschaffen, aber ich möchte nicht, daß sie in alle Arten von Kreisen kommt.«

Die Exklusivität von Mrs. Strickland ging mir ein bißchen auf die Nerven.

»Hören Sie manchmal von Ihrem Gatten?«

»Nein, kein Wort. Er könnte ebensogut schon gestorben sein.«

»Ich kann ihm in Paris zufällig begegnen. Soll ich Ihnen Bericht geben?«

Sie zögerte einen Augenblick.

»Falls er sich wirklich in Not befinden sollte, bin ich bereit, ihm ein wenig zu helfen. Ich würde Ihnen eine gewisse

Summe schicken, und Sie könnten ihm das Geld nach und nach zukommen lassen, so wie er es gerade nötig hat.«

»Das ist sehr schön von Ihnen«, sagte ich.

Aber ich wußte, daß es nicht Güte war, was sie zu ihrem Anerbieten bewog. Es ist nicht wahr, daß Leiden den Charakter veredelt; Glück tut es vielleicht manchmal, aber das Leiden macht die Menschen in den meisten Fällen kleinlich und rachsüchtig.

Achtzehntes Kapitel

Tatsächlich war ich noch keine zwei Wochen in Paris, als ich Strickland wieder traf.

Ich fand sehr schnell ein kleines Appartement im fünften Stockwerk eines Hauses in der Rue des Dames und erstand bei einem Althändler für zweihundert Franken die unumgänglich nötigen Möbel, um es bewohnbar zu machen. Die Concierge hatte sich verpflichtet, mir am Morgen den Kaffee zu bringen und die Wohnung sauberzuhalten. Bald darauf besuchte ich meinen Freund Dirk Stroeve.

Dirk Stroeve gehörte zu den Menschen, an die man, je nach der persönlichen Veranlagung, nur mit einem spöttischen Lachen oder mit einem verlegenen Achselzucken denken kann. Die Natur hatte ihn als komische Figur geschaffen. Er war ein Maler, aber ein sehr schlechter. Ich hatte ihn in Rom kennengelernt und hatte seine Bilder noch gut in Erinnerung. Er hegte eine echte Begeisterung für das Platte. Mit vor Liebe zur Kunst vibrierender Seele malte er, ohne vor dem aufdringlich Pittoresken zurückzuschrecken, die Modelle, die auf Berninis Treppe und der Piazza di Spagna herumlungern, und in seinem Atelier reihte sich Leinwand an Leinwand mit Darstellungen von schnurrbärtigen, großäugigen Bauern mit spitzen Hüten, von kleinen Schelmen in niedlichen Lumpen und von Frauen in bunten Röcken. Manchmal lagen sie auf den Stufen vor einer Kirche, manchmal verweilten sie zwischen Zypressen vor einem wolkenlosen Himmel, manchmal kosteten sie an einem Renaissancebrunnen, und manchmal wanderten sie neben einem von Ochsen gezogenen Karren durch die Campagna. Sie waren sorgfältig gezeichnet und sorgfältig gemalt. Ein Photograph konnte nicht exakter sein. Einer der Maler in der Villa Medici hatte Stroeve *Le Maître de la Boîte à Chocolats* genannt. Beim Anblick seiner Bilder hätte man glauben können, daß Manet, Monet und die übrigen Impressionisten nie existiert hatten.

»Ich erhebe nicht den Anspruch, ein großer Maler zu sein«, pflegte er zu sagen, »ich bin kein Michelangelo, gewiß nicht, aber etwas habe ich: ich verkaufe. Ich bringe in die Häuser der verschiedenartigsten Menschen das Romantische. Wissen Sie, daß man meine Bilder nicht nur in Holland, sondern auch in Norwegen, Schweden und Dänemark kauft? Meistens sind es Kaufleute und reiche Händler, die sie erwerben. Sie können sich den Winter in diesen Ländern nicht vorstellen, wie lang und düster und kalt er ist. Meine Käufer freuen sich in der Vorstellung, daß Italien aussieht wie meine Bilder. Das hoffen und erwarten sie. Und das habe ich von Italien auch erwartet, bevor ich hinkam.«

Und diese Vision hatte sich offenbar für immer in ihm festgesetzt und verblendete seine Augen, so daß er die Wirklichkeit nicht sehen konnte und ungeachtet der brutalen Tat-
sächlichkeit fortfuhr, mit den Augen des Geistes ein Italien
voll romantischer Briganten und pittoresker Ruinen zu
sehen. Er malte ein Ideal — ein armseliges, plattes, von ge-
meiner Verkäuflichkeit —, aber immerhin war er ein Idealist,
und das verlieh seinem Wesen einen unleugbaren Charme.

Weil ich dies fühlte, war Dirk Stroeve für mich kein Gegenstand des Spottes wie für die andern. Seine Kollegen
machten kein Hehl aus ihrer Verachtung seiner Produkte,
aber er verdiente ein schönes Stück Geld, und sie zögerten
nicht, sich seiner Börse zu bedienen. Er war ein freigebiger
Charakter, und die Bedürftigen, die sich heimlich ins Fäustchen lachten, weil er so naiv an ihre Jammergeschichten
glaubte, pumpten ihn schamlos an. Er hatte ein sehr weiches
Gemüt, aber die Äußerungen seines leicht gerührten Herzens hatten etwas Absurdes, so daß man seine Güte annahm, ohne Dankbarkeit zu empfinden. Ihm Geld zu ent-
locken, war ungefähr dasselbe, wie wenn man ein Kind be-
raubt, und man verachtete ihn obendrein, weil er so dumm
war. Ich kann mir denken, daß ein Taschendieb, der stolz
auf seine gewandten Finger ist, eine Art Entrüstung empfindet, wenn ein zerstreutes Frauenzimmer ihre Handtasche
mit all ihren Juwelen in einer Droschke liegenläßt. Die Natur hatte ihn zum Stockfisch gemacht, ihm aber die Fühl-
losigkeit versagt. Er wand sich unter den Späßen, die, hand-
greiflich oder nicht, unablässig auf seine Kosten gemacht
wurden, und gab sich doch immer wieder scheinbar gutwillig
zu ihnen her. Er wurde andauernd verletzt und war doch bei

seiner Gutmütigkeit nicht imstande, etwas nachzutragen: mochte ihn die Viper auch beißen, er lernte nie aus Erfahrung und drückte sie, kaum daß er genesen war, wieder zärtlich an seine Brust. Sein Leben war eine Tragödie, aber die Tragödie eines Clowns. Da ich nicht über ihn lachte, empfand er Dankbarkeit gegen mich und pflegte die lange Liste seiner Leiden meinem mitfühlenden Ohr anzuvertrauen. Das Traurigste daran war, daß sie grotesk wirkten, und je rührender sie waren, um so mehr reizten sie zum Lachen.

Obwohl er ein so schlechter Maler war, hatte er doch ein sehr feines Empfinden für die Kunst, und der Besuch einer Gemäldegalerie in seiner Begleitung war ein seltener Genuß. Seine Begeisterung kam von Herzen, und sein Tadel war begründet. Er war katholisch. Er hatte nicht nur ein Verständnis für die alten Meister, sondern auch ein lebhaftes Interesse für die Modernen. Seine besondere Begabung war, junge Talente zu entdecken, und er kargte dann nicht mit Lob. Ich glaube nie jemand getroffen zu haben, der ein so sicheres Urteil hatte. Zudem war er gebildeter als die meisten Maler, die von den andern Künsten keine Ahnung haben, und sein guter Geschmack auf dem Gebiet der Musik und der Literatur gab seinen Ausführungen über Malerei noch eine gewisse Fülle und Mannigfaltigkeit. Für einen jungen Mann wie mich waren sein Rat und seine Leistung von unschätzbarem Wert.

Als ich Rom verließ, blieb ich in Briefwechsel mit ihm und erhielt ungefähr alle zwei Monate lange Schreiben in sonderbarem Englisch von ihm, die mir seine enthusiastische, gestikulierende und übersprudelnde Art lebhaft vor Augen führten. Einige Zeit vor meiner Ankunft in Paris hatte er eine Engländerin geheiratet, mit der er jetzt in einem Atelier auf dem Montmartre wohnte. Ich hatte ihn seit vier Jahren nicht gesehen, und seine Frau kannte ich noch nicht

Ich hatte Stroeve von meiner Ankunft nicht verständigt. Als ich an der Tür seines Ateliers läutete, öffnete er selbst und erkannte mich einen Augenblick lang nicht. Dann aber stieß er einen Schrei entzückter Überraschung aus und zog mich hinein. Es war reizend, so freudig bewillkommnet zu werden. Seine Frau saß am Ofen und nähte. Als ich eintrat, erhob sie sich. Er stellte mich ihr vor.

»Du erinnerst dich doch«, sagte er zu ihr, »ich habe dir oft von ihm erzählt.« Und dann zu mir: »Aber warum ließen Sie mich Ihr Kommen nicht vorher wissen? Wie lange sind Sie schon hier? Wie lange gedenken Sie zu bleiben? Warum sind Sie nicht eine Stunde früher gekommen? Sie hätten mit uns essen können.«

Er bombardierte mich mit Fragen, drückte mich in einen Sessel nieder, klopfte mich, als wäre ich ein Kissen, drängte mir Zigarren, Kuchen und Wein auf, ließ mir keine Ruhe. Er war untröstlich, daß er keinen Whisky im Hause hatte, wünschte Kaffee für mich zu machen, fragte sich verzweifelt, was er für mich tun könne, und strahlte und lachte und schwitzte im Übermaß seiner Wonne aus allen Poren.

»Sie haben sich nicht verändert«, sagte ich, ihn lächelnd anblickend.

In der Tat stand die gleiche groteske Erscheinung vor mir, die ich in der Erinnerung hatte: ein dicker, kurzbeiniger kleiner Mann, noch jung — er konnte kaum über dreißig sein —, aber schon kahlköpfig. Sein Gesicht war vollkommen

rund und in den Farben sehr lebhaft: weiße Haut, rote Bak-
ken, rote Lippen; dazu — gleichfalls sehr rund — blaue
Augen, große, goldgeränderte Brillengläser und Augenbrauen, so weißblond, daß sie nicht zu sehen waren. Er erinnerte mich an jene munteren, feisten Kaufherren, die
Rubens gerne gemalt hat.

Als ich ihm sagte, daß ich in Paris zu bleiben gedächte
und eine Wohnung gemietet hätte, machte er mir die bitter-
sten Vorwürfe, weil ich ihn nicht vorher davon verständigt
hatte. Er würde mir doch selbst eine Wohnung gesucht und
mir Möbel geliehen haben — war es wirklich wahr, daß ich
mich zu der Ausgabe verstiegen hatte, welche zu kaufen? —,
und er würde mir selbstverständlich beim Einziehen behilflich gewesen sein. Er schien es tatsächlich als unfreund-
schaftliche Handlung anzusehen, daß ich ihm nicht Gelegenheit geboten hatte, mir nützlich zu sein. Inzwischen stopfte
Mrs. Stroeve ruhig ihre Strümpfe, ohne ein Wort zu sprechen, und lauschte mit einem gelassenen Lächeln auf den
Lippen allem, was er sagte.

»Wie Sie sehen, bin ich verheiratet«, platzte er plötzlich
heraus. »Was halten Sie von meiner Frau?«

Er strahlte sie an und rückte auf seiner Nase die goldene
Brille zurecht, die wegen seines Schwitzens ständig her-
unterrutschte.

»Was soll ich darauf antworten?« erwiderte ich lachend.

»Aber ist sie nicht wundervoll? Ich rate Ihnen, mein
Junge, verlieren Sie keine Zeit, heiraten Sie so schnell wie
möglich! Ich bin der glücklichste Mann auf dieser Erde.
Sehen Sie sie nur an, wie sie dasitzt! Gibt das nicht ein
Bild? Chardin, was? Ich habe in meinem Leben viele schöne

Frauen gesehen, aber nie eine schönere als Madame Dirk Stroeve.«

»Wenn du nicht aufhörst, gehe ich aus dem Zimmer.«

»*Mon petit chou*«, sagte er.

Sie errötete leicht, die Leidenschaft in seiner Stimme setzte sie in Verlegenheit. Ich wußte schon aus seinen Briefen, daß er in seine Frau verliebt war, und fand es jetzt durch sein Verhalten bestätigt: er konnte kaum die Augen von ihr lassen. Ob sie seine Liebe erwiderte, vermochte ich nicht zu sagen. Armer Hanswurst! — Er war nicht dazu geschaffen, Liebe zu entflammen, aber das Lächeln in ihren Augen war warm und herzlich; es war möglich, daß ihre Zurückhaltung ein tieferes Gefühl verbarg. Mir persönlich erschien sie nicht als das hinreißende Geschöpf, das seine liebevolle Phantasie in ihr sah, doch besaß sie eine ernste Anmut. Sie war ziemlich groß, und ihr einfaches, aber gutgeschnittenes graues Kleid konnte die Tatsache nicht verhüllen, daß sie eine prachtvolle Gestalt hatte — eine Gestalt, die mehr den Bildhauer als den Schneider locken mußte. Ihr braunes, üppiges Haar war in einer schlichten Frisur zusammengenommen, ihr Teint war sehr hell, und ihre Züge waren angenehm, ohne doch besonders aufzufallen. Sie hatte ruhige graue Augen. Es fehlte ihr nur eine winzige Kleinigkeit, um eine Schönheit zu sein, und durch diesen Mangel wirkte sie nicht einmal hübsch. Daß Stroeve Chardin erwähnte, hatte eine gewisse Berechtigung; seine Frau gemahnte mich in seltsamer Weise an jene Hausfrau in Morgenhaube und Schürze, die durch den großen Maler unsterblich geworden ist. Ich konnte sie mir in friedlicher Geschäftigkeit zwischen ihren Töpfen und Pfannen vor-

stellen, wie sie ihre häuslichen Pflichten gleich einem Ritual
verrichtete, so daß sie eine höhere Bedeutung gewannen.
Ich nahm nicht an, daß sie gescheit sei oder daß sie jemals
unterhaltend sein konnte, aber in dem angespannten Ernst
ihres Wesens war etwas, das mein Interesse weckte. Ihre
Zurückhaltung war nicht ohne Geheimnis. Ich fragte mich,
warum sie Dirk Stroeve geheiratet hatte. Obwohl sie Engländerin war, wußte ich nicht, wo ich sie unterbringen
sollte: mir war durchaus nicht klar, aus welcher Schicht
der Gesellschaft sie stammte, welche Erziehung sie genossen oder wie ihr Leben vor ihrer Verheiratung beschaffen
gewesen war. Sie war sehr still, aber wenn sie sprach, klang
ihre Stimme angenehm, und ihr Benehmen war leicht und
ungezwungen.

Ich fragte Stroeve, ob er arbeite.

»Ob ich arbeite? Ich male jetzt besser als jemals zuvor.«

Wir saßen im Atelier, er wies mit der Hand auf eine Staffelei mit einem unvollendeten Bild. Ich zuckte zusammen.
Auf den Stufen vor einer römischen Kirche lungerte male-
risch eine Gruppe italienischer Bauern in der Tracht der
Campagna.

»Haben Sie das jetzt gemalt?« fragte ich.

»Ja. Ich kann mir hier meine Modelle ebensogut verschaffen wie in Rom.«

»Finden Sie es nicht auch sehr schön?« wandte sich Mrs.
Stroeve an mich.

»Mein närrisches Ehegespons hält mich für einen großen
Künstler«, sagte er.

Unter seinem entschuldigenden Lachen konnte er das
Vergnügen darüber nicht verbergen. Seine Augen hefteten

sich auf das Bild. Wie seltsam, daß sein kritischer Geist, der bei den Arbeiten anderer so scharf und unkonventionell funktionierte, bei seinen eigenen Werken an dem Abgedroschensten und Gewöhnlichsten Gefallen fand!

»Zeig ihm noch mehr!« sagte sie.

»Soll ich?«

Obwohl Dirk Stroeve unter dem Spott seiner Kollegen so viel gelitten hatte, konnte er, lobhungrig und auf naive Weise selbstgefällig wie er war, doch nie der Versuchung widerstehen, seine Arbeiten vorzuführen. Das nächste Bild zeigte zwei italienische Bübchen beim Murmelspiel.

»Sind sie nicht süß?« fragte Mrs. Stroeve.

Und dann zeigte er noch mehr. Es stellte sich heraus, daß er in Paris genau die gleichen abgestandenen, aufdringlich pittoresken Szenen malte wie seit Jahren in Rom. Es war lauter unechter und unaufrichtiger Kitsch; und doch gab es keinen rechtschaffeneren, aufrichtigeren und offeneren Menschen als Dirk Stroeve. Wie war dieser Widerspruch zu lösen?

Ich weiß nicht, wie ich auf den Gedanken kam, ihn zu fragen: »Sagen Sie mal, sind Sie nicht zufällig einem Maler begegnet, der Charles Strickland heißt?«

»Kennen Sie den wirklich?« rief Stroeve aus.

»Ein brutaler Kerl«, sagte seine Frau. — Stroeve lachte.

»*Ma pauvre chérie.*« Er trat zu ihr und küßte ihr beide Hände. »Sie mag ihn nicht. Wie seltsam, daß Sie Strickland kennen!«

»Ich kann schlechte Manieren nicht leiden«, sagte Mrs. Stroeve.

Dirk, der immer noch lachte, wandte sich an mich und erklärte: »Die Sache ist die, daß ich ihn einmal aufforderte, herzukommen und sich meine Bilder anzusehen. Er kam, und ich zeigte ihm alles, was ich hatte.« Stroeve wurde verlegen und stockte eine Weile. Ich weiß nicht, warum er diese für ihn peinliche Geschichte zu erzählen angefangen hatte; es fiel ihm jetzt offenbar schwer, sie zu beenden. »Er sah sich also meine . . . meine Bilder an und sagte nichts. Nun, dachte ich, wahrscheinlich wird er sein Urteil erst am Schluß abgeben. Endlich sagte ich: ›So, das wäre alles!‹ Worauf er nur die Worte von sich gab: ›Ich bin gekommen, um Sie um zwanzig Franken anzupumpen.‹«

»Und Dirk hat sie ihm wirklich gegeben«, sagte seine Frau entrüstet.

»Ich war ganz verdattert. Ich wollte ihm auch seine Bitte nicht abschlagen. Er steckte das Geld in die Tasche, nickte kurz, sagte ›Danke‹ und ging.«

Dirk Stroeve hatte, als er dies erzählte, einen Ausdruck von so blankem Erstaunen auf seinem dummen, runden Gesicht, daß es fast unmöglich war, nicht zu lachen.

»Ich hätte es ihm nicht übelgenommen, wenn er meine Bilder schlecht gefunden hätte, aber er sagte nichts — überhaupt nichts!«

»Und du erzählst diese Geschichte immer wieder, Dirk«, sagte seine Frau.

Die traurige Tatsache war, daß man sich über die lächerliche Figur, die der Holländer machte, mehr belustigte, als man sich über Stricklands brutales Benehmen empörte.

»Ich hoffe, ihn nie mehr wiederzusehen«, sagte Mrs. Stroeve.

Stroeve lächelte und zuckte die Achseln. Er war schon wieder vergnügt.

»Trotz alledem ist er ein großer Künstler, ein sehr großer Künstler.«

»Strickland?« rief ich aus. »Das kann nicht der sein, den ich meine.«

»Ein großer Bursche mit einem roten Bart. Charles Strickland. Ein Engländer.«

»Als ich ihn kannte, trug er noch keinen Bart, aber wenn er sich einen hat wachsen lassen, könnte er wohl rot sein. Der Mann, den ich meine, hat erst vor fünf Jahren zu malen angefangen.«

»Stimmt. Er ist ein großer Künstler.«

»Unmöglich!«

»Habe ich mich jemals geirrt?« fragte Dirk. »Ich sage Ihnen, er ist ein Genie. Ich bin davon überzeugt. Wenn in hundert Jahren sich an Sie und mich noch jemand erinnern sollte, so wird der Grund davon sein, daß wir Charles Strickland persönlich gekannt haben.«

Ich war erstaunt und zugleich äußerst erregt. Mir fiel plötzlich mein letztes Gespräch mit ihm ein.

»Wo kann man seine Sachen sehen?« fragte ich. »Hat er Erfolg? Wo wohnt er?«

»Nein, er hat keinen Erfolg. Ich glaube nicht, daß er jemals ein Bild verkauft hat. Wenn man ihn vor Leuten erwähnt, lachen sie bloß. Aber ich weiß, er ist ein großer Künstler. Schließlich haben die Leute auch über Manet gelacht. Corot hat nie ein Bild verkauft. Ich weiß nicht, wo Strickland wohnt, aber ich kann Sie mit ihm zusammenbringen. Jeden Abend um sieben Uhr sucht er ein Café in der Avenue de Clichy auf. Wenn es Ihnen recht ist, wollen wir morgen zusammen hingehen.«

»Ich weiß nicht, ob er mich zu sehen wünscht. Mein Anblick könnte ihn an Zeiten erinnern, die er lieber vergißt. Aber ich komme trotzdem mit. Besteht Aussicht, etwas von seinen Bildern zu sehen?«

»Soweit es auf ihn ankommt, nicht. Er wird Ihnen nichts zeigen. Aber ich kenne einen kleinen Händler, der zwei oder drei Bilder von ihm besitzt. Freilich dürfen Sie nicht ohne mich hingehen, Sie würden sie nicht verstehen. Ich muß sie Ihnen selbst zeigen.«

»Dirk, du machst mich wirklich ärgerlich«, sagte Mrs. Stroeve. »Wie kannst du in dieser Weise von seinen Bildern reden, nachdem er dich so schlecht behandelt hat?« Sie wandte sich an mich. »Wissen Sie, was Dirk getan hat? Unlängst kamen Holländer an und wollten bei ihm Bilder kaufen, da suchte er sie zu überreden, lieber welche von Strickland zu kaufen. Er ging so weit, sie hierher zu schaffen und zu zeigen.«

»Wie fanden Sie sie?« fragte ich lächelnd. —

»Scheußlich.«

»Ach, Schatz, du verstehst nichts«, warf Stroeve ein.

»Aber die Holländer waren ganz wütend auf dich. Sie dachten, du hättest dir mit ihnen einen schlechten Scherz erlaubt.«

Dirk Stroeve nahm seine Brille von der Nase und wischte sie sehr sorgfältig ab. Sein rotes Gesicht glänzte vor innerer Erregung.

»Wie sollte man annehmen, daß Schönheit, das Kostbarste auf dieser Erde, wie ein Stein am Strand liegt, damit der gleichgültig Vorübergehende so nebenbei danach greife? Schönheit ist etwas Wunderbares und Fremdes, das der Künstler in der Qual seiner Seele aus dem Chaos der Welt formt. Und wenn er es geschaffen hat, ist es nicht allen vergönnt, es zu erkennen. Um es zu erkennen, muß man das Abenteuer des Künstlers wiederholen. Es ist eine Melodie, die er dir singt, und um sie in deinem eigenen Herzen zu hören, bedarfst du des Wissens, der Empfindsamkeit und der Phantasie.«

»Und warum habe ich deine Bilder immer schön gefunden, Dirk?« fragte Mrs. Stroeve. »Ich habe sie gleich das erste Mal, als ich sie ansah, bewundert.« — Stroeves Lippen zitterten.

»Geh zu Bett, Liebste. Ich mache noch ein paar Schritte mit unserem Freund und komme dann zurück.«

Neunzehntes Kapitel

Dirk Stroeve erklärte sich einverstanden, mich am folgenden Abend abzuholen und in das Café zu führen, wo ich Strickland höchstwahrscheinlich antreffen würde. Mit Interesse vernahm ich, daß es das gleiche war, in dem ich, damals vor fünf Jahren, mit ihm Absinth getrunken hatte. Die Tatsache, daß er sein Café nicht gewechselt hatte, verriet eine Schwerfälligkeit in nebensächlichen Dingen, die mir für ihn charakteristisch schien.

»Dort sitzt er«, sagte Stroeve, als wir das Café erreichten.

Trotz der vorgerückten Jahreszeit war der Abend mild, und die Tische auf der Terrasse vor dem Café waren vollbesetzt. Ich ließ meine Augen über sie hinschweifen, konnte aber Strickland nicht entdecken.

»Schauen Sie, dort drüben an der Ecke. Er spielt Schach.«

Ich sah einen Mann, der sich über ein Schachbrett beugte, konnte aber nichts als einen großen Schlapphut und einen roten Bart erkennen.

»Strickland!« — Er blickte auf.

»Hallo, Dickerchen! Was wollen Sie von mir?«

»Ich habe einen alten Bekannten mitgebracht, der Sie gern wieder mal sehen möchte.«

Strickland warf mir einen Blick zu, er erkannte mich offensichtlich nicht. Wieder wandte sich seine Aufmerksamkeit dem Schachbrett zu.

»Setzen Sie sich und verhalten Sie sich still«, sagte er.

Er zog mit einer Figur und versenkte sich von neuem ganz in das Spiel. Der arme Stroeve warf mir einen beunruhigten Blick zu, doch ließ ich mich nicht abschrecken. Ich bestellte etwas zum Trinken und wartete geduldig, bis Strickland die Schachpartie beendet hatte. Die Gelegenheit, ihn mit Muße zu beobachten, war mir nicht unerwünscht. Auch ich würde ihn ganz sicher nicht wiedererkannt haben. Da war erstens der zerzauste, nie gekämmte Bart, der viel von seinem Gesicht verhüllte, dazu kam, daß er jetzt sein Haar lang trug; aber die überraschendste Veränderung an ihm war seine außergewöhnliche Magerkeit. Diese Magerkeit ließ seine große Nase noch arroganter vorstoßen, die Backenknochen scharf hervortreten und die Augen größer erscheinen. Seine Schläfen waren eingefallen, sein Körper schien zum Skelett geworden. Noch immer trug er den Anzug, den ich vor fünf Jahren an ihm gesehen hatte, doch war er jetzt zerrissen, fleckig und abgeschabt und hing so locker um seinen Leib, als wäre er für einen andern geschneidert worden.

Mein Blick verweilte auf seinen schmutzigen Händen mit den langen Nägeln: sie schienen nur aus Knochen und Sehnen zu bestehen, waren aber groß und kräftig und — was ich ganz vergessen hatte — von besonders edler Form. Wie er so, ganz in das Schachspiel versunken, dasaß, machte er einen außerordentlichen Eindruck auf mich, den Eindruck großer Kraft, und ich fragte mich plötzlich, wie es käme, daß seine Abgezehrtheit diese Wirkung noch zu steigern schien.

Bald darauf machte er einen Zug, lehnte sich zurück und starrte seltsam versonnen seinen Gegner an. Dieser, ein beleibter, bärtiger Franzose, betrachtete die Stellung, brach dann plötzlich in komische Verwünschungen aus, raffte die Figuren zusammen und warf sie in die Schachtel. Nachdem er Strickland gebührend beschimpft hatte, rief er den Kellner, bezahlte für beide die Getränke und ging. Stroeve zog seinen Stuhl näher an den Tisch.

»Jetzt dürfen wir wohl sprechen«, sagte er.

Strickland warf ihm einen Blick zu, in seinen Augen funkelte es maliziös. Ich hatte das Gefühl, daß er nach einem boshaften Witz suchte; da ihm aber keiner einfiel, schwieg er.

»Ich habe Ihnen einen alten Bekannten mitgebracht«, wiederholte Stroeve strahlend.

Strickland schaute mich wohl eine Minute lang nachdenklich an. Ich sagte nichts.

»Ich habe ihn nie in meinem Leben gesehen«, erklärte er schließlich.

Ich weiß nicht, warum er dies sagte, denn ein Aufblitzen in seinen Augen verriet mir, daß er mich erkannt hatte. Ich ließ mich nicht so leicht einschüchtern wie damals vor fünf Jahren.

»Ich habe vor einigen Tagen Ihre Frau gesehen«, sagte ich, »und dachte, es würde Sie interessieren, das Neueste von ihr zu hören.«

Er lachte kurz auf und zwinkerte mir zu.

»Wir haben einmal einen lustigen Abend miteinander verbracht«, sagte er. »Wie lang ist es her?« — »Fünf Jahre.«

Er bestellte noch einen Absinth. Stroeve erzählte übersprudelnd, wie wir uns getroffen und zufällig entdeckt hatten, daß wir beide Strickland kannten. Ich weiß nicht, ob Strickland zuhörte. Er sah mich ein- oder zweimal sinnend an, schien aber zumeist mit seinen eigenen Gedanken beschäftigt. Ohne Stroeves Schwatzhaftigkeit wäre das Gespräch bald erlahmt. Nach einer halben Stunde zog der Holländer seine Uhr heraus, sagte, er müsse gehen, und fragte mich, ob ich mitkomme. In der Hoffnung, allein aus Strickland mehr herauszukriegen, erwiderte ich ihm, daß ich bliebe.

Als der dicke Mann gegangen war, sagte ich:

»Dirk Stroeve hält Sie für einen großen Künstler.«

»Was, zum Teufel, glauben Sie, das ich mir daraus mache?«

»Wollen Sie mir Ihre Bilder zeigen?«

»Warum sollte ich?«

»Ich könnte mich veranlaßt fühlen, eines zu kaufen.«

»Und ich könnte mich veranlaßt fühlen, keines herzugeben.«

»Verdienen Sie gut?« fragte ich lächelnd.

Er kicherte.

»Seh' ich so aus?«

»Sie sehen ziemlich ausgehungert aus.«

»Bin ich auch.«

»Dann wollen wir zusammen essen gehen.«

»Warum laden Sie mich ein?«

»Nicht aus Barmherzigkeit«, antwortete ich kühl. »Es ist mir vollkommen egal, ob Sie verhungern oder nicht.«

Sein Gesicht erhellte sich wieder.

»Na, dann gehen wir«, sagte er und stand auf. »Ein anständiges Essen soll mir recht sein.«

Zwanzigstes Kapitel

Ich überließ ihm die Wahl des Restaurants. Auf dem Wege kaufte ich eine Zeitung. Als wir das Essen bestellt hatten, lehnte ich sie gegen eine Flasche St. Galmier und begann zu lesen. Wir aßen schweigend. Ich bemerkte, wie er ab und zu zu mir herüberblickte, nahm aber keine Notiz davon. Ich wollte ihn zum Sprechen zwingen.

»Steht etwas Besonderes in der Zeitung?« fragte er gegen Ende unseres schweigsamen Mahles. Ich bildete mir ein, aus seiner Stimme eine gewisse Ungeduld herauszuspüren.

»Ich lese immer gern die Theaterkritiken«, sagte ich, faltete die Zeitung zusammen und legte sie neben mich.

»Das Essen war gut«, bemerkte er.

»Wir können unsern Kaffee hier ebensogut trinken wie anderswo. Was meinen Sie?«

»Gewiß.«

Wir zündeten uns die Zigarren an. Ich rauchte schweigend. Ich stellte fest, daß seine Augen dann und wann mit einem leichten Lächeln der Belustigung auf mir verweilten. Ich wartete geduldig.

»Was haben Sie getrieben, seit wir uns das letzte Mal sahen?« fragte er endlich.

Ich hatte nicht sehr viel zu erzählen. Es war ein Bericht über harte Arbeit und wenig Vergnügen, über Versuche in dieser und jener Richtung, über das allmähliche Eindringen in Kenntnisse aller Art — in Bücher und in Menschenseelen. In bewußter Absicht stellte ich Strickland keine Fragen über seine eigene Tätigkeit. Ich zeigte nicht das geringste Interesse an ihm und wurde schließlich dafür belohnt. Er begann ganz von selbst zu reden. Aber mit seiner mangelhaften Ausdrucksfähigkeit gab er nur Andeutungen von dem, was er durchgemacht hatte, und ich mußte die Lücken mit meiner Phantasie ausfüllen. Ich empfand es als eine wahre Tantalusqual, nur spärliche Blicke in einen Charakter tun zu dürfen, der mich so sehr interessierte. Es war, wie wenn man sich durch ein verstümmeltes Manuskript durcharbeiten muß. Ich hatte den Eindruck von einem Leben, das ein harter Kampf gegen alle Arten von Schwierigkeiten war, doch stellte ich zugleich fest, daß vieles, was den meisten Menschen grauenhaft erschienen wäre, ihn nicht im geringsten berührte. Strickland unterschied sich von den meisten Engländern durch seine völlige Gleichgültigkeit dem Komfort gegenüber; es quälte ihn nicht, immer in einem schäbigen Zimmer zu leben; er fühlte nicht das Bedürfnis, von schönen Dingen umgeben zu sein. Ich glaube nicht, daß er bemerkt hatte, wie schmutzig die Tapete in dem Zimmer war, in dem ich ihn bei meinem ersten Besuch fand. Er brauchte keine Fauteuils, um bequem zu sitzen, er fühlte sich behaglicher auf einem Küchenstuhl. Er aß mit Appetit, aber war gleichgültig für das, was er aß; für ihn war es einfach Nahrung, die er verschlang, um das Knurren seines Magens zum Schweigen zu bringen. Und wenn keine Nahrung da war, schien er sich auch ohne sie zu behelfen. Sechs Monate hindurch hatte er täglich nur von einem Laib Brot und einer Flasche Milch gelebt. Er war ein sinnlicher Mensch und dennoch gleichgültig für sinnliche Genüsse. Entbehrungen fochten ihn nicht an. Die Art, wie er ausschließlich dem Geiste lebte, machte mir großen Eindruck.

Als der kleine Betrag, den er aus London mitgebracht hatte, erschöpft war, verlor er nicht den Mut. Er verkaufte keine Bilder — ich glaube, er wird sich wohl kaum ernstlich darum bemüht haben —, sondern suchte nach einem andern Weg, um ein bißchen Geld zu verdienen. Mit grimmigem Humor erzählte er mir von der Zeit, wo er sich als Führer von Londoner Kleinbürgern betätigte, die das Pariser Nachtleben kennenlernen wollten. Das war eine Beschäftigung, die seinem sardonischen Temperament entgegenkam; er hatte sich auf irgendeine Weise eine umfassende Kenntnis der verrufensten Stadtviertel erworben. Lange Stunden verbrachte er auf dem Boulevard de la Madeleine auf der Suche nach Engländern, mit Vorliebe nach stark angeheiterten, welche Dinge zu sehen wünschten, die das Gesetz verbot.

Wenn er vom Glück begünstigt war, gelang es ihm, eine nette Summe zusammenzubringen; aber die Schäbigkeit seiner Kleidung schreckte schließlich die Sensationslüsternen ab, und er fand keinen mehr, der wagemutig genug war, sich ihm anzuvertrauen. Später verfiel er darauf, Inserate für Heilmittel zu übersetzen, die unter den englischen Ärzten verbreitet werden sollten. Während eines Streiks war er eine Zeitlang als Zimmermaler angestellt.

In all diesen Jahren hatte er nie aufgehört, sich künstlerisch weiter auszubilden, doch wurde er bald der Schulen überdrüssig und arbeitete ganz allein. Er war nie so arm, daß es ihm nicht möglich gewesen wäre, Leinwand und Farben zu kaufen und zu malen. Und sonst brauchte er ja nichts. Ich glaubte, seiner Erzählung zu entnehmen, daß ihm das Malen große Schwierigkeit bereitete; da es ihm aber mißfiel, fremde Hilfe anzunehmen, verlor er viel Zeit mit technischen Problemen, die vorhergehende Generationen bereits gelöst hatten. Er strebte nach einem Ziel, ich weiß nicht, welchem, und vielleicht wußte er es selber kaum; aber der Eindruck, daß er ein Besessener sei, verstärkte sich in mir. Vielleicht war er nicht ganz bei Sinnen. Es schien mir, als wolle er mir seine Bilder nicht zeigen, weil er sich im Grunde selbst nichts aus ihnen machte. Er lebte in einem Traum, die Wirklichkeit bedeutete ihm nichts. Ich hatte das Gefühl, daß er an einer Leinwand mit der ganzen Kraft seiner vehementen Persönlichkeit arbeitete und in der Bemühung, das zu erhaschen, was er mit seinem geistigen Auge erblickte, alles vergaß, daß er aber dann, wenn er zu Ende war, vielleicht nicht mit seinem Bilde — denn es kam mir vor, als male er nur selten ein Bild ganz fertig —, sondern mit der Leidenschaft, die ihn befeuerte, alles Interesse an der Sache verlor. Er war mit dem, was er gemacht hatte, nie zufrieden: es schien ihm belanglos im Vergleich mit der Vision, die seine Seele bedrängte.

»Warum schicken Sie Ihre Bilder nie in Ausstellungen?« fragte ich ihn. »Ich möchte doch annehmen, daß Sie gern wissen möchten, was andere Leute von Ihnen denken.«

»So? Glauben Sie das?«

Ich kann die unermeßliche Verachtung, die er in diese Worte legte, nicht beschreiben.

»Streben Sie nicht nach Ruhm? Dafür sind doch die meisten Künstler nicht unempfindlich.«

»Kinderei. Warum sollte ich nach der Meinung der Menge fragen, wenn ich mir doch nicht einen Deut aus der Meinung des Individuums mache?«

»Schließlich sind wir doch nicht alle dumm«, versetzte ich lachend.

»Wer macht den Ruhm? Kritiker, Schriftsteller, Börsianer, Weiber.«

»Würde es Sie nicht eher angenehm berühren, wenn Leute, die Sie nicht kennen und nie gesehen haben, beim Anblick des Werkes Ihrer Hand von subtilen und leidenschaftlichen Erregungen durchschauert werden? Jeder Mensch liebt die Macht, und ich kann mir keine wunderbarere Ausübung der Macht vorstellen, als die Seelen der Menschen zu Freude, Trauer, Mitleid oder Schrecken zu bewegen.«

»Schnickschnack.«

»Warum liegt Ihnen daran, ob Sie gut oder schlecht malen?«

»Es liegt mir nichts daran. Ich will nur malen, was ich sehe.«

»Ich frage mich, ob ich auf einem einsamen Eiland schreiben könnte mit der Gewißheit, daß keine Augen als die meinen jemals sehen werden, was ich überhaupt geschrieben habe.«

Strickland sprach lange kein Wort, aber in seinen Augen war ein seltsames Leuchten, als sähe er etwas, das seine Seele zur Begeisterung entzündete.

»Manchmal kommt mir der Gedanke an eine im unermeßlichen Ozean verlorene Insel, wo ich in einem versteckten Tale unter phantastischen Bäumen einsam und schweigend leben könnte. Dort würde ich vielleicht finden, was ich suche.«

Er drückte sich nicht ganz so aus. An Stelle der schildernden Wörter bediente er sich der Gebärden, und er stockte immer wieder. Ich habe in meiner eigenen Sprache wiedergegeben, was er meiner Ansicht nach zu sagen wünschte.

»Wenn Sie an die letzten fünf Jahre zurückdenken — finden Sie, daß es sich gelohnt hat?« fragte ich.

Er schaute mich an, ich merkte, daß er nicht wußte, was ich meinte. Ich versuchte, es ihm zu erklären.

»Sie haben ein behagliches Heim aufgegeben und ein Leben, das der Durchschnitt als glücklich bezeichnet. Sie waren recht wohlhabend. Aber in Paris ging es Ihnen doch die ganze Zeit verdammt schlecht. Wenn Sie vor der Wahl stünden, von neuem zu beginnen, würden Sie das gleiche wie vor fünf Jahren tun?«

»Ich denke schon.«

»Sind Sie sich dessen bewußt, daß Sie sich nicht ein einziges Mal nach Ihrer Frau und nach Ihren Kindern erkundigt haben? Denken Sie nie an sie?«

»Nein.«

»Wenn Sie doch nicht so verdammt einsilbig wären! Haben Sie nie, wenn auch nur einen Augenblick lang, Reue empfunden über all das Unglück, das Sie über Ihre Familie gebracht haben?«

Seine Lippen öffneten sich zu einem Lächeln, und er schüttelte den Kopf.

»Es will mir scheinen, als müßten Sie zuweilen an die Vergangenheit denken. Ich meine nicht die Zeit vor sieben oder acht Jahren, sondern weiter zurück, als Sie Ihre Frau kennenlernten, sich in sie verliebten und sie heirateten. Erinnern Sie sich nicht mit Freude daran, wie Sie sie zum erstenmal in die Arme schlossen?«

»Ich denke nicht an die Vergangenheit. Das einzig Wichtige ist die ewigwährende Gegenwart.«

Ich dachte einen Augenblick lang über diese Antwort nach. Sie schien dunkel, aber ich glaubte, ungefähr ihren Sinn zu ahnen.

»Sind Sie glücklich?« fragte ich.

»Ja.«

Ich schwieg und blickte ihn nachdenklich an. Er hielt meinen Blick aus, und ein sardonisches Lächeln trat in seine Augen.

»Sie mißbilligen mich wohl?«

»Unsinn«, erwiderte ich rasch, »ich mißbillige nicht die Boa constrictor; im Gegenteil, sie interessiert mich in ihren seelischen Vorgängen.«

»Nehmen Sie ein rein berufliches Interesse an mir?«

»Ja. Rein beruflich.«

»Ich finde es nur in der Ordnung, daß Sie mich nicht mißbilligen. Sie haben einen gemeinen Charakter.«

»Wahrscheinlich fühlen Sie sich darum in Ihrem Element mit mir«, gab ich zurück.

Er lächelte, sagte aber nichts. Ich wollte, ich könnte dieses Lächeln beschreiben. Ich kann nicht behaupten, daß es anziehend war, aber es erhellte sein Gesicht, verwandelte dessen für gewöhnlich düstern Ausdruck und verlieh ihm etwas von Listigkeit, in der doch nichts Böses war. Es war ein langsam sich kräuselndes Lächeln, das in den Augen begann und in ihnen wieder erlosch; es war sehr sinnlich, weder grausam noch gütig, aber es gemahnte irgendwie an die nicht menschliche Heiterkeit eines Satyrs. Dieses Lächeln bewog mich, ihn zu fragen:

»Waren Sie, seitdem Sie nach Paris kamen, jemals verliebt?«

»Ich habe für solchen Unsinn keine Zeit. Das Leben ist nicht lang genug für beides, Kunst und Liebe.«

»In Ihrem Äußern wirken Sie durchaus nicht wie ein Anachoret.«

»All diese Dinge ekeln mich an!«

»Die menschliche Natur ist scheußlich, was?«

»Warum grinsen Sie mich so an?«

»Weil ich Ihnen nicht glaube.«

»Dann sind Sie ein Dummkopf.«

Ich musterte ihn mit einem durchdringenden Blick.

»Der Versuch, mich zu beschwindeln, nützt Ihnen ja doch nichts«, sagte ich.

»Ich weiß nicht, was Sie meinen.«

Ich lächelte.

»Ich will es Ihnen sagen. Ich stelle mir vor, daß Sie oft monatelang nicht daran denken und sich dann einbilden, Sie wären ein für allemal damit fertig. Sie jubeln über Ihre Freiheit, schwelgen in dem Bewußtsein, daß Ihnen Ihre Seele endlich ganz gehört, und wandeln dahin, als trügen Sie Ihr Haupt zwischen den Sternen. Und dann, ganz unvermutet, können Sie es nicht mehr aushalten, Sie merken, daß Sie die ganze Zeit mit den Füßen im Kot gewatet sind, und möchten sich im Kote wälzen. Und Sie finden ein Weib, ein rohes, niedriges, gemeines, animalisches Geschöpf, in dem das Grauen des Geschlechts aufbrüllt, und fallen darüber her wie ein Tier. Sie trinken bis zur Besinnungslosigkeit.«

Er starrte mich an, keine Muskel regte sich in seinem Gesicht. Ich hielt seinen Blick mit dem meinen fest und sprach sehr langsam weiter:

»Und nun will ich Ihnen sagen, was so seltsam daran ist: daß Sie sich nämlich, sobald es vorüber ist, außerordentlich rein fühlen. Sie fühlen sich wie ein körperloser Geist, immateriell; und Sie glauben, an die Schönheit rühren zu können, als wäre sie ein greifbares Ding; und Sie fühlen ein inniges Einssein mit der lauen Brise und mit den sprossenden Bäumen und mit dem Gleißen des Flusses. Sie fühlen sich gottgleich. Können Sie mir das erklären?«

Seine Augen ruhten in den meinen, bis ich zu Ende gesprochen hatte, dann wandte er sich ab. Sein Gesicht sah seltsam aus; so mochte ein Mann aussehen, der unter der Folter gestorben ist. Er schwieg. Ich wußte, daß unser Gespräch seinen Abschluß gefunden hatte.

Einundzwanzigstes Kapitel

Ich ließ mich in Paris für längere Zeit nieder und begann ein Stück zu schreiben. Mein Leben verlief sehr regelmäßig: am Vormittag arbeitete ich, am Nachmittag ging ich im Luxembourg-Garten spazieren oder schlenderte durch die Straßen. Ich verbrachte lange Stunden im Louvre, dem freundlichsten aller Museen und dem geeignetsten für besinnliches Nachdenken, oder ich bummelte auf den Quais und blätterte in antiquarischen Büchern, die ich nicht zu kaufen gedachte. Ab und zu las ich eine Seite und lernte so eine Menge Schriftsteller kennen, an deren mehr als oberflächlicher Bekanntschaft mir nichts lag. Am Abend machte ich meist Besuche. Bei Stroeves sprach ich häufig vor und teilte zuweilen ihr bescheidenes Mahl. Dirk Stroeve tat sich auf seine Zubereitung italienischer Gerichte viel zugute, und ich gestehe, daß seine Spaghetti besser waren als seine Bilder. Es war ein wahres Fest, wenn er eine riesige Schüssel davon, triefend vom roten Saft der Tomaten, auftrug und wir sie zusammen mit dem guten Hausbrot und einer Flasche roten Weines verzehrten. Ich wurde mit Blanche Stroeve allmählich vertrauter; vermutlich sah sie mich gern, weil ich Engländer war und sie in Paris nur wenig englische Bekannte hatte. Ihr Wesen war angenehm und schlicht; sie verhielt sich aber meistens schweigsam, und ich hatte, ich weiß nicht warum, den Eindruck, daß sie etwas verberge. Vielleicht aber handelte es sich bei ihr nur um eine natürliche Zurückhaltung, die von der wortreichen Offenheit ihres Gatten besonders abstach. Dirk freilich verbarg nichts. Er pflegte die intimsten Angelegenheiten mit einem völligen

Mangel an Scham zu erörtern und brachte seine Frau dadurch oft in Verlegenheit. Einmal geriet sie sogar beinah in Wut, als er darauf bestand, mir vor ihr zu erzählen, daß er ein Abführmittel genommen hatte, und sich in einigermaßen drastischen Einzelheiten erging. Angesichts des unerschütterlichen Ernstes, mit dem er seine Leidensgeschichte vortrug, mußte ich lachend herausprusten, was Mrs. Stroeves Gereiztheit natürlich noch erhöhte.

»Es scheint dich zu freuen, wenn du aus dir einen Narren machst«, sagte sie.

Seine runden Augen wurden noch runder, und seine Brauen hoben sich ängstlich, als er sah, daß sie böse war.

»Liebchen, habe ich dich geärgert? Ich werde nie wieder eine Pastille nehmen. Ich habe es ja nur getan, weil mir so übel war. Ich führe eben eine sitzende Lebensweise, habe nicht genug Bewegung. Seit drei Tagen war ich nicht . . .«

»So halte doch endlich den Mund«, unterbrach sie ihn, und in ihre Augen traten Tränen des Verdrusses.

Sein Gesicht fiel in sich zusammen, er schob die Lippen vor wie ein gescholtenes Kind. In seinem hilfeflehenden Blick lag die Bitte an mich, seiner Frau gütlich zuzureden und alles wieder in Ordnung zu bringen, aber ich war unfähig, mich zu beherrschen: ich bog mich vor Lachen.

Eines Tages führte er mich zu dem Händler, in dessen Laden er mir ein paar Bilder von Strickland zeigen zu können hoffte, aber als wir dort ankamen, erfuhren wir, daß der Maler selbst sie weggeholt hatte. Der Händler wußte nicht, warum.

»Aber glauben Sie nicht, daß ich mich darüber gräme. Ich habe die Bilder ja doch nur übernommen, um Monsieur

Stroeve gefällig zu sein, und ihm versprochen, mich um ihren Verkauf zu bemühen. Aber ...« Er zuckte bedauernd die Achseln. »Gewiß, ich interessiere mich für junge Künstler, aber *voyons, Monsieur Stroeve*, Sie selbst glauben ja auch nicht an sein Talent.«

»Ich gebe Ihnen mein Ehrenwort, daß es heute keinen zweiten Maler gibt, von dessen Begabung ich so fest überzeugt bin. Glauben Sie mir, Sie bringen sich um ein gutes Geschäft. Eines Tages werden diese paar Bilder mehr wert sein als alles, was Sie im Laden haben. Denken Sie an Monet, dem niemand hundert Franken für seine Bilder geben wollte. Und was sind sie heute wert?«

»Sie haben recht. Aber damals gab es hundert ebenso gute Maler wie Monet, die gleichfalls ihre Bilder nicht verkaufen konnten und deren Bilder heute noch immer nichts wert sind. Wie läßt sich so etwas voraussagen? Genügen Vorzüge allein zum Erfolg? Glauben Sie das ja nicht! Im übrigen ist noch nicht bewiesen, daß Ihr Freund Vorzüge besitzt! Kein Mensch behauptet das, außer Monsieur Stroeve.«

»Und woran wollen Sie die Güte einer Malerei erkennen?« fragte Dirk Stroeve mit vor Zorn rotem Gesicht.

»Einzig am Erfolg.«

»Philister!« rief Dirk.

»Aber denken Sie doch an die großen Künstler der Vergangenheit! Raffael, Michelangelo, Ingres, Delacroix — sie alle hatten Erfolg.«

»Gehen wir!« sagte Stroeve zu mir, »ich bringe diesen Menschen sonst um.«

Ich sah von nun an Strickland ziemlich häufig und spielte zuweilen Schach mit ihm. Seine Stimmungen wechselten. Manchmal saß er stumm und in sich gekehrt da, ohne von jemand Notiz zu nehmen; zu andern Zeiten, wenn er bei guter Laune war, wurde er in seiner holprigen Art gesprächig. Er äußerte nie etwas besonders Gescheites, besaß aber eine ausgesprochene Begabung für brutale, sarkastische Bemerkungen, die gewöhnlich ins Schwarze trafen, und sagte immer genau, was er dachte. Die Empfindlichkeit seiner Mitmenschen pflegte er nicht zu schonen, freute sich im Gegenteil, wenn er sie verletzt hatte. Den armen Dirk Stroeve griff er ständig so bissig an, daß er davonlief und schwor, nie wieder mit ihm zu sprechen; aber in Strickland steckte eine Kraft, die den kugelrunden Holländer gegen seinen Willen immer wieder anzog, so daß er, kriechend wie ein Hündchen, stets zurückkam, obwohl er wußte, daß seine Begrüßung der Schlag sein würde, den er fürchtete.

Ich weiß nicht, was Strickland an dem Umgang mit mir behagte. Die Art unserer Beziehung war sonderbar. Eines Tages bat er mich, ihm fünfzig Franken zu leihen.

»Fällt mir nicht im Traum ein«, sagte ich.

»Warum nicht?«

»Weil es mir keinen Spaß macht.«

»Wissen Sie, ich stecke nämlich sehr in der Klemme.«

»Das macht doch mir nichts aus.«

»Wäre es Ihnen peinlich, wenn ich verhungerte?«

»Warum, zum Teufel, sollte ich mir etwas daraus machen?« fragte ich meinerseits.

Er starrte mich eine gute Weile an und zupfte an seinem wilden Bart. Ich lächelte ihm zu.

»Was amüsiert Sie so?« fragte er mit einem ärgerlichen Aufblitzen in den Augen.

»Sie sind so primitiv. Da Sie keinerlei Verpflichtungen anerkennen, ist auch Ihnen gegenüber niemand verpflichtet.«

»Würde es Ihnen nicht unangenehm sein, wenn ich jetzt hinginge und mich aufhängte, weil man mich wegen unbezahlter Miete auf die Straße gesetzt hat?«

»Nicht im geringsten.«

Er kicherte.

»Sie schneiden auf. Wenn ich es wirklich täte, würden Sie vor Gewissensbissen vergehen.«

»Versuchen Sie es doch. Wir werden ja sehen«, versetzte ich.

In seinen Augen flackerte ein Lächeln; er rührte stumm in seinem Absinth.

»Spielen wir eine Partie Schach?« fragte ich.

»Ich habe nichts dagegen.«

Wir stellten die Figuren auf, und er musterte sie mit zufriedenem Blick. Es bereitet immer eine gewisse Genugtuung, seine Truppen in Schlachtordnung aufgestellt zu sehen.

»Dachten Sie wirklich, ich würde Ihnen das Geld geben?« fragte ich.

»Ich sehe nicht ein, warum Sie es nicht hätten tun sollen.«

»Sie überraschen mich.« — »Wieso?«

»Es enttäuscht mich ein bißchen, daß Sie im Grunde sentimental sind. Sie hätten mir besser gefallen, wenn Sie nicht diesen naiven Appell an mein Mitgefühl gemacht hätten.«

»Ich würde Sie verachtet haben, wenn Sie sich hätten rühren lassen«, erwiderte er.

»Gut gegeben!« lachte ich.

Wir begannen zu spielen und vertieften uns ganz in die Berechnung unserer Züge. Als wir fertig waren, sagte ich:

»Hören Sie mal! Wenn Sie wirklich in Geldverlegenheit sind, warum lassen Sie mich nicht Ihre Bilder sehen? Wenn mir etwas gefällt, werde ich es kaufen.«

»Hol Sie der Teufel!« war seine Antwort. — Er stand auf und schickte sich zum Gehen an. Ich hielt ihn zurück.

»Sie haben Ihren Absinth noch nicht bezahlt«, sagte ich lächelnd.

Er stieß einen Fluch aus, warf das Geld auf den Tisch und ging.

Ich sah ihn nach dieser Unterredung etliche Tage nicht, aber eines Abends, als ich, Zeitung lesend, im Café saß, tauchte er auf und nahm neben mir Platz.

»Sie haben sich offenbar doch nicht aufgehängt«, bemerkte ich kühl.

»Nein. Ich habe einen Auftrag. Ich male für zweihundert Franken das Porträt eines ehemaligen Klempners*.«

»Wie haben Sie das fertiggebracht?«

»Die Frau, bei der ich mein Brot hole, hat mich ihm empfohlen. Er suchte einen Maler, der ihn konterfeien sollte. Ich mußte ihr dafür zwanzig Franken geben.«

---

* Das Bild, ehemals im Besitz eines reichen Fabrikanten in Lille, der beim Anmarsch der Deutschen aus der Stadt floh, befindet sich jetzt in der Stockholmer Nationalgalerie.

»Wie schaut er denn aus?«

»Prachtvoll! Er hat ein großes Gesicht, rot wie eine Hammelkeule, und auf der rechten Backe ein ungeheures Muttermal, auf dem lange Haare wachsen.«

Strickland war in glänzender Laune, und als Dirk Stroeve kam und sich zu uns setzte, hänselte er ihn auf die grausamste Weise. Mit einer Geschicklichkeit, die ich ihm nie zugetraut hätte, fand er die Stellen heraus, an denen der unglückliche Holländer am empfindlichsten war. Strickland bediente sich nicht des Floretts des Sarkasmus, sondern des Knotenstocks derber Anrempelung. Sein Angriff war so unprovoziert, daß der unversehens überfallene Stroeve ganz wehrlos war. In seiner ratlosen Bestürzung erinnerte er an ein verängstigtes Schaf, das ziellos hin und her läuft. Schließlich rannen ihm die Tränen aus den Augen. Und das schlimmste war, daß man, trotz der Empörung über Stricklands Benehmen und der Scheußlichkeit des gebotenen Schauspiels, nicht umhin konnte, zu lachen. Dirk Stroeve gehörte zu den unseligen Personen, die selbst in ihren ehrlichsten Empfindungen lächerlich wirken.

Und doch ist, wenn ich an diesen Winter in Paris zurückdenke, meine freundlichste Erinnerung die an Dirk Stroeve. Sein Familienleben hatte einen großen Charme. Er und seine Frau boten ein Bild, bei dem die rückblickende Phantasie dankbar verweilt, und in der Einfalt seiner Liebe zu ihr lag etwas entschieden Rührendes. Zwar blieb er immer abgeschmackt, aber die Aufrichtigkeit seiner Leidenschaft weckte Sympathie. Ich konnte begreifen, wie seine Frau für ihn empfand, und freute mich über die Wärme ihrer Zuneigung. Sofern sie einigen Sinn für Humor hatte, mußte die Art, wie

er sie gewissermaßen auf ein Piedestal stellte und ach so abgöttisch verehrte, sie belustigen und dennoch, während sie
lachte, zugleich erfreuen und rühren. Er war der ewige Liebhaber, für den sie immer die gleiche bleiben würde, selbst
wenn sie später einmal alterte, ihre runden Formen und ihre
schlichte Anmut verlöre. Für ihn würde sie stets die Holde-
ste aller Frauen sein. Die Geordnetheit dieses Zusammenlebens hatte etwas Liebes und Wohltuendes. Sie hatten außer
dem Atelier nur noch ein Schlafzimmer und eine winzige
Küche. Mrs. Stroeve besorgte die ganze Hausarbeit allein,
und während Dirk seine Bilder malte, ging sie auf den
Markt, kochte das Mittagessen, nähte, war wie eine fleißige
Ameise den ganzen Tag tätig. Am Abend saß sie dann, wieder mit Nähen beschäftigt, im Atelier, während Dirk am
Klavier Stücke spielte, die sicherlich ihr Verständnis über-
stiegen. Er spielte musikalisch, aber mit einem Gefühlsauf-
wand, der nicht immer am Platze war, und verströmte in
seiner Musik seine rechtschaffene, sentimentale und überschwengliche Seele.

Das Leben dieser beiden war im Grunde ein Idyll, das
eine eigenartige Schönheit besaß. Die Abgeschmacktheit, die
jedem Tun Dirk Stroeves unweigerlich anhaftete, verlieh
dieser Schönheit etwas Fremdartiges, gleich einer unaufge-
lösten Dissonanz, machte sie aber auch in gewisser Beziehung moderner und menschlicher, so wie ein derber Spaß,
in eine ernste Szene eingestreut, den scharfen Reiz erhöht,
der aller Schönheit innewohnt.

Dreiundzwanzigstes Kapitel

Kurz vor Weihnachten kam Dirk Stroeve zu mir und forderte mich auf, das Fest bei ihm zu feiern. Er hatte eine für ihn bezeichnende sentimentale Vorliebe für diesen Tag und wünschte, ihn mit den üblichen Gebräuchen im Kreise seiner Lieben zu verbringen. Seit zwei oder drei Wochen hatte keiner von uns Strickland gesehen: ich nicht, weil ich mich Bekannten widmen mußte, die sich einige Zeit in Paris aufhielten; Stroeve, weil er von ihm noch unflätiger als sonst verhöhnt worden war und mit ihm nichts zu tun haben wollte. Strickland war wirklich unmöglich, und er hatte geschworen, nie wieder ein Wort mit ihm zu sprechen. Nun aber weckte die Weihnachtszeit sanfte Empfindungen in ihm, und die Vorstellung, daß Strickland das Fest allein verbringen sollte, war ihm peinlich; er schrieb ihm seine eigenen Gefühle zu und hätte den Gedanken nicht ertragen können, den einsamen Künstler am Feste der Nächstenliebe seiner Schwermut zu überlassen. Stroeve hatte in seinem Atelier einen Christbaum aufgestellt, und ich hatte ihn im Verdacht, seine festlich geschmückten Zweige mit absurden kleinen Geschenken für uns behängen zu wollen. Immerhin fürchtete er sich ein wenig vor einem neuerlichen Zusammentreffen mit Strickland. Demütigte er sich nicht, wenn er ihm seine beleidigenden Ausfälle so leicht vergab? So bat er mich denn, bei der Aussöhnung, zu der er entschlossen war, zugegen zu sein.

Wir gingen miteinander die Avenue de Clichy hinunter, aber Strickland war nicht im Café. Zum Draußensitzen war es zu kalt, und wir nahmen im Innern auf einer der mit Leder bezogenen Bänke Platz. Der Raum war heiß und stickig, die Luft war grau von Rauch. Strickland erschien nicht, doch sahen wir den französischen Maler, mit dem er gelegentlich Schach spielte. Ich war mit ihm flüchtig bekannt, und er setzte sich an unsern Tisch. Stroeve fragte ihn nach Strickland.

»Er ist krank«, erwiderte er. »Wußten Sie das nicht?«

»Ernstlich krank?«

»Sehr schwer, soviel ich weiß.«

Stroeve wurde ganz blaß.

»Warum hat er mir nur nicht geschrieben und es mir mitgeteilt? Wie dumm von mir, mich mit ihm zu verzanken! Wir müssen sofort zu ihm gehen. Sicher hat er niemand, der sich um ihn kümmert. Wo wohnt er denn?«

»Keine Ahnung«, sagte der Franzose.

Es stellte sich heraus, daß keiner von uns wußte, wie er ausfindig zu machen sei. Stroeve war geradezu verzweifelt.

»Er kann sterben, und keine Seele erfährt davon. Wie furchtbar! Ich kann den Gedanken nicht ertragen. Wir müssen ihn so bald als möglich finden.«

Ich versuchte Stroeve klarzumachen, daß es sinnlos wäre, ihn auf gut Glück in Paris zu suchen. Wir mußten zuerst einen Plan entwerfen.

»Gewiß, Sie haben recht. Aber inzwischen liegt er vielleicht im Sterben, und wenn wir hinkommen, kann es zu spät sein.«

»Bleiben Sie sitzen und lassen Sie uns in Ruhe überlegen!« herrschte ich ihn ärgerlich an.

Die einzige Adresse, die ich kannte, war das Hôtel des Belges, aber Strickland hatte es längst verlassen, und die Besitzer würden sich kaum mehr an ihn erinnern. Da er von der fixen Idee besessen war, seine Wohnung geheimzuhalten, war es unwahrscheinlich, daß er beim Ausziehen seine neue Adresse angegeben hatte. Überdies waren seitdem fünf Jahre verflossen. Ich glaubte ziemlich sicher zu sein, daß er noch in demselben Stadtteil wohnte. Da er noch das gleiche Café frequentierte wie damals vor fünf Jahren, vermutete ich, daß er es darum tat, weil es für ihn bequem gelegen war. Plötzlich fiel mir ein, daß er jenen Porträtauftrag dem Bäcker verdankte, bei dem er sein Brot kaufte. Das bot vielleicht eine Möglichkeit, seinen Aufenthalt zu erfahren. Ich ließ mir ein Adreßbuch kommen und suchte die Bäckerläden dieses Viertels heraus. In der unmittelbaren Nachbarschaft des Cafés gab es deren fünf. Es handelte sich also jetzt darum, in diesen Läden nach Strickland zu fragen. Stroeve begleitete mich nur widerwillig. Sein Plan war, alle Straßen, die in die Avenue de Clichy mündeten, abzulaufen und sich in jedem Haus nach Strickland zu erkundigen. Mein eigenes banales Projekt erwies sich als erfolgreich. Schon in der zweiten Bäckerei, die wir betraten, versicherte uns die Frau hinter dem Ladentisch, daß sie ihn kenne. Genau wisse sie zwar nicht, wo er wohne, aber vermutlich in einem der drei Häuser gegenüber. Bereits im ersten dieser Häuser sagte uns die Concierge, daß er im obersten Stockwerk wohne.

»Er soll krank sein«, sagte Stroeve.

»Schon möglich«, antwortete die Concierge gleichmütig. »*En effet*, ich habe ihn seit einigen Tagen nicht zu Gesicht bekommen.«

Stroeve rannte vor mir die Treppe hinauf, und als ich schließlich oben anlangte, fand ich ihn im Gespräch mit einem Arbeiter in Hemdsärmeln, an dessen Tür Stroeve geklopft hatte. Er wies auf eine andere gegenüber. Jawohl, der Mann, der dort wohne, war vielleicht ein Maler. Er hatte ihn seit einer Woche nicht gesehen. Stroeve erhob gerade die Hand um zu klopfen, drehte sich aber dann mit einer hilflosen Gebärde nach mir um. Ich sah, daß er von Panik ergriffen war.

»Und wenn er tot ist?«

»Der ist nicht tot«, erwiderte ich.

Ich klopfte. Keine Antwort. Ich drückte auf die Klinke und fand die Tür unverschlossen. Ich trat ein, Stroeve folgte mir. Das Zimmer war dunkel. Ich konnte lediglich erkennen, daß es eine Mansarde mit schrägem Dach war; durch das Oberlichtfenster drang eine schwache Helle herein, kaum mehr als eine etwas weniger tiefe Finsternis.

»Strickland!« rief ich.

Wieder keine Antwort. Das war wirklich rätselhaft. Ich hatte das Gefühl, daß Stroeve, der knapp hinter mir stand, wie Espenlaub zitterte, auch ich zögerte einen Augenblick lang, ein Zündholz anzustreichen. An einer Wand konnte ich endlich ein Bett erkennen. Würden wir beim aufflammenden Licht eine Leiche erblicken?

»Haben Sie denn kein Zündholz, zum Teufel?«

Bei dem Ton von Stricklands barscher Stimme zuckte ich zusammen.

Stroeve schrie auf:

»O mein Gott, ich dachte, Sie wären tot!«

Ich strich ein Zündholz an und sah mich nach einer Kerze um. Die Flamme des Zündholzes enthüllte mir einen Augenblick lang einen Raum, halb Schlafzimmer, halb Atelier, in dem es nichts gab als ein Bett, einige mit der Vorderseite gegen die Wand gekehrte Bilder, eine Staffelei, einen Tisch, einen Stuhl. Kein Teppich auf dem Fußboden. Kein Kamin. Auf dem von Farbentuben, Spachteln und allerlei Mischmasch bedeckten Tisch gab es auch den Stumpf einer Kerze. Ich zündete ihn an. Strickland lag in zusammengekrümmter Stellung auf dem Bett, das zu kurz für ihn war, und hatte sich, um warm zu werden, mit allen seinen Kleidern zugedeckt. Man sah auf den ersten Blick, daß er hohes Fieber hatte. Stroeve ging zu ihm hin und sagte mit vor Erregung heiserer Stimme:

»Ach, mein armer Freund, was ist denn mit Ihnen los? Ich hatte ja keine Ahnung, daß Sie krank sind. Ich hätte sonst alles nur Mögliche für Sie getan. Haben Sie es mir vielleicht darum nicht mitgeteilt, weil ich letzthin böse auf Sie war? Ich habe es doch nicht so gemeint. Ich bin im Unrecht. Es war dumm von mir, beleidigt zu sein.«

»Hol Sie der Teufel!« sagte Strickland.

»Jetzt seien Sie ein bißchen vernünftig. Ich will versuchen, es Ihnen bequem zu machen. Haben Sie denn niemand, der nach Ihnen sieht?«

Er blickte sich verzweifelt in der von Schmutz starrenden Mansarde um und versuchte dann, den Kranken ordentlich zu betten.

Strickland, der mühsam atmete, schwieg ärgerlich. Mir warf er einen gehässigen Blick zu. Ich stand ganz ruhig und schaute ihn an.

»Wenn Sie etwas für mich tun wollen«, sagte er schließlich, »so holen Sie mir etwas Milch. Ich bin seit zwei Tagen nicht imstande, aufzustehen.«

Neben dem Bett stand eine leere Flasche, die Milch enthalten hatte; auf einem Stück Zeichenpapier befanden sich einige Brotkrumen.

»Was haben Sie gegessen?« fragte ich.

»Nichts.«

»Seit wann?« rief Stroeve entsetzt. »Wollen Sie damit sagen, daß Sie seit zwei Tagen weder gegessen noch getrunken haben? Das ist ja furchtbar!«

»Ich hatte Wasser.«

Sein Blick heftete sich einen Moment lang auf eine große Kanne, die in Reichweite auf dem Boden stand.

»Ich gehe schon«, sagte Stroeve. »Haben Sie noch einen Wunsch?«

Ich empfahl ihm, ein Fieberthermometer, Trauben und Brot mitzubringen. Stroeve, glücklich, sich nützlich zu machen, polterte die Treppe hinunter.

»Verfluchter Narr!« murmelte Strickland hinter ihm her.

Ich fühlte ihm den Puls: er ging schnell und schwach. Dann stellte ich ihm ein paar Fragen, aber er antwortete nicht, sondern drehte sich, als ich in ihn drang, wütend mit dem Gesicht zur Wand. Es blieb mir nichts übrig, als schweigend zu warten. Nach zehn Minuten kam Stroeve keuchend zurück. Außer den von mir genannten Dingen brachte er noch Kerzen, Fleischbrühe und einen Spiritusbrenner. Er war ein praktischer kleiner Mann und machte sich ohne Verzug daran, eine Milchsuppe mit eingebrocktem Brot zu bereiten. Ich maß Stricklands Temperatur. Er hatte über vierzig. Offenbar war er sehr krank.

Vierundzwanzigstes Kapitel

Wir verließen ihn bald darauf. Dirk mußte nach Hause zum Abendessen, und ich hatte vor, inzwischen einen Arzt aufzutreiben und ihn zu Strickland zu bringen. Aber als wir nach dem Aufenthalt in der muffigen Mansarde, erfreut über die frische Luft, auf die Straße hinaustraten, bat mich der Holländer inständig, doch gleich mit ihm in sein Atelier zu kommen. Er hatte etwas im Sinn, das er mir nicht verraten wollte, behauptete aber, es sei durchaus nötig, daß ich ihn begleite. Da ich der Meinung war, ein Arzt könne im Augenblick nicht mehr tun, als wir schon getan hatten, willigte ich ein.

Blanche Stroeve deckte gerade den Tisch. Dirk trat auf sie zu und ergriff ihre beiden Hände.

»Liebste, du mußt mir einen großen Gefallen tun«, sagte er.

Sie schaute ihn mit der ernsten Fröhlichkeit, die einer ihrer Reize war, an. Sein rotes Gesicht glänzte vor Schweiß, und er sah in seiner Aufgeregtheit recht komisch aus, aber zugleich blitzte in seinen runden, erstaunten Augen das Licht eines eigensinnigen Willens.

»Strickland ist schwer krank, vielleicht dem Tode nah. Er liegt allein in einer unsauberen Dachstube, und keine Menschenseele kümmert sich um ihn. Erlaube mir, ihn herzubringen!«

Sie entzog ihm mit einem Ruck ihre Hände — ich hatte noch nie eine so jähe Bewegung bei ihr gesehen —, und ihre Wangen bedeckten sich mit tiefer Röte.

»Nein!« stieß sie hervor.

»Ach, Liebes, schlag es mir nicht ab! Ich könnte es nicht ertragen, ihn dort zu lassen, wo er ist. Ich würde vor Sorge kein Auge zutun, müßte immer an ihn denken.«

»Ich habe ja nichts dagegen, wenn du ihn pflegen willst.« Ihre Stimme klang kalt und abweisend.

»Aber er wird sterben!«

Stroeve rang nach Atem. Er wischte sich den Schweiß von der Stirn und wandte sich mit einem flehenden Blick an mich. Aber ich wußte nicht, was ich sagen sollte.

»Er ist ein großer Künstler.«

»Was geht mich das an? Ich verabscheue ihn.«

»O mein Liebstes, mein Kostbarstes, das meinst du doch nicht im Ernst. Ich flehe dich an, erlaube mir, ihn herzubringen. Wir können es ihm bequem machen, vielleicht ihn retten. Es wird keine Störung für dich sein. Ich werde alles selber tun. Wir wollen für ihn im Atelier ein Bett aufstellen. Wir können ihn doch nicht wie einen Hund verrecken lassen. Das wäre unmenschlich.«

»Warum bringst du ihn nicht in ein Krankenhaus?«

»Ein Krankenhaus! Er braucht die Pflege liebender Hände und muß mit äußerstem Zartgefühl behandelt werden.«

Ich war überrascht, wie erregt sie war. Sie deckte den Tisch, aber ihre Hände zitterten.

»Du machst mich richtig böse. Bildest du dir etwa ein, daß er, wenn du krank wärest, einen Finger für dich rühren würde?«

»Ach, was tut das! Ich hätte doch dich zur Pflege und brauchte seine Hilfe nicht. Übrigens ist das etwas ganz anderes: ich bin unwichtig.«

»Du hast so wenig Rückgrat wie ein Bastardköter. Du legst dich auf den Fußboden und bittest die Leute, dir einen Tritt zu geben.«

Stroeve lachte auf. Er glaubte zu wissen, warum seine Frau dies sagte.

»Ach, mein armer Schatz, du denkst an den Tag, an dem er kam und meine Bilder anschaute. Was tut das schon, wenn er sie für schlecht hielt? Es war dumm von mir, sie ihm zu zeigen. Ich glaube wirklich, daß sie nicht besonders gut sind.«

Sein Blick schweifte sichtlich betrübt durch das Atelier. Auf der Staffelei in einer Ecke stand ein halbvollendetes Bild, das einen lächelnden italienischen Bauern darstellte, der eine Traube über den Kopf eines dunkeläugigen Mädchens hielt.

»Selbst wenn ihm die Bilder nicht gefielen, hätte er höflich sein müssen. Er durfte dich nicht beleidigen. Er hat dir seine Verachtung gezeigt, und du leckst ihm noch die Hand dafür. Oh, ich hasse ihn!«

»Liebes Kind, er hat Genie. Du meinst doch nicht, daß ich mir einbilde, auch Genie zu haben. Ich wollte, ich hätte welches. Aber ich erkenne diese Gabe, wo immer sie sich zeigt, und ich verehre sie aus tiefster Seele. Es gibt nichts Wunderbareres auf Erden. Genie bedeutet für die, welche es besitzen, eine schwere Bürde. Wir müssen ihnen gegenüber duldsam und sehr nachsichtig sein.«

In meiner Verlegenheit darüber, Zeuge eines ehelichen Zwistes zu sein, hielt ich mich ziemlich abseits. Warum nur hatte Stroeve darauf bestanden, daß ich ihn begleite? Ich sah, daß seine Frau den Tränen nahe war.

»Aber nicht nur, weil er ein Genie ist, bitte ich dich, ihn aufzunehmen, sondern weil er ein Mensch ist, ein kranker, armer Mensch.«

»Er darf mir nie hier ins Haus — nie.«

Stroeve wandte sich an mich.

»Sagen Sie ihr, daß es sich um Leben oder Tod handelt. Es ist einfach unmöglich, ihn in diesem gräßlichen Loch zu lassen.«

»Selbstverständlich wäre es viel einfacher für Sie, ihn hier bei sich zu pflegen«, sagte ich, »aber es würden Ihnen daraus viele Ungelegenheiten entstehen. Ich glaube, daß jemand bei ihm Tag und Nacht wachen muß.«

»Liebes Kind, du gehörst doch sonst nicht zu den Menschen, die sich vor einer Unbequemlichkeit drücken.«

»Wenn er herkommt, so gehe ich«, entgegnete Mrs. Stroeve heftig.

»Ich erkenne dich nicht wieder, du bist doch immer so gut und lieb.«

»Ach, um Himmels willen, laß mich doch in Ruh! Du machst mich rasend!«

Nun brach sie in Tränen aus. Sie sank auf einen Stuhl und vergrub ihr Gesicht in den Händen. Ihre Schultern zuckten krampfhaft. Im nächsten Augenblick kniete Dirk an ihrer Seite, umschlang sie, bedeckte sie mit Küssen, gab ihr tausend Kosenamen, und die Tränen, die dem Guten so locker saßen, rannen ihm über die Wangen. Sie nahm sich zusammen und wischte mit dem Taschentuch ihre Augen ab.

»Laß mich in Ruhe«, sagte sie nicht unfreundlich; und dann mit dem Versuch eines Lächelns zu mir gewendet: »Was müssen Sie von mir denken?«

Stroeve blickte sie bestürzt an und zögerte. Seine Stirn war ganz mit Falten bedeckt, sein roter Mund schob sich zu einer Schnute vor. Er erinnerte peinlich an ein verstörtes Meerschweinchen.

»Dann sagst du also nein, Liebling?« brachte er schließlich hervor.

Ihre Hand beschrieb eine müde Gebärde. Sie war völlig erschöpft.

»Das Atelier gehört dir, alles ist dein Eigentum. Wenn du ihn herbringen willst, kann ich dich nicht hindern.«

Ein plötzliches Lächeln erhellte sein rundes Gesicht.

»Dann willigst du also ein? Ach, ich wußte es ja. O mein Kostbarstes!«

Sie fuhr jäh auf und blickte ihn mit wilden Augen an. Tief atmend hielt sie beide Hände an ihr Herz.

»Höre, Dirk. Seit wir uns kennen, habe ich dich noch nie gebeten, mir etwas zuliebe zu tun.«

»Du weißt, daß es nichts gibt, was ich für dich nicht tun würde.«

»Ich bitte dich inständig, bring Strickland nicht her! Jeden beliebigen andern. Bring einen Dieb, einen Trunkenbold, einen Landstreicher mit, und ich verspreche dir, alles nur Mögliche freudig für ihn zu tun. Aber nicht Strickland, ich flehe dich an!«

»Ja, aber warum denn?«

»Ich habe Angst vor ihm. Ich weiß nicht warum, aber er hat für mich etwas Schreckliches. Er wird uns ein großes Leid zufügen. Ich fühle es — ich weiß es. Wenn du ihn herbringst, kann es nur ein schlechtes Ende nehmen.«

»Aber das ist doch ganz unvernünftig!«

»Nein, nein. Ich weiß, daß ich recht habe. Etwas Entsetzliches wird über uns kommen.«

»Weil wir eine gute Tat tun?«

Sie atmete schwer, in ihrem Gesicht drückte sich eine unerklärliche Angst aus. Ich weiß nicht, was in ihr vorging, doch fühlte ich, daß sie von einer unbestimmten Furcht besessen war, die ihr alle Selbstbeherrschung raubte. Für gewöhnlich war sie doch so ruhig, um so erstaunlicher wirkte ihre Erregung. Stroeve blickte sie ratlos an.

»Du bist meine Frau, du bist mir das Liebste auf Erden. Niemand darf zu uns kommen ohne deine ausdrückliche Einwilligung.«

Sie schloß einen Moment lang die Augen, ich glaubte, sie würde ohnmächtig umsinken. Wie ärgerlich, daß sie so nervenschwach war!

Ich war ihr deshalb beinahe böse. Dann hörte ich wieder Stroeves Stimme, die mit einem neuen Ton aus dem Schweigen aufstieg:

»Warst du nicht selbst einmal in bitterer Not, und eine helfende Hand streckte sich dir entgegen? Du weißt, wieviel das einem Unglücklichen bedeutet. Wäre es dir nicht erwünscht, jemandem Gutes zu erweisen, wenn die Gelegenheit sich dazu bietet?«

An diesen Worten war weiter nichts Besonderes, doch wurden sie in einer so predigerhaften Art vorgetragen, daß ich nur mit Mühe ein Lächeln verbeißen konnte. Um so erstaunlicher war ich über die Wirkung, die sie bei Blanche Stroeve hervorbrachten. Sie zuckte zusammen und blickte ihren Gatten lange und bedeutsam an. Er hatte die Augen gesenkt und schien aus irgendeinem Grunde verlegen. Ein leichtes Rot färbte ihre Wangen, dann aber wurde ihr Gesicht sehr blaß, mehr als blaß — weiß, gespenstisch; ich hatte das Gefühl, daß das Blut sich von der gesamten Oberfläche ihres Körpers zurückzog; sogar die Hände waren bleich. Ein Schauder durchrann sie.

Das Schweigen in dem Atelier schien sich zu verdichten, fast körperlich greifbar zu werden. Mir wurde es unheimlich zumute.

»Bring Strickland her, Dirk, ich werde für ihn tun, was ich kann.«

»Mein Kostbarstes!« rief er strahlend.

Er wollte sie in seine Arme schließen, aber sie entzog sich ihm.

»Laß die Zärtlichkeit vor Fremden, Dirk«, sagte sie. »Ich komme mir dann so albern vor.«

Sie benahm sich wieder ganz normal, und niemand hätte vermutet, daß sie vor kurzem die Beute einer so leidenschaftlichen Erregung gewesen war.

Fünfundzwanzigstes Kapitel

Am nächsten Tage bewerkstelligten wir die Übersiedlung Stricklands. Um ihn zum Kommen zu bewegen, war große Festigkeit und noch mehr Geduld nötig, aber er war zu krank, als daß er Stroeves inständigen Bitten und meiner Entschlossenheit wirksamen Widerstand hätte entgegensetzen können. Wir zogen ihn an, wobei er mit ersterbender Stimme fluchte, schafften ihn die Treppe hinunter, luden ihn in eine Droschke und gelangten endlich in Stroeves Atelier. Er war, als wir dort ankamen, so erschöpft, daß er uns wortlos erlaubte, ihn ins Bett zu legen. Seine Krankheit währte sechs Wochen. Einmal schien es, als hätte er nur noch wenige Stunden zu leben, und ich bin überzeugt, daß er ohne die verbissene Zähigkeit des Holländers nicht durchgekommen wäre. Ich habe nie einen schwierigeren Patienten gekannt. Nicht daß er anspruchsvoll gewesen wäre und aufbegehrt hätte; im Gegenteil, er beklagte sich nie, bat nie um etwas, verhielt sich stumm, aber er schien die Sorge, die man ihm widmete, übelzunehmen. Alle Fragen über sein Befinden oder seine Wünsche beantwortete er mit einem derben Witz, einer Grimasse oder einem Fluch. Ich fand ihn abscheulich und versäumte nicht, ihm das zu sagen, sobald er außer Gefahr war.

»Hol Sie der Teufel«, antwortete er kurz.

Dirk Stroeve gab seine künstlerische Arbeit ganz auf und widmete sich mit Zärtlichkeit und Hingabe der Pflege Stricklands. Er zeigte in der Kunst, es ihm bequem zu machen, und in der Fähigkeit, ihn zum Einnehmen der vom Arzt verordneten Medizinen zu bewegen, eine Geschicklichkeit, die ich ihm nie zugetraut haben würde. Keine Mühe war ihm zu groß. Obwohl seine Mittel ihm und seiner Frau ein gutes Auskommen sicherten, durfte er sich doch keine Extravaganzen erlauben; aber jetzt war er leichtsinnig und brachte an Leckerbissen und teuren Primeurs alles heim, was Stricklands Appetit reizen konnte. Ich werde nie die zartfühlende Eindringlichkeit vergessen, mit der er ihn überredete, Nahrung zu sich zu nehmen. Stricklands Bärbeißigkeit konnte ihn nicht verstimmen: war er verdrießlich, so nahm er scheinbar keine Notiz davon; wurde er aggressiv, so lachte er bloß. Als es dem Patienten einigermaßen besser ging und seine gute Laune sich darin äußerte, daß er sich über Dirk lustig machte, spielte dieser absichtlich den Hanswurst, um Strickland Grund zum Lachen zu geben und ihn ein wenig aufzuheitern. Dabei warf er mir immer wieder verstohlen glückliche Blicke zu, die mir seine Befriedigung und große Erleichterung über die stetig fortschreitende Genesung seines Freundes ausdrücken sollten. Stroeve war ein außerordentlicher Mensch.

Am meisten aber überraschte mich Blanche Stroeve. Sie erwies sich nicht nur als fähige, sondern auch als hingebende Krankenwärterin. Nichts in ihrem Benehmen erinnerte daran, daß sie sich gegen die Aufnahme Stricklands so leidenschaftlich gewehrt hatte. Sie bestand darauf, sich mit ihrem Gatten in die Pflege des Kranken zu teilen. Beim Wechseln der Leintücher verfuhr sie so geschickt, daß der Patient sich dadurch nicht gestört fühlte. Sie wusch ihn. Als ich sie wegen ihrer Tüchtigkeit lobte, sagte sie mir mit dem ihr eigenen angenehmen Lächeln, daß sie einige Zeit in einem Krankenhaus gearbeitet habe. Kein Zeichen deutete darauf hin, daß sie Strickland aus tiefster Seele haßte. Sie sprach nicht viel mit ihm, aber sie kam seinen Wünschen zuvor. Zwei Wochen lang war es nötig, in der Nacht bei ihm zu wachen; sie übernahm diese Aufgabe abwechselnd mit ihrem Gatten. Ich fragte mich, was sie wohl in diesen langen, dunklen Stunden, an seinem Bette sitzend, denke. Strickland hatte, wie er, abgezehrter denn je, mit seinem zerzausten roten Bart und den fiebrig ins Leere starrenden Augen dalag, etwas von einem Gespenst; durch die Krankheit schienen die

Augen größer geworden, und ein unnatürliches Leuchten war in ihnen.

»Spricht er zuweilen in der Nacht mit Ihnen?« fragte ich sie einmal.

»Nie.«

»Verabscheuen Sie ihn immer noch?«

»Mehr denn je.«

Sie schaute mich mit ihren ruhigen grauen Augen an. Ihr Ausdruck war so überaus gelassen, daß man ihr nie die heftige Erregung zugetraut hätte, deren Zeuge ich doch gewesen war.

»Hat er sich jemals für das, was Sie für ihn tun, bedankt?«

»Nein«, sagte sie lächelnd.

»Er ist ein Unmensch.«

»Ein Scheusal.«

Stroeve war natürlich entzückt von ihr. Er konnte ihr nicht genug seine Dankbarkeit für die Aufopferung zeigen, mit der sie die ihr aufgebürdeten Pflichten auf sich nahm. Aber das Benehmen von Blanche und Strickland befremdete ihn ein wenig.

»Wissen Sie, daß sie oft stundenlang beisammen sind, ohne ein Wort zu sagen?«

Eines Tages, als es Strickland bereits viel besser ging, und schon von baldigem Aufstehen die Rede war, saß ich bei ihm und dem Ehepaar im Atelier. Dirk und ich plauderten. Mrs. Stroeve nähte, und ich glaubte, das Hemd, das sie ausbesserte, als Stricklands Eigentum zu erkennen. Er lag auf dem Rücken und sprach kein Wort. Einmal sah ich, wie seine Augen auf Blanche Stroeve gerichtet waren; es lag eine selt-

same Ironie in ihnen. Sie fühlte seinen Blick, sah auf, und
einen Moment lang starrten die beiden einander an. Es war
mir unmöglich, den Ausdruck von Blanche zu enträtseln. In
ihren Augen war eine sonderbare Befangenheit, und vielleicht auch — aber warum? — etwas wie ein Erschrecken.
Gleich darauf schaute Strickland weg und starrte unbetei-
ligt an die Zimmerdecke, aber ihr Blick war noch immer
wie fasziniert auf ihn gerichtet, und jetzt war er ganz
unerklärlich.

Einige Tage später begann Strickland aufzustehen. Er war
nichts als Haut und Knochen, die Kleider schlotterten an
ihm wie die Fetzen an einer Vogelscheuche. Mit seinem un-
gepflegten Bart, den langen Haaren, den immer schon über-
lebensgroßen, jetzt noch durch die Krankheit schärfer her-
ausgearbeiteten Gesichtszügen bot er einen außergewöhnlichen Anblick — einen Anblick von solcher Absonderlichkeit, daß man ihn durchaus nicht häßlich nennen konnte.
In dieser Ungeschlachtheit war etwas Monumentales. Ich
fühle mich nicht imstande, genau den Eindruck wiederzugeben, den er auf mich machte. Es war nicht Geistigkeit, die
sich hier offenbarte, wiewohl die Hülle des Fleisches fast
durchscheinend war, denn in seinem Gesicht lag eine gewalt-
tätige Sinnlichkeit; und doch, obgleich es wie Unsinn klingt,
schien mir diese Sinnlichkeit irgendwie durchgeistigt. In
ihm war etwas Urzeitliches. Er schien an jenen dunklen Na-
turkräften teilzuhaben, welche die alten Griechen in Gestalten halb Mensch, halb Tier, dem Satyr und dem Faun, ver-
körperten. Ich dachte an Marsyas, dem der Gott die Haut
abzog, weil er sich vermaß, ihm im Gesange gleichzukom-
men. In Stricklands Herzen lebten gleichsam seltsame Har-

monien und Bilder von vermessenem Wagemut, ich sah für ihn ein Ende, voll von Folterqual und Verzweiflung, voraus. Wieder hatte ich das Gefühl, daß er von einem Dämon besessen sei; aber man konnte nicht sagen, daß es der Dämon des Bösen war, denn es war eine Urkraft, die vor Gut und Böse bestand.

Er war noch zu schwach, um mit Malen zu beginnen. Schweigend versunken in Gott weiß welche Träume oder lesend, saß er im Atelier. Ich wunderte mich über die Bücher, die er bevorzugte. Manchmal fand ich ihn in die Gedichte von Mallarmé vertieft; er las sie, wie ein Kind liest, die Wörter mit den Lippen formend, und ich fragte mich, welche seltsamen Gefühle er aus diesen subtilen Rhythmen und dunklen Wortverbindungen zog; ein anderes Mal wieder verschlang er die Detektivgeschichten von Gaboriau. Der Gedanke, daß in seiner Bücherwahl die Zwiespältigkeit seiner phantastischen Natur so deutlich zutage trat, belustigte mich. Ich stellte die sonderbare Tatsache fest, daß er selbst in seinem jetzigen hinfälligen Zustand nicht an seine Bequemlichkeit dachte. Stroeve liebte sein Behagen, in seinem Atelier gab es zwei dickgepolsterte Fauteuils und einen breiten Diwan. Strickland wollte mit diesen Möbelstücken nichts zu schaffen haben, er mied sie, nicht weil er vor dem Publikum den Asketen spielen wollte — denn ich sah ihn eines Tages, als er allein zu Hause war, auf einem harten dreibeinigen Hocker sitzen —, sondern weil er sie nicht mochte. Am liebsten saß er auf einem Küchenstuhl ohne Armlehne. Ein solcher Anblick hatte oft etwas Ärgerliches für mich. Ich habe nie einen Menschen gekannt, der so gleichgültig gegen seine Umwelt war.

Sechsundzwanzigstes Kapitel

Zwei bis drei Wochen vergingen. Eines Morgens hatte ich einen Abschnitt meiner Arbeit beendet und gedachte, mir einen freien Tag zu gönnen. Ich ging in den Louvre. Ich schlenderte in den Sälen umher, betrachtete die Bilder, die ich so gut kannte, und überließ mich meinen Eindrücken und den Launen meiner Phantasie. Als ich die lange Galerie betrat, erblickte ich plötzlich Stroeve. Ich lächelte, denn seine runde und doch so quecksilbrige Erscheinung verfehlte nie, mich zu erheitern. Dann, als ich mich ihm näherte, kam er mir sonderbar verstört vor. Er sah tief bekümmert aus und doch zugleich lächerlich, wie ein Mann, der in allen seinen Kleidern ins Wasser gefallen ist, vom Tode errettet wurde, noch den Schrecken in allen Gliedern fühlt und dabei weiß, daß er den Hanswurst spielt. Er drehte sich um, starrte mich an, aber ich merkte, daß er mich nicht sah. Seine runden blauen Augen blickten mit einem verquälten Ausdruck durch die dicken Brillengläser.

»Stroeve«, sagte ich.

Er zuckte zusammen und lächelte kläglich.

»Warum faulenzen Sie hier so herum?« fragte ich lustig. »Das ist doch wahrhaftig eine große Schmach und Schande!«

»Ich war schon lange nicht im Louvre. Ich wollte sehen, ob es etwas Neues gibt.«

»Aber Sie wollten doch in dieser Woche ein Bild fertig malen.«

»Strickland malt in meinem Atelier. Dabei möchte ich ihn nicht stören.«

»Na, und?«

»Ich habe es ihm selbst vorgeschlagen. Er ist noch nicht kräftig genug, um nach Hause zu gehen. Ich dachte, wir könnten dort beide malen. Es gibt in unserem Viertel viele Maler, die ein Atelier teilen. Ich freute mich schon darauf. Ich habe mir immer vorgestellt, wie famos es sein muß, jemanden zum Plaudern zu haben, wenn man müde ist.«

All das brachte er langsam Satz für Satz mit ungeschickten Pausen hervor. Seine guten, närrischen Augen blickten mich an. Sie waren voller Tränen.

»Ich verstehe Sie nicht ganz«, sagte ich.

»Strickland kann nicht mit jemand anderem zusammenarbeiten.«

»Zum Teufel, es ist doch Ihr Atelier! Er muß sich doch nach Ihnen richten.«

Er blickte mich jammervoll an. Seine Lippen bebten und Tränen liefen über seine Wangen.

»Was ist los?« fragte ich fast schroff.

Er zögerte und wurde rot. Verzweifelt starrte er auf eines der Bilder.

»Er wollte mich nicht weitermalen lassen. Er sagte, ich solle mich packen.«

»Aber warum haben Sie ihn denn nicht zum Teufel geschickt?«

»Er hat mich hinausgeworfen. Ich konnte doch nicht gut mit ihm raufen. Er hat mir den Hut nachgeschmissen und hinter mir die Tür zugesperrt.«

Ich war wütend auf Strickland und entrüstet über mich selbst, weil Dirk Stroeve eine so absurde Figur machte und ich Lachlust verspürte.

»Und was hat Ihre Frau dazu gesagt?«

»Sie ist einkaufen gegangen.«

»Wird er sie denn einlassen?«

»Ich weiß es nicht.«

Ich starrte Stroeve ganz verdutzt an. Er stand da wie ein Schulbub, den der Lehrer ausgezankt hat.

»Soll ich es übernehmen, Strickland an die Luft zu setzen?« fragte ich. Er fuhr zusammen, sein glänzendes Gesicht wurde sehr rot.

»Nein. Es ist besser, Sie tun nichts.«

Er nickte mir zu und ging. Es war klar, daß er aus irgendeinem Grunde die Sache nicht weiter zu erörtern wünschte. Ich kannte mich nicht mehr aus.

Siebenundzwanzigstes Kapitel

Die Lösung des Rätsels erhielt ich eine Woche später. Es war ungefähr zehn Uhr abends, ich hatte in einem Restaurant allein gespeist und saß nach meiner Rückkehr lesend in meinem Wohnzimmer. Als draußen plötzlich schrill die Glocke klingelte, ging ich in den Korridor und öffnete die Tür.

Stroeve stand vor mir.

Im Halbdunkel des Flurs konnte ich ihn nicht gut sehen, aber in seiner Stimme war etwas, das mich überraschte. Ich kannte ihn als einen enthaltsamen Mann, sonst hätte ich gedacht, daß er getrunken habe. Ich führte ihn in das Wohnzimmer und lud ihn zum Sitzen ein.

»Gott sei Dank, daß ich Sie noch angetroffen habe«, sagte er.

»Was ist denn los?« fragte ich erstaunt über sein Ungestüm.

Jetzt konnte ich ihn gut sehen. Gewöhnlich war seine Erscheinung die Adrettheit selbst, jetzt aber waren seine Kleider in Unordnung, zerknittert und beschmutzt. Überzeugt, daß er betrunken war, lächelte ich ihn verschmitzt an und wollte gerade etwas Spöttisches über seinen Zustand sagen.

»Ich wußte nicht, wo ich hin sollte«, platzte er heraus. »Ich war schon früher hier, aber Sie waren nicht zu Hause.«

Ich änderte meine Meinung: nicht der Alkohol hatte ihn dermaßen zugerichtet. Sein Gesicht, sonst sauber und rosig, war jetzt seltsam fleckig. Seine Hände zitterten.

»Ist Ihnen etwas zugestoßen?« fragte ich, plötzlich ernstlich beunruhigt.

»Meine Frau hat mich verlassen.«

Er brachte die Worte mit Mühe hervor. Er schnaufte, und Tränen begannen über seine runden Backen zu rieseln. Ich wußte nicht, was sagen. Mein erster Gedanke war, daß ihr sein übertriebenes Getue mit Strickland zuviel geworden war und daß sie, angeekelt von dessen zynischem Benehmen darauf bestanden hatte, ihn vor die Tür zu setzen. Trotz des ruhigen Eindruckes, den sie machte, war sie, wie ich wußte, zorniger Ausbrüche fähig; und so mochte sie auf die Weigerung Stroeves hin, sich von Strickland zu trennen, mit dem Schwur, nie wiederzukehren, das Atelier verlassen haben. Aber der kleine Mann war so fassungslos, daß mir das Lächeln verging.

»Mein Bester, seien Sie doch nicht so unglücklich. Ihre Frau wird zurückkommen. Sie dürfen das, was Weiber in der Leidenschaft sagen, nicht zu ernst nehmen.«

»Sie verstehen mich überhaupt nicht. Blanche liebt Strickland.«

»Was!« rief ich in höchster Verwunderung aus. Aber die bloße Vorstellung einer in Strickland verliebten Blanche kam mir absurd vor. »Wie können Sie nur so albern sein! Sind Sie etwa auf Strickland eifersüchtig? Das ist ja zum Lachen. Sie wissen doch genau, daß Ihre Frau ihn nicht ausstehen kann.«

»Sie verstehen mich nicht«, stöhnte er.

Ich begann die Geduld zu verlieren. »Sie sind ein hysterischer Esel«, sagte ich. »Da, trinken Sie ein Glas Whisky mit Soda, und Sie werden sich besser fühlen.«

Ich nahm an, daß Dirk sich aus diesem oder jenem Grunde — und Gott weiß, was für einen Scharfsinn die Männer entwickeln, um sich selber zu quälen — eingebildet hatte, seine Frau sei in Strickland verliebt, und mit dem ihm eigenen Talent, das Verkehrte zu tun, sie beleidigt hatte; worauf sie, in der Absicht, ihn zu ärgern, sich vielleicht Mühe gab, ihn in seinem Verdacht zu bestärken.

»Hören Sie mal«, sagte ich, »wir wollen jetzt miteinander in Ihr Atelier zurückgehen. Wenn Sie sich dumm benommen haben, müssen Sie Abbitte leisten. Ihre Gattin gehört meiner Meinung nach nicht zu den nachträgerischen Personen.«

»Wie kann ich denn ins Atelier zurückgehen?« fragte er matt. »Sie sind doch beide darin. Ich habe es ihnen doch überlassen.«

»Dann hat nicht Ihre Frau Sie, sondern Sie haben Ihre Frau verlassen.«

»Um Himmels willen, reden Sie doch nicht so häßlich zu mir!«

Noch immer war ich nicht imstande, ihn ernst zu nehmen; ich brachte es nicht fertig, zu glauben, was er mir erzählt hatte. Doch offensichtlich war er in tiefster Verzweiflung und brauchte mich.

»Da Sie hergekommen sind, um Ihr Herz auszuschütten«, sagte ich, »berichten Sie mir alles der Reihe nach.«

»Heute nachmittag konnte ich es nicht mehr ertragen. Ich ging zu Strickland und sagte ihm, er sei jetzt gesund genug, um bei sich zu Hause zu arbeiten, ich brauchte das Atelier für mich selbst.«

»Nur einem Mann wie Strickland muß man das erst deutlich sagen«, warf ich ein. »Was antwortete er? Ist er nicht gegangen?«

»Er lachte kurz auf. Sie wissen doch, wie er lacht, nicht wie einer, der fröhlich ist, sondern wie einer, der dich für einen verdammten Narren hält und dich verhöhnt. Er kicherte also, sagte, er werde sofort gehen, und begann seine Sachen zusammenzusuchen, die ich damals, als wir ihn zu mir brachten, aus seinem Zimmer holte, weil ich dachte, er würde sie brauchen. Dann bat er Blanche um Packpapier und Schnur.«

Stroeve stockte und rang nach Atem. Ich fürchtete, er würde in Ohnmacht fallen. Das war nun wirklich nicht die Geschichte, die ich zu hören erwartet hatte.

»Sie wurde sehr blaß, aber sie brachte das Papier und die Schnur. Er sagte nichts, er schnürte sein Paket zusammen und pfiff dabei vor sich hin. Von uns beiden schien er keine Notiz zu nehmen, aber in seinen Augen war ein ironisches Lächeln. Mein Herz war schwer wie Blei. Ich ahnte, daß etwas Furchtbares geschehen würde, und wünschte, ich hätte nichts gesagt. Er nahm seinen Hut. Dann fing Blanche zu sprechen an:

›Dirk, ich gehe mit Strickland‹, sagte sie. ›Ich kann mit dir nicht länger leben.‹

Ich versuchte zu sprechen, aber die Worte wollten sich nicht einstellen. Strickland sagte nichts. Er pfiff weiter, als ob ihn die Sache nichts anginge.«

Wieder hielt Stroeve inne und fuhr mit dem Taschentuch über sein Gesicht. Ich verhielt mich ganz still. Ich glaubte ihm jetzt und war tief betroffen. Trotz allem blieb er mir unbegreiflich.

Dem Unglücklichen liefen die Tränen über die Wangen, und seine Stimme zitterte, als er mir nun erzählte, wie er versucht hatte, sie in seine Arme zu schließen. Sie aber entzog sich ihm und bat ihn, sie nicht zu berühren. Er flehte sie an, ihn nicht zu verlassen, sprach ihr von seiner leidenschaftlichen Liebe, von seiner Aufopferung, von der glücklichen Zeit gemeinsamen Lebens. Er war nicht böse auf sie, machte ihr keine Vorwürfe.

»Bitte, Dirk, laß mich ruhig gehen«, sagte sie dann schließlich.

»Begreifst du denn nicht, daß ich Strickland liebe? Wo er hingeht, werde auch ich hingehen.«

»Aber er wird dich nie glücklich machen. Um deinetwillen bitte ich dich, nicht mit ihm zu gehen. Du weißt nicht, was dir bevorsteht.«

»Es ist deine eigene Schuld«, sagte sie, »du hast darauf bestanden, daß er herkommt.«

Stroeve wendete sich zu Strickland.

»Haben Sie Mitleid mit ihr!« flehte er ihn an. »Sie können sie doch nicht etwas so Verrücktes tun lassen.«

»Sie kann tun, was sie will«, entgegnete Strickland. »Sie ist nicht gezwungen, mit mir zu kommen.«

»Ich habe bereits gewählt«, sagte sie mit völlig tonloser Stimme.

Stricklands beleidigende Ruhe beraubte Stroeve des Restes seiner Selbstbeherrschung. Von blinder Raserei erfaßt, stürzte er sich, ohne zu wissen, was er tat, auf Strickland. Dieser, keines Angriffs gewärtig, taumelte, aber trotz der überstandenen Krankheit war er noch ein sehr kräftiger Mann, und einen Augenblick später lag Stroeve, ohne daß er recht wußte, wie ihm geschehen war, der Länge nach auf dem Fußboden.

»Sie komisches Männchen«, sagte Strickland.

Stroeve stand mühsam vom Boden auf. Er merkte, daß seine Frau völlig ruhig geblieben war, und die Lächerlichkeit vor ihr machte seine Demütigung noch schlimmer. Im Kampfe hatte er seine Brille verloren und konnte sie nicht gleich finden. Sie hob sie auf und reichte sie ihm wortlos. Plötzlich schien ihm sein Unglück erst recht zum Bewußtsein zu kommen, und obwohl er wußte, daß er dadurch noch abgeschmackter wirkte, begann er zu weinen. Er verbarg sein Gesicht in den Händen. Die beiden anderen beobachteten ihn stumm und regungslos.

»Ach, Liebstes«, rief er endlich jammernd, »wie kannst du so grausam sein?«

»Dirk, ich kann nicht anders«, antwortete sie.

»Ich habe dich angebetet, wie nie eine Frau angebetet worden ist. Wenn ich etwas getan habe, was dir mißfiel, warum hast du es mir nicht gesagt? Ich hätte mich geändert. Ich habe für dich alles getan, was ich konnte.«

Sie antwortete nicht. Ihr Gesicht war ruhig und entschlossen. Er merkte, daß er sie nur langweilte. Sie zog Hut und Mantel an und bewegte sich auf die Tür zu. Er wußte, daß sie im nächsten Augenblick fort sein würde. Alle Selbstachtung vergessend, stürzte er vor ihr auf die Knie und ergriff ihre Hände.

»Nein, geh nicht weg, Liebste! Ich kann ohne dich nicht leben, ich werde mich umbringen. Wenn ich etwas getan habe, das dich gekränkt hat, dann bitte ich dich um Verzeihung. Vergib mir noch dieses Mal. Ich werde mich noch mehr anstrengen, dich glücklich zu machen.«

»Steh auf, Dirk. Mach doch nicht solche Faxen!«

Er erhob sich schwankend, wollte sie aber immer noch nicht fortlassen.

»Wohin gehst du?« fragte er hastig. »Du hast ja keine Ahnung, wie es in Stricklands Wohnung aussieht. Du kannst dort unter keinen Umständen leben, das wäre furchtbar für dich.«

»Wenn es mir gleichgültig ist, kann es dir auch gleichgültig sein.«

»Warte doch noch eine Minute! Ich muß dir etwas sagen. Das kannst du mir nicht verweigern.«

»Was hat das alles für einen Zweck? Ich habe nun einmal meinen Entschluß gefaßt, von dem du mich nicht abbringen wirst, und wenn du noch so viel redest.«

Er seufzte und legte die Hand auf sein Herz, wie um das schmerzliche Pochen zu beschwichtigen.

»Ich werde dich nicht anflehen, deinen Entschluß zu ändern, aber höre mir noch einen Augenblick lang zu! Es ist die letzte Bitte, die ich an dich richte. Schlage sie mir nicht ab.«

Sie schwieg und schaute ihn mit ihren versonnenen Augen an, die jetzt so gleichgültig auf ihn blickten. Langsam ging sie ins Atelier zurück und lehnte sich an den Tisch.

»Nun?« fragte sie.

Stroeve sammelte mit Mühe seine Gedanken. Dann sagte er zu ihr:

»Weißt du, du mußt ein bißchen vernünftig sein. Du kannst nicht von der Luft leben. Strickland besitzt keinen Sou.«

»Das weiß ich.«

»Du wirst unter den schlimmsten Entbehrungen zu leiden haben. Du weißt doch, warum er zur Genesung so lange brauchte? Weil er beinahe verhungert war.«

»Ich werde für ihn das Nötige verdienen.«

»Auf welche Weise?«

»Das weiß ich noch nicht. Irgendein Weg wird sich finden.«

Ein fürchterlicher Gedanke schoß dem Holländer durch den Kopf. Er schauderte vor Entsetzen.

»Ich glaube, du bist verrückt geworden. Was ist denn über dich gekommen?«

Sie zuckte die Achseln.

»Kann ich jetzt gehen?«

»Warte noch eine Sekunde!«

Traurig blickte er sich in dem Atelier um; er hatte es geliebt, weil ihre Gegenwart es ihm verschönte und zum Heime machte.

Einen Moment lang schloß er die Augen, dann öffnete er sie wieder und schaute sie lange an, wie um sich ihr Bild auf ewig einzuprägen.

Er griff nach seinem Hut:

»Nein, ich gehe.«

»Du?«

Sie stutzte, wußte nicht, was dies zu bedeuten hatte.

»Ich kann den Gedanken nicht ertragen, daß du in dieser scheußlichen, schmutzigen Dachstube leben sollst. Schließlich ist dies hier geradeso gut deine Wohnung wie die meine. Du wirst es hier behaglich haben. Wenigstens werden dir die schlimmsten Entbehrungen erspart bleiben.«

Er ging zu der Schublade, in welcher er sein Geld aufbewahrte, und nahm etliche Banknoten heraus.

»Ich möchte dir die Hälfte davon geben.«

Er legte das Geld auf den Tisch. Weder Strickland noch Blanche sprachen ein Wort.

Dann fiel ihm etwas anderes ein.

»Willst du so gut sein, meine Kleider und Wäsche zusammenzupacken und sie unten bei der Concierge für mich abzugeben? Ich werde sie morgen abholen.« Er versuchte zu lächeln. »Leb wohl, Geliebte! Ich danke dir für alles Glück, das du mir in der Vergangenheit geschenkt hast.«

Er ging und zog die Tür hinter sich zu. Mit meinen geistigen Augen sah ich, wie Strickland seinen Hut auf den Tisch warf, sich auf einen Stuhl setzte und eine Zigarette anzündete.

Ich schwieg eine Weile und sann über das, was mir Stroeve soeben erzählt hatte, nach. Sein unmännliches Verhalten ging mir auf die Nerven, und er spürte auch meine Mißbilligung.

»Sie wissen doch so gut wie ich, was für ein Hundeleben Strickland geführt hat«, sagte er kläglich. »Ich konnte sie dem nicht aussetzen, ich konnte es einfach nicht.«

»Das ist Ihre Sache«, antwortete ich.

»Was würden Sie an meiner Stelle getan haben?« fragte er.

»Sie geht mit offenen Augen in dieses Abenteuer. Wenn sie sich dadurch gewissen Unannehmlichkeiten aussetzt, so muß sie es selber ausbaden.«

»Sie haben vielleicht sogar recht. Aber Sie lieben sie eben nicht.«

»Lieben Sie sie denn noch?«

»Ach, mehr denn je. Strickland ist nicht der Mann, der eine Frau glücklich macht. Das kann nicht lange dauern. Sie soll wissen, daß ich sie nie im Stich lassen werde.«

»Wollen Sie damit sagen, daß Sie bereit sind, sie wieder bei sich aufzunehmen?«

»Ich würde keinen Moment zögern. Jetzt wird sie meiner Hilfe mehr als je bedürfen. Wenn sie einmal verlassen, gedemütigt und verzweifelt ist, wäre es doch schrecklich, wenn sie nicht wüßte, wohin sie gehen soll.«

Er schien ihr nicht zu grollen. Vielleicht war es gemein von mir, daß ich seinen Mangel an Rückgrat empörend fand. Wahrscheinlich erriet er, was in mir vorging, er sagte:

»Ich konnte doch nicht erwarten, daß sie mich ebenso liebt wie ich sie. Ich bin ein Hanswurst. Ich gehöre nicht zu den Männern, die von den Frauen geliebt werden. Das habe ich immer gewußt. Ich kann ihr auch keinen Vorwurf daraus machen, daß sie sich jetzt plötzlich in Strickland verliebt hat.«

»Ich habe noch keinen Mann getroffen, der so wenig eitel ist wie Sie«, sagte ich.

»Ich liebe sie *so* viel mehr als mich selbst. Ich glaube, Eitelkeit kann in der Liebe nur dann aufkommen, wenn man sich selbst am meisten liebt. Denken Sie nur, wie oft es passiert, daß ein verheirateter Mann sich in eine andere Frau verliebt und daß er, wenn alles zu Ende ist, zu seiner Gattin zurückkehrt und sie ihn freundlich aufnimmt. Das finden die Leute ganz natürlich. Warum also sollte ein Mann die Untreue seiner Frau nicht verzeihen?«

»Was Sie da sagen, ist durchaus logisch«, versetzte ich lächelnd. »Nur sind die meisten Männer anders beschaffen und können einfach nicht verzeihen.«

Doch während ich mit Stroeve sprach, dachte ich über das Rätsel dieser plötzlich hereingebrochenen Katastrophe nach. Es schien mir unvorstellbar, daß Stroeve nicht durch irgend etwas gewarnt worden war. Ich entsann mich des merkwürdigen Blicks, den ich in den Augen seiner Frau wahrgenommen hatte; vielleicht ließ sich dieser Blick dadurch erklären, daß sie sich eines aufdämmernden Gefühls bewußt wurde, das sie in Staunen und Schrecken versetzte.

»Ist vor dem heutigen Tage in Ihnen nie der Verdacht aufgestiegen, daß sich zwischen den beiden eine Beziehung anspann?« fragte ich.

157

Stroeve gab keine Antwort. Auf dem Tisch lag ein Bleistift, er ergriff ihn und zeichnete mechanisch einen Kopf auf
das Löschpapier.

»Sollten Ihnen meine Fragen peinlich sein, so sagen Sie
es frei heraus.«

»Nein, sie erleichtern mir das Sprechen. Ach, wenn Sie
wüßten, welch furchtbare Angst in meinem Herzen war!«
Er legte den Bleistift weg. »Ja, ich habe es schon seit zwei
Wochen gewußt. Ich wußte es schon, bevor sie es wahrscheinlich wußte.«

»Warum, zum Teufel, haben Sie dann Strickland nicht
hinausgeworfen?«

»Ich konnte es nicht glauben. Es kam mir so unwahrscheinlich vor. Sie konnte ihn doch nicht ausstehen. Es war
mehr als unwahrscheinlich, es schien geradezu unmöglich.
Ich dachte, es wäre bloß meine Eifersucht. Wissen Sie, ich
bin immer eifersüchtig gewesen, aber ich zwang mich, es
nicht zu zeigen; ich war eifersüchtig auf jeden Mann, den sie
kannte; ich war eifersüchtig auf Sie. Ich wußte, daß sie mich
nicht so liebte, wie ich sie liebte. Das war schließlich nur
natürlich, nicht wahr? Aber sie erlaubte mir, sie zu lieben,
und das genügte zu meinem Glück. Ich tat mir Gewalt an;
ich entfernte mich für Stunden und ließ die beiden miteinander allein. Ich wollte mich für diesen Argwohn, der meiner nicht würdig war, züchtigen. Und wenn ich zurückkam,
fand ich, daß sie mich nicht haben wollten — ich meine nicht
Strickland, dem war es egal, ob ich da war oder nicht, sondern Blanche. Sie zuckte zusammen, wenn ich sie küßte. Als
ich dann schließlich die Gewißheit hatte, wußte ich nicht,
was tun. Die beiden würden ja doch nur gelacht haben,

wenn ich eine Szene gemacht hätte. Ich dachte, wenn ich den Mund hielte und täte, als ob ich nichts merkte, würde wieder alles von selbst in Ordnung kommen. Ich hatte beschlossen, ihn in aller Ruhe, ohne ein böses Wort, zum Gehen zu bewegen. Oh, wenn Sie wüßten, was ich gelitten habe!«

Dann begann er von neuem zu erzählen, wie er Strickland zum Verlassen der Wohnung aufgefordert hatte. Er wählte sorgfältig den richtigen Augenblick und bemühte sich, sein Ansinnen so leichthin wie möglich vorzubringen. Aber er konnte das Zittern seiner Stimme nicht meistern und fühlte selbst, wie sich in die Worte, die heiter und freundschaftlich klingen sollten, die Bitternis seiner Eifersucht einschlich. Er hatte von Strickland nicht erwartet, daß er seinem Wunsch sofort entsprechen und auf der Stelle auf und davon gehen werde; am wenigsten war er auf den Entschluß seiner Frau gefaßt gewesen, Strickland zu begleiten. Ich merkte, daß er jetzt von ganzem Herzen wünschte, den Mund gehalten zu haben. Er zog die Qual der Eifersucht der Qual der Trennung vor.

»Ich wollte ihn umbringen und habe nur einen Narren aus mir gemacht.«

Lange schwieg er. Dann sprach er einen Gedanken aus, der, wie ich wußte, in ihm bohrte:

»Hätte ich nur gewartet, vielleicht wäre alles gut geworden. Warum nur war ich so ungeduldig! Ach, armes Kind, in welch ein Abenteuer habe ich dich getrieben!«

Ich zuckte die Achseln, zog es aber vor, zu schweigen. Ich empfand keine Sympathie für Blanche Stroeve, wußte aber, daß ich den armen Dirk nur kränken würde, wenn ich mit meiner Meinung über sie unverhohlen herausrückte.

Er hatte jetzt jenen Grad der Erschöpfung und Über-
reiztheit erreicht, wo er zu reden nicht mehr aufhören
konnte. Immer wieder nahm er dieses oder jenes während
des Auftritts gefallene Wort vor. Bald fiel ihm etwas ein,
was er hätte sagen müssen statt dessen, was er wirklich gesagt hatte, und machte sich Vorwürfe wegen seiner Blind-
heit. Warum hatte er nur dies getan und jenes unterlassen?
Es wurde spät und später, und schließlich war ich ebenso
müde wie er.

»Was gedenken Sie jetzt zu unternehmen?« fragte ich
endlich.

»Was kann ich tun? Ich werde warten, bis sie nach mir
schickt.«

»Warum verreisen Sie nicht für einige Zeit?«

»Nein, nein. Ich muß zur Stelle sein, wenn sie mich
braucht.«

Im Augenblick war er völlig verwirrt und wußte nicht,
was anfangen. Als ich davon sprach, daß er schlafen müsse,
sagte er, er sei nicht imstande zu schlafen, er wolle bis zum
Morgen durch die Straßen wandern. In diesem Zustand
konnte man ihn offensichtlich nicht allein lassen. Ich überredete ihn, bei mir zu übernachten, und legte ihn in mein
eigenes Bett. In meinem Wohnzimmer gab es ein Sofa, auf
dem ich recht gut schlafen konnte. Stroeve war jetzt so erledigt, daß er meinen Vorstellungen keinen Widerstand leistete. Ich gab ihm eine tüchtige Dosis Veronal, damit er
wenigstens für einige Stunden das Bewußtsein verlöre. Das
war wohl der beste Dienst, den ich ihm im Augenblick erweisen konnte.

Aber das Bett, das ich mir auf dem Sofa herrichtete, war doch sehr unbequem, und ich verbrachte eine ziemlich schlaflose Nacht mit Gedanken an das Schicksal des unglücklichen Holländers. Die Tat Blanche Stroeves barg für mich kein Rätsel, denn ich sah in ihr nur die Wirkung einer sinnlichen Anziehung. Meiner Ansicht nach hatte sie für ihren Gatten nie sehr tief empfunden, und was ich für Liebe hielt, war nichts als die natürliche weibliche Reaktion auf Zärtlichkeit und Fürsorge — eine Reaktion, welche die Frauen häufig mit Liebe verwechseln. Es ist ein Gefühl passiver Natur, das durch jedes beliebige Objekt hervorgerufen werden kann, so wie sich die Weinrebe an jedem Baum emporrankt. Und die Welt, klug wie sie ist, rechnet mit dieser Tatsache, wenn sie ein Mädchen drängt, den Mann, der um sie anhält, zu heiraten, und versichert, daß die Liebe sich schon einstellen werde. Diese sogenannte Liebe setzt sich aus der Befriedigung über die gebotene Sicherheit, aus dem Stolz auf Hab und Gut, aus dem Vergnügen daran, begehrt zu werden, und aus der Freude über einen eigenen Haushalt zusammen; aber wenn die Frauen ihr darüber hinaus einen seelischen Wert zuschreiben, geben sie sich einer freundlichen Illusion hin. Es handelt sich um ein Gefühl, das gegenüber der Leidenschaft wehrlos ist. Ich hegte den Verdacht, daß Blanche Stroeves heftige Abneigung gegen Strickland von Anfang an ein unerkanntes Element sexueller Anziehung enthalten hatte. Wer bin ich, daß ich den Versuch wagen könnte, den geheimnisvollen Finten des Geschlechtstriebs auf den Grund zu kommen? Vielleicht erregte Stroeves Leidenschaft diese Seite ihrer Natur, ohne sie zu befriedigen, und sie haßte Strickland, weil sie in ihm die Kraft fühlte, ihr zu geben, was sie ersehnte. Ich glaube, sie war ganz aufrichtig, als sie sich gegen ihres Gatten Wunsch sträubte, den Kranken im Atelier aufzunehmen; ich glaube, daß sie ihn fürchtete, ohne zu wissen warum, und ich erinnere mich auch, daß sie Unheil voraussah. Vermutlich war das Grauen, das sie vor ihm empfand, eine Übertragung des Grauens, das sie vor sich selbst empfand, weil er sie so seltsam erregte. Sein Aussehen war wild und ungeschlacht; seine Augen blickten in eine Ferne, auf seinem Mund lag Sinnlichkeit; er war groß und kräftig und rief den Eindruck ungebändigter Leidenschaft hervor; vielleicht auch fühlte sie in ihm jenes Unheimliche, das mich an die wilden Wesen aus der Frühgeschichte der Erde denken ließ, als die Materie, den Ursprüngen noch verknüpft, eine eigene Seele zu besitzen schien. Wenn er überhaupt eine Wirkung auf sie ausübte, mußte sie ihn unvermeidlich entweder lieben oder hassen. Sie haßte ihn.

Auch mochte das tägliche Zusammensein mit dem kranken Mann sie seltsam aufgerührt haben. Sie hob seinen Kopf, um ihn zu füttern, und sein Kopf lehnte schwer auf ihrer Hand. Wenn sie ihm zu essen gegeben hatte, wischte sie ihm mit einem Tuch den sinnlichen Mund und den roten Bart ab. Sie wusch seine Glieder, die mit dichtem Haar bedeckt waren; und seine Hände, die sie trocknete, waren trotz seiner Schwäche stark und sehnig. Seine Finger waren lang, die begabten, formenden Finger des Künstlers — welche beunruhigenden Gedanken mochten sie wohl in ihr wachgerufen haben? Er schlief sehr ruhig, ohne sich zu regen, so daß man ihn für tot hätte halten können, und er war wie ein wildes Waldtier, das nach langer Verfolgung sich der Ruhe hingibt. Und sie fragte sich, welche Bilder seine Träume belebten. Träumte er von der Nymphe, die in den Hainen Griechenlands vor dem heißen Begehren des Satyrs flieht? Sie flieht leichtfüßig und verzweifelt, und er kommt ihr Schritt für Schritt näher, bis sie seinen glühenden Atem auf ihrer Wange fühlt; und immer noch flieht sie, immer noch verfolgt er sie, und als er endlich nach ihr greift und sie festhält — ist es Schrecken, der ihr Herz durchschauert, oder ist es höchste Wonne?

Blanche Stroeve war in den unbarmherzigen Krallen der sinnlichen Lust. Vielleicht haßte sie Strickland noch immer, aber sie schmachtete auch nach ihm, und alles, was bisher ihr Leben ausgefüllt hatte, galt jetzt nichts mehr. Sie war nicht mehr die Frau mit ihren mannigfaltigen Regungen: freundlich oder ärgerlich, besonnen oder gedankenlos — sie war eine Mänade. Sie war nichts als Verlangen.

Aber vielleicht ist all dies nur mein Hirngespinst, und sie fand ihren Gatten nur langweilig und lief aus kalter Neugier zu Strickland über. Vielleicht empfand sie kein starkes Gefühl für ihn, sondern ergab sich, weil die Gelegenheit sich bot, oder aus Eitelkeit, seinen Wünschen und zappelte jetzt ohnmächtig in der Schlinge, die sie sich selbst um den Hals gelegt hatte. Wie konnte ich wissen, welche Empfindungen und Gedanken hinter dieser friedlichen Stirn und hinter diesen kühlen, grauen Augen wohnten?

Aber wenn man auch über so unberechenbare Geschöpfe, wie es die Menschen sind, keine sicheren Behauptungen aufstellen kann, so gab es für Blanche Stroeves Verhalten immerhin gewisse Erklärungen, die viel Wahrscheinlichkeit für sich hatten. Strickland hingegen blieb mir völlig unverständlich. So sehr ich auch mein Hirn abmarterte, es wollte mir nicht gelingen, für seine Handlungsweise, die meiner Auffassung von ihm so heftig widersprach, hinreichende Gründe ausfindig zu machen. Ich fand es nicht sonderbar, daß er so herzlos war, das Vertrauen eines Freundes zu täuschen; ebensowenig erstaunte mich, daß er seine Laune, auf die Gefahr hin, einen andern ins Unglück zu stürzen, befriedigte. Das lag nun einmal in seinem Charakter. Er war ein Mensch, für den der Begriff der Dankbarkeit nicht existierte. Er kannte das Gefühl des Mitleids nicht. Diese Eigenschaften des Gemüts, die den meisten von uns gemeinsam sind, gab es einfach für ihn nicht, und es wäre ebenso unsinnig gewesen, ihn wegen dieses Mangels zu tadeln, als man einen Tiger wegen seines wilden Blutdurstes tadeln konnte. Jedoch die Laune selbst war mir ganz und gar unerklärlich.

Ich konnte nicht daran glauben, daß Strickland sich in Blanche Stroeve verliebt habe. Ich hielt ihn der Liebe nicht für fähig. Dieses Gefühl ist seinem Wesen nach mit Zärtlichkeit verknüpft, und Zärtlichkeit empfand Strickland weder für sich noch für andere. Zur Liebe gehört das Verständnis für die Schwäche des Partners, das Bedürfnis, ihn zu beschützen, der glühende Wunsch, ihm Gutes zu tun und ihm Freude zu machen. Das ist, wenn nicht Selbstlosigkeit, so doch eine Selbstsucht, die sich auf wunderbare Weise zu verhüllen weiß; es liegt eine gewisse zarte Scheu in ihr. Diese Wesenszüge konnte ich mir bei Strickland einfach nicht vorstellen. Liebe nimmt uns ganz und gar gefangen;

sie reißt den Liebenden aus sich selbst heraus; sogar der Klarsichtigste und Wissendste vermag nicht den Gedanken zu fassen, daß diese Liebe jemals enden wird; sie zaubert ihm Dinge vor, die er als Täuschung erkennt und trotz dieses Wissens mehr liebt als die Wirklichkeit. Sie macht den Menschen zu etwas mehr als er selbst, und zugleich zu etwas weniger als er selbst. Er hört auf, er selbst zu sein. Er ist nicht länger ein Individuum, sondern ein Ding, ein Werkzeug zu einem seinem Ich fremden Zweck. Liebe ist nie ganz frei von Sentimentalität, und Strickland war von allen meinen Bekannten derjenige, der zu dieser Schwäche am wenigsten neigte. Ich konnte mir nicht vorstellen, daß er jemals jene Besitzergreifung über sich ergehen lassen würde, die in der Liebe liegt; er würde nie ein fremdes Joch ertragen. Ich hielt ihn für fähig, alles, was sich zwischen ihn und dieses namenlose Sehnen, von dem er sich ständig getrieben fühlte, hindernd stellte, aus seinem Herzen auszureißen, wenn auch unter furchtbarer Qual, so daß er, aus tausend Wunden blutend, zurückblieb. Sollte es mir hier halbwegs gelungen sein, den komplizierten Eindruck wiederzugeben, den Strickland auf mich machte, so wird es nicht Anstoß erregen, wenn ich sage, daß ich ihn für die Liebe zu groß und zugleich zu klein fand.

Aber vermutlich ist das Bild, das jeder sich von der Leidenschaft macht, durch seine Idiosynkrasien gefärbt, und so ist wohl bei verschiedenen Menschen auch die Leidenschaft verschieden. Ein Mann wie Strickland mußte in der ihm eigenen Art lieben. Der Versuch, seine Gefühle zu analysieren, ist somit ein eitles Bemühen.

Dreißigstes Kapitel

Am nächsten Tag drang ich in Stroeve, bei mir zu bleiben, aber er verließ mich. Ich erbot mich, ihm seine Sachen aus dem Atelier zu holen, allein er bestand darauf, persönlich hinzugehen. Vermutlich hoffte er, daß die beiden vergessen hatten, sie zusammenzupacken, so daß er Gelegenheit haben würde, seine Frau noch einmal zu sehen und sie vielleicht dazu zu bewegen, zu ihm zurückzukehren. Doch als er hinkam, fand er seine Habseligkeiten bereits in der Portierloge vor, und die Concierge sagte ihm, Blanche sei ausgegangen. Ich bin sicher, daß er der Versuchung nicht widerstand, ihr sein Mißgeschick zu berichten. Denn er erzählte es allen und jedem, in der Hoffnung auf Mitgefühl, doch machte er sich bloß lächerlich.

Er benahm sich höchst ungeschickt. Da er wußte, wann seine Frau ihre Einkäufe machte, lauerte er ihr, unfähig, die Entbehrung ihres Anblicks länger zu ertragen, eines Tages auf der Straße auf. Sie wollte mit ihm nicht sprechen, aber er redete auf sie ein. Er sprudelte Worte der Entschuldigung für alles Böse, was er ihr angetan, heraus, beteuerte, daß er sie innig liebe, und bat sie, zu ihm zurückzukehren. Sie antwortete nicht, ging mit abgewandtem Gesicht eilig weiter. Ich stellte mir vor, wie er mit seinen kurzen, dicken Beinen versuchte, mit ihr Schritt zu halten. Atemlos in seiner Hast, sagte er ihr, wie unglücklich er sei, flehte sie an, sich seiner zu erbarmen, versprach, wenn sie ihm verzeihe, alle ihre Wünsche zu erfüllen. Wolle sie nicht vielleicht eine Reise mit ihm machen? Strickland, sagte er, würde ihrer doch bald überdrüssig sein. Als er mir diese erniedrigende kleine

Szene wiederholte, war ich empört. Er hatte weder Verstand noch Würde bewiesen. Er hatte nichts unterlassen, was ihn in den Augen seiner Frau verächtlich machen konnte. Niemand ist grausamer als eine Frau gegen einen sie liebenden Mann, dessen Gefühle sie nicht erwidert; sie kennt ihm gegenüber keine Güte, ja nicht einmal Duldsamkeit, sondern nur eine rasende Gereiztheit. Blanche Stroeve blieb plötzlich stehen und schlug ihrem Gatten mit aller Kraft ins Gesicht.

Sie benutzte seine Verwirrung zu schneller Flucht und rannte, was sie konnte, die Treppe zum Atelier hinauf. Kein Wort war über ihre Lippen gekommen.

Als er mir dies erzählte, hielt er die Hand an seine Wange, als spürte er noch das Brennen des Schlages; in seinen Augen war ein Leid, das herzzerreißend, und ein Staunen, das drollig war. Er sah wie ein verprügelter Schulbub aus, und obwohl ich ihn bestimmt aus ganzer Seele bedauerte, konnte ich mir doch fast kaum das Lachen verbeißen.

Dann verfiel er darauf, sich in der Straße herumzutreiben, die sie bei ihren Einkäufen passieren mußte. Er stellte sich an der gegenüberliegenden Ecke auf und sah sie an, wenn sie vorüberging. Er wagte nicht mehr, sie anzusprechen, versuchte aber in den Ausdruck seiner runden Augen den Hilferuf zu legen, der in seinem Herzen war. Ich glaube, er stellte sich vor, daß der Anblick seines Elends sie rühren müsse. Sie aber verriet durch keine Bewegung, daß sie ihn sah, machte vielmehr ihre Besorgungen immer um die gleiche Stunde und benutzte immer die gleichen Straßen. Mir schien in dieser Gleichgültigkeit eine besondere Grausamkeit zu liegen. Vielleicht genoß sie seine Marter. Warum nur haßte sie ihn so sehr?

Ich drang in Stroeve, sich klüger zu benehmen. Sein Mangel an Rückgrat konnte einen wirklich zur Verzweiflung bringen.

»Es ist völlig sinnlos, auf diese Weise fortzufahren«, sagte ich. »Da wäre es schon klüger gewesen, ihr mit dem Stock einen Schlag auf den Kopf zu versetzen. Sie würde Sie nicht so verachten, wie sie es jetzt tut.« Er war für jeden Rat unzugänglich.

Ich redete ihm zu, für einige Zeit in seine Heimat zu fahren. Er hatte mir so oft von dem stillen Städtchen, irgendwo im Norden Hollands, erzählt, wo seine Eltern noch lebten. Es waren arme Leute. Sein Vater war Zimmermann, und sie wohnten in einem alten, saubergehaltenen und adretten Häuschen aus rotem Backstein am Ufer eines träge dahinfließenden Kanals. Die Straßen dort waren breit und menschenleer; seit zwei Jahrhunderten siechte das Städtchen dahin; aber die Häuser wahrten noch etwas von der traulichen Behäbigkeit ihrer Zeit. Reiche Kaufherren, die ihre Waren in das ferne Indien sandten, hatten in ihnen ein ruhiges, gedeihliches Leben geführt, und ihre Wohnstätten behielten trotz ihres ehrbaren Hinwelkens noch ein Aroma vergangener Blüte. Man wanderte längs des Kanals zu weiten, grünen Flächen, mit Windmühlen hier und da, mit schwarz und weiß geflecktem Vieh, das ruhig graste. Mir schien, als müsse Dirk Stroeve in dieser Umgebung, die ihm die Erinnerungen seiner Kindheit zurückrief, sein Unglück vergessen. Aber er weigerte sich ganz entschieden, abzureisen.

»Ich muß hier sein, wenn sie mich braucht«, wiederholte er. »Es wäre schrecklich, wenn etwas Schlimmes passierte und ich wäre nicht zur Hand.«

»Was glauben Sie denn, daß passieren wird?« fragte ich ihn.

»Ich weiß es nicht. Aber ich habe Angst.«

Ich zuckte die Achseln.

Trotz aller seiner Leiden blieb Dirk Stroeve eine lächerliche Figur. Vielleicht hätte er Sympathie erregt, wenn er vor Kummer zum Skelett abgemagert wäre. Aber er tat nichts dergleichen. Er blieb dick, und seine runden, roten Backen blinkten wie reife Äpfel. Nach alter Gewohnheit sorgfältig gekleidet, trug er noch immer seinen schmucken schwarzen Mantel und seinen runden steifen Hut, der ihm von jeher etwas zu klein war, und wirkte flott und elegant. Er war und blieb ein Dickwanst, dem der Kummer nichts anhaben konnte. Mehr denn je sah er wie ein prosperierender Handlungsreisender aus. Es ist hart für einen Menschen, wenn sein Äußeres so wenig mit seinem Inneren zusammenstimmt. Dirk Stroeve hatte die Leidenschaft Romeos in dem Körper von Sir Toby Belch. Er hatte einen wohlwollenden und großmütigen Charakter und beging doch immer Taktlosigkeiten; er besaß echtes Verständnis für das Schöne und war doch nur fähig, Banalitäten zu schaffen; er hatte ein ganz besonderes Zartgefühl und dabei ein unmögliches Benehmen. Wenn es sich um die Angelegenheiten anderer handelte, konnte er taktvoll sein, aber nicht, wenn es sich um seine eigenen handelte. Was für einen derben Spaß hatte sich Mutter Natur erlaubt, als sie so viele sich widersprechende Bestandteile miteinander verband und den so

zusammengemixten armen Kauz der bestürzenden Gefühllosigkeit dieser Welt gegenüberstellte!

Einunddreißigstes Kapitel

Ich sah Strickland mehrere Wochen nicht. Er widerte mich
an, und ich hätte es ihm gerne gesagt, wenn sich Gelegenheit dazu geboten hätte, aber ich konnte ihn doch nicht
eigens zu diesem Zweck aufsuchen. Ich bin, wenn es gilt, die
Haltung moralischer Entrüstung anzunehmen, meist etwas
schüchtern. Sie enthält immer ein Element von Selbstge-
rechtigkeit, welche die Sache für jeden, der Sinn für Humor
besitzt, erschwert. Ich muß schon sehr aufgebracht sein, um
zu vergessen, daß ich lächerlich wirken könnte. Strickland
verfügte über eine zynische Aufrichtigkeit, die mich für alles, was bei mir irgendwie an Pose gemahnt, hellsichtig
machte.

Aber als ich eines Abends in der Avenue de Clichy an
dem Café vorüberging, das Strickland frequentierte und
das ich jetzt mied, rannte ich geradewegs in ihn hinein. Er
war in Begleitung von Blanche Stroeve, und die beiden waren im Begriffe, sich an seinen Stammplatz zu begeben.

»Wo zum Teufel waren Sie die ganze Zeit?« fragte er.
»Ich dachte, Sie seien verreist.«

Seine Jovialität bewies mir, daß er ganz genau wußte, ich
wollte mit ihm nichts mehr zu tun haben. Er war nicht
der Mann, dem gegenüber mir höfliche Ausflüchte am Platz
schienen.

»Nein«, sagte ich äußerst schroff, »ich war nicht verreist.«

»Warum hat man Sie dann hier nie gesehen?«

»Es gibt in Paris mehr Cafés, in denen man eine müßige Stunde vertrödeln kann.«

Blanche reichte mir die Hand und begrüßte mich. Ich weiß nicht, warum ich erwartet hatte, sie würde irgendwie verändert sein. Sie trug das gleiche graue Kleid, das ich an ihr schon kannte, sah hübsch und ordentlich aus, und ihre Stirn war ebenso unschuldsvoll, ihre Augen ebenso klar wie zu der Zeit, da sie sich an Stroeves Seite im Atelier ihren häuslichen Pflichten gewidmet hatte.

»Kommen Sie, wir wollen eine Partie Schach spielen«, sagte Strickland.

Aus irgendeinem Grunde fiel mir im Augenblick nicht die richtige Ausrede ein. Ich folgte den beiden ziemlich mürrisch an den Tisch, an dem Strickland zu sitzen pflegte. Er ließ ein Schachspiel kommen. Beide schienen die Situation so selbstverständlich zu finden, daß es von mir absurd gewesen wäre, mich auszuschließen. Mrs. Stroeve schaute dem Spiel mit undurchdringlicher Miene zu. Sie schwieg, aber redselig war sie nie gewesen. Ich suchte auf ihrem Mund nach einem Ausdruck, der mir Aufschluß über ihre Gefühle brächte, spähte in ihren Augen nach einem verräterischen Aufblitzen, nach irgendeinem Zeichen von Angst oder Betrübnis, prüfte ihre Stirn, um etwa in einer neu eingegrabenen Linie den Niederschlag ihrer Erlebnisse zu entdecken — aber ihr Gesicht war eine Maske, die nichts aussagte. Die Hände hielt sie, lose verschränkt, reglos in ihrem Schoß. Ich wußte, daß sie heftiger Ausbrüche fähig war, und der kränkende

171

Schlag, den sie Dirk, dem Manne, der sie abgöttisch liebte, versetzt hatte, verriet Jähzorn und abscheuliche Grausamkeit. Sie hatte die Sicherheit, die ihr die schützende Hand ihres Gatten gewährte, und die behagliche Versorgung in einer wohlgeordneten Ehe aufgegeben und sich in etwas gestürzt, das sie doch selbst als ein äußerst gefährliches Wagnis erkennen mußte. Das bewies einen Abenteuerdurst und eine Bereitschaft zur Armut, die in Anbetracht ihrer Liebe zu einem gepflegten Heim und ihrer Freude an einer schönen Häuslichkeit um so befremdlicher wirkte. Sie war offenbar ein sehr komplizierter Charakter, und der Widerspruch zu ihrer sittsamen Erscheinung hatte etwas außerordentlich Dramatisches.

Die Begegnung erregte mich sehr, und meine Phantasie begann wild zu arbeiten, während ich bemüht war, mich auf das Schachbrett zu konzentrieren. Ich strengte mich immer an, Strickland zu schlagen, weil er den Gegner, den er besiegte, verachtete. Sein Siegesrausch verbitterte einem die Niederlage. Wurde er aber geschlagen, so nahm er es gutlaunig hin. Er war ein schlechter Gewinner und ein guter Verlierer. Menschen, die der Ansicht sind, daß man seinen Charakter nirgends so deutlich verrät wie im Spiel, mögen daraus ihre scharfsinnigen Schlüsse ziehen.

Als wir mit der Partie fertig waren, rief ich den Kellner, zahlte die Getränke und ging. Die Begegnung war ohne bedeutsamen Zwischenfall verlaufen. Kein Wort war gefallen, das mir einen Anhaltspunkt geboten hätte, und für alle Vermutungen, die ich etwa anstellen mochte, fehlte es an Beweisen. Meine Neugier war aufs äußerste gereizt. Ich wußte nicht, wie die beiden miteinander auskamen. Was hätte ich darum gegeben, als körperloser Geist in die Intimität ihres Ateliers eindringen und zuhören zu können, was sie miteinander sprachen! Nicht die geringste Andeutung gab es, die meiner Einbildungskraft Nahrung geboten hätte.

Zweiunddreißigstes Kapitel

Ein paar Tage darauf besuchte mich Dirk Stroeve.

»Ich hörte, daß Sie vor kurzem Blanche gesehen haben«, sagte er.

»Wie haben Sie das nur erfahren?«

»Jemand, der Sie mit den beiden sitzen sah, hat es mir berichtet. Warum haben Sie es mir nicht gesagt?«

»Ich dachte, es würde Sie nur betrüben.«

»Und wenn es mich auch betrübt! Sie müssen wissen, daß mir daran liegt, alles, auch das Geringste, von ihr zu erfahren.«

Ich wartete auf seine Fragen.

»Wie sieht sie aus?« fragte er.

»Völlig unverändert.«

»Macht sie einen glücklichen Eindruck?«

Ich zuckte die Achseln. — »Wie kann ich das wissen! Wir waren im Café, ich spielte mit ihm Schach und hatte keine Gelegenheit, mit ihr zu sprechen.«

»Aber konnten Sie nichts in ihrem Gesicht lesen?«

Ich schüttelte den Kopf. Ich konnte nur wiederholen, daß sie durch kein Wort, nicht durch die leiseste Gebärde mir einen Anhaltspunkt für ihre Gefühle gegeben hatte. Er müsse besser wissen als ich, mit welcher Willenskraft sie sich beherrschte. Er schlug aufgeregt die Hände zusammen und rutschte auf dem Stuhl hin und her.

»Ach, ich habe solche Angst. Ich weiß, daß etwas geschehen muß, und ich kann es nicht aufhalten.«

»Was denn eigentlich?« fragte ich.

»Ach, ich weiß es nicht«, stöhnte er und hielt sich den Kopf mit beiden Händen. »Ich sehe eine furchtbare Katastrophe voraus.«

Stroeve war immer sehr erregbar gewesen, aber jetzt war er ganz aus dem Häuschen, und mit Vernunft war ihm nicht beizukommen. Ich hielt es für recht wahrscheinlich, daß Blanche Stroeve das Leben mit Strickland auf die Dauer unerträglich finden würde. Aber das unzutreffendste aller Sprichwörter ist, daß man liegen muß, wie man sich bettet. Die Erfahrung zeigt vielmehr, daß die Menschen ständig Dinge tun, die zum Unheil führen müssen, und es doch durch irgendeinen Glücksfall fertigbringen, den Folgen ihrer Narrenstreiche zu entgehen. Wenn Blanche sich mit Strickland verzankte, brauchte sie ihn nur zu verlassen und zu ihrem Gatten zurückzukehren, der demütig und ergeben darauf wartete, ihr alles zu verzeihen. Ich war nicht geneigt, sie besonders zu bemitleiden.

»Sie lieben sie eben nicht«, sagte Stroeve.

»Schließlich haben wir keinen Beweis dafür, daß sie unglücklich ist. Vielleicht erfreuen sich die beiden eines friedlichen Zusammenlebens.«

Stroeve warf mir einen schmerzlichen Blick zu.

»Für Sie ist das natürlich alles nicht wichtig, aber für mich ist es ernst, bitterernst.«

Ich sprach ihm mein Bedauern aus, daß ich auf ihn den Eindruck der Ungeduld oder der Frivolität gemacht hatte.

»Wollen Sie etwas für mich tun?« fragte Stroeve mich plötzlich.

»Mit größtem Vergnügen.«

»Wollen Sie für mich an Blanche schreiben?«

»Warum schreiben Sie nicht selbst?«

»Ich habe ihr immer und immer wieder geschrieben, obwohl ich nicht mit einer Antwort rechnete. Ich glaube, sie liest meine Briefe nicht.«

»Sie ziehen die weibliche Neugier nicht in Betracht. Glauben Sie, daß sie ihr widerstehen könnte?«

»Sie könnte — wenn es sich um mich handelt.«

Ich warf ihm einen schnellen Blick zu. Er senkte die Augen. Wie war diese Antwort doch demütigend für ihn! Er war sich bewußt, ihr so vollkommen gleichgültig zu sein, daß der Anblick seiner Handschrift sie nicht im geringsten berührte.

»Glauben Sie wirklich, daß sie jemals wieder zu Ihnen zurückkommt?« fragte ich.

»Sie soll wissen, daß, wenn das Schlimmste eintritt, sie immer auf mich rechnen kann. Das wünsche ich ihr mitzuteilen.«

Ich nahm ein Blatt Papier.

»Was soll ich also sagen?«

Ich schrieb schließlich folgendes:

»Liebe Frau Stroeve,

Dirk bittet mich, Ihnen mitzuteilen, daß er, falls Sie seiner bedürfen, dankbar die Gelegenheit ergreifen wird, Ihnen dienlich zu sein. Er hegt wegen des Vorgefallenen keinen Groll gegen Sie. Seine Liebe ist unverändert. Sie werden ihn stets unter beiliegender Adresse erreichen.«

Dreiunddreißigstes Kapitel

Aber obwohl ich genau wie Stroeve überzeugt war, daß das Verhältnis zwischen Strickland und Blanche unglücklich enden mußte, so erwartete ich doch nicht den tragischen Ausgang, den die Sache schließlich nahm.

Der Sommer kam, drückend und schwül, und selbst der Abend brachte keine Erfrischung für die zermürbten Nerven. Die von der Sonne noch erwärmten Straßen strömten die Glut aus, die sie während des Tages aufgespeichert hatten, und die Vorübergehenden schleppten sich müde dahin. Strickland hatte ich seit Wochen nicht gesehen. Da ich mit andern Dingen beschäftigt war, hatte ich aufgehört, an ihn und seine Affäre zu denken. Dirk mit seinen sinnlosen Litaneien begann mir zur Last zu fallen, und ich mied seine Gesellschaft. Diese ganze Geschichte war mir zuwider, und ich verspürte nicht die geringste Lust, mich weiterhin mit ihr abzugeben.

Eines Morgens saß ich im Pyjama an der Arbeit. Meine Gedanken wanderten: ich dachte an den sonnigen Strand der Bretagne und an die Frische der See. Neben mir stand die leere Tasse, in der die Concierge mir den *Café au lait* gebracht, und lag ein Stück *Croissant*, das ich nicht aufgegessen hatte. Ich hörte, wie die Concierge im Nebenraum das Badewasser ausließ. Draußen läutete es, die Frau öffnete die Tür. Einen Augenblick später hörte ich Stroeves Stimme; er fragte, ob ich zu Hause sei. Ohne mich vom Fleck zu rühren, brüllte ich ihm zu, hereinzukommen. Er stürzte ins Zimmer und sagte mit heiserer Stimme:

»Sie hat sich umgebracht.«

»Was sagen Sie da?« rief ich erschreckt.

Er bewegte die Lippen, als ob er spräche, aber kein Laut kam aus seinem Mund. Er murmelte wie ein Schwachsinniger.

Mein Herz schlug heftig gegen die Rippen, und ich weiß nicht, warum ich in Zorn geriet.

»Zum Teufel, Mensch, raffen Sie sich doch zusammen«, sagte ich. »Wovon reden Sie eigentlich?«

Er fuchtelte verzweifelt mit den Händen herum, aber noch immer wollten keine Worte aus seinem Munde kommen. Vielleicht hatte er die Sprache verloren. Ich weiß nicht, was über mich kam: ich packte ihn an den Schultern und schüttelte ihn. Wenn ich heute daran zurückdenke, tut es mir leid, daß ich mich so närrisch aufgeführt habe. Vermutlich hatten die schlaflosen Nächte der letzten Zeit meine Nerven mehr mitgenommen, als ich selber wußte.

»Ich muß mich setzen«, keuchte er schließlich, völlig außer Atem.

Ich füllte ein Glas mit St. Galmier und gab ihm zu trinken. Ich hielt es an seinen Mund, als wäre er ein Kind. Er schluckte ein wenig herunter, der Rest floß auf seine Hemdbrust.

»Wer hat sich umgebracht?«

Warum fragte ich eigentlich, ich wußte doch, wen er meinte. Dirk versuchte, sich zusammenzunehmen.

»Sie hatten gestern abend einen Streit miteinander, und er ist auf und davon.«

»Ist sie tot?«

»Nein. Man hat sie ins Krankenhaus geschafft.«

»Was reden Sie dann für Unsinn?« rief ich gereizt. »Warum sagen Sie, daß sie sich umgebracht hat?«

»Seien Sie doch nicht böse mit mir. Ich kann doch nichts erzählen, wenn Sie so mit mir reden.«

In dem Bestreben, meine Gereiztheit zu überwinden, preßte ich die Hände zusammen und versuchte zu lächeln.

»Entschuldigen Sie, lassen Sie sich nur Zeit. Überstürzen Sie sich nicht, es ist schon alles recht.«

Hinter der Brille blickten seine runden blauen Augen schreckensstarr, durch die vergrößernden Gläser seltsam verzerrt.

»Als die Concierge heute morgen hinaufging, um einen Brief zu bringen, erhielt sie auf ihr Klingeln keine Antwort. Sie hörte drinnen wimmern. Die Tür war unverschlossen, und sie ging hinein. Blanche lag in fürchterlichem Zustand auf dem Bett. Auf dem Tisch stand eine Flasche mit Oxalsäure.«

Stroeve verbarg das Gesicht in den Händen und wiegte stöhnend seinen Körper hin und her.

»War sie bei Bewußtsein?«

»Ja. Oh, wenn Sie wüßten, wie sie leidet! Ich kann es nicht ertragen! Ich kann es nicht ertragen!«

Seine Stimme ging in Kreischen über.

»Verdammt noch mal, Sie müssen es aber ertragen«, rief ich ganz ungeduldig. »Und Blanche muß es erst recht ertragen!«

»Wie können Sie so grausam sein?«

»Was haben Sie veranlaßt?«

»Man schickte nach einem Arzt und nach mir und benachrichtigte die Polizei. Ich hatte der Concierge zwanzig Franken gegeben, damit sie mich holen läßt, wenn etwas passiert.«

Er schwieg eine Weile, und ich merkte es ganz deutlich, wie bitter es ihn ankam, mit seiner Erzählung fortzufahren.

»Als ich ins Zimmer trat, wollte sie mit mir nichts zu tun haben. Sie bat die andern, mich fortzuschicken. Ich beteuerte, daß ich ihr alles verziehen hätte, aber sie wollte auf mich nicht hören. Sie versuchte, mit ihrem Kopf gegen die Wand zu schlagen. Der Arzt verbot mir, bei ihr zu bleiben. Immer wieder sagte sie: ›Schickt ihn fort! Schickt ihn nur fort!‹ Ich ging also aus dem Zimmer und wartete im Atelier. Als dann der Krankenwagen kam und man sie auf einer Tragbahre hinunterschaffte, schickten sie mich in die Küche, damit Blanche mich nicht sähe.«

Während ich mich anzog — denn Stroeve flehte mich an, gleich mit ihm ins Krankenhaus zu gehen —, erzählte er mir, daß er für sie ein Privatzimmer genommen hatte, um ihr das peinliche Zusammensein mit andern in den großen Sälen zu ersparen. Unterwegs erklärte er mir, warum er meine Anwesenheit wünschte: falls sie sich noch immer weigern sollte, ihn zu sehen, so würde sie doch vielleicht mich empfangen. Er bat mich, ihr zu sagen, daß er sie immer noch liebe; er werde ihr keine Vorwürfe machen, sondern sei einzig bestrebt, ihr zu helfen; er erhebe keinen Anspruch auf sie und werde, wenn sie wieder gesund sei, nicht versuchen, sie zur Rückkehr in sein Heim zu überreden; sie solle ihre volle Freiheit haben.

Doch als wir ins Krankenhaus kamen — ein graues, freudloses Gebäude, bei dessen bloßem Anblick sich einem das Herz zusammenkrampfte — und wir, von einem Beamten zum andern gewiesen, über endlose Treppen und durch lange, kahle Korridore schreitend, endlich den zuständigen Arzt fanden, wurde uns gesagt, daß die Patientin heute zu krank sei, um Besuch zu empfangen. Der Doktor war ein kleiner bärtiger Mann in weißem Kittel und mit rauhen Manieren. Er kannte offenbar nur »Fälle« und betrachtete besorgte Angehörige als lästige Eindringlinge, denen man mit Entschiedenheit gegenübertreten mußte. Zudem handelte es sich für ihn um eine banale Angelegenheit: ein hysterisches Frauenzimmer hatte sich mit ihrem Liebhaber gezankt und Gift genommen; so etwas passierte alle Tage. Anfangs hielt er Dirk für die Ursache des Unglücks und fand es unnötigerweise geraten, ihn abzukanzeln. Als ich ihm dann auseinandersetzte, daß Dirk der Gatte sei und nichts sehnlicher wünsche, als ihr zu vergeben, betrachtete ihn plötzlich der Arzt mit einem neugierigen, forschenden Blick, in dem ich einen leisen Spott zu spüren glaubte. Ich muß zugeben, daß Stroeve den Kopf eines Hahnreis hatte. Der Doktor zuckte die Achseln.

»Für den Augenblick besteht keine unmittelbare Gefahr«, sagte er als Antwort auf unsere Fragen. »Wir wissen ja nicht genau, wieviel sie genommen hat. Vielleicht kommt sie nur mit dem Schrecken davon. In meiner Praxis passiert es dauernd, daß Frauen aus unglücklicher Liebe einen Selbstmordversuch machen, aber gewöhnlich sorgen sie dafür, daß er nicht gelingt. Es handelt sich in den meisten Fällen um eine Geste, die den Liebhaber erschrecken oder zu Mitleid bewegen soll.«

In seinem Ton lag kalte Verächtlichkeit. Offensichtlich bedeutete Blanche Stroeve für ihn nur eine Nummer, die der Jahresstatistik der Pariser Selbstmordversuche einzuordnen war. Er war sehr beschäftigt und konnte nicht mehr Zeit mit uns vergeuden. Wenn wir morgen zu einer bestimmten Stunde wiederkämen, sagte er, und die Patientin sich besser befände, könne ihr Gatte sie vielleicht sehen, aber bestimmt wäre es nicht.

Vierunddreißigstes Kapitel

Ich weiß selbst nicht recht, wie wir diesen Tag hinter uns brachten. Stroeve konnte nicht allein sein, und ich leistete das Menschenmögliche, um ihn abzulenken. Ich ging mit ihm in den Louvre. Er tat, als ob er die Bilder betrachtete, aber ich merkte, daß seine Gedanken bei seiner Frau waren. Ich zwang ihn zu essen und überredete ihn, sich nachmittags hinzulegen, aber er konnte nicht schlafen. Meine Einladung, ein paar Tage bei mir zu bleiben, nahm er bereitwillig an. Ich gab ihm Bücher zum Lesen, aber nach ein paar Seiten starrte er kläglich ins Leere. Am Abend spielten wir zahllose Partien Pikett, und in dem Bestreben, meine Bemühungen nicht zu enttäuschen, versuchte er tapfer, Interesse zu heucheln. Endlich verabreichte ich ihm ein Schlafmittel, und er versank in unruhigen Schlummer.

Als wir am nächsten Tag ins Krankenhaus gingen, begegneten wir im Korridor einer Pflegeschwester. Sie sagte, Blanche befinde sich anscheinend etwas besser, und ging, sie zu fragen, ob sie ihren Gatten sehen wolle. Wir vernahmen Stimmen in dem Zimmer, in dem sie lag, und bald darauf erschien die Wärterin wieder und teilte uns mit, daß die Kranke niemand zu sehen wünsche. Wir hatten sie beauftragt, im Falle, daß sie Dirk nicht empfangen wolle, zu fragen, ob ihr mein Besuch genehm sei. Aber auch dieses schlug sie ab. Dirks Lippen zitterten.

»Ich wage nicht, in sie zu dringen«, sagte die Pflegerin. »Sie ist zu krank. Vielleicht wird sie morgen oder übermorgen ihre Meinung geändert haben.«

»Will sie vielleicht jemand anderen sehen?« fragte Dirk so leise, daß es wie ein Flüstern klang.

»Sie hat nur den einen Wunsch, in Frieden gelassen zu werden.«

In Dirks Hände kam ein seltsames Zucken. Es war, als bewegten sie sich unabhängig von seinem Körper.

»Sagen Sie ihr, daß, wenn sie jemand andern zu sprechen wünscht, ich ihr ihn bringen werde. Ich möchte sie nur glücklich sehen.«

Die Nonne schaute ihn mit ihren ruhigen, gütigen Augen an, die alle Qual der Welt gesehen hatten und doch, erfüllt von der Vision einer Welt ohne Sünde, eine überirdische Heiterkeit wahrten.

»Ich verspreche Ihnen, es ihr zu sagen, sobald sie ein wenig ruhiger ist.«

Dirk, bewegt von tiefem Erbarmen, bat sie, ihr die Botschaft sofort zu überbringen.

»Es wird sie vielleicht gesund machen. Ich bitte Sie inständig, ihr diese Frage jetzt gleich zu stellen.«

Mit einem schwachen Lächeln des Mitgefühls begab sich die Schwester in das Zimmer zurück. Ich hörte ihre sanfte Stimme, und dann erfolgte mit einer Stimme, die ich nicht wiedererkannte, die Antwort: »Nein, nein, nein.«

Die Schwester trat wieder heraus und schüttelte resignierend den Kopf.

»War das ihre Stimme?« fragte ich sie. »Sie klang so ganz fremd.«

»Die Säure scheint die Stimmbänder angeätzt zu haben.«

Dirk stieß einen leisen Schrei der Verzweiflung aus. Ich forderte ihn auf, zu gehen und am Eingang auf mich zu warten, denn ich wollte der Schwester noch etwas sagen. Er stellte keine weitere Frage, sondern entfernte sich schweigend. Er schien bar aller Willenskraft, er war wie ein folgsames Kind.

»Hat sie Ihnen gesagt, warum sie es getan hat?« fragte ich.

»Nein, sie will nicht sprechen. Sie liegt ganz ruhig auf dem Rücken und rührt sich oft stundenlang nicht. Aber sie weint ununterbrochen. Das Kissen ist schon ganz durchnäßt. Sie ist zu schwach, um ein Taschentuch zu benutzen, und die Tränen rinnen ihr über das Gesicht.«

Es gab mir einen Stich ins Herz. Ich hätte in diesem Augenblick Strickland erwürgen mögen, und ich fühlte, wie meine Stimme bebte, als ich mich von der Schwester verabschiedete.

Dirk wartete auf der Treppe auf mich. Er schien nichts zu sehen und merkte erst, daß ich neben ihm war, als ich seinen

Arm berührte. Wir gingen schweigend weiter. Ich versuchte mir auszumalen, was das arme Geschöpf zu diesem furchtbaren Schritt getrieben hatte. Strickland mußte meiner Ansicht nach von dem Unglück unterrichtet sein, denn sicher war er von der Polizei vorgeladen worden, um seine Aussage zu machen. Ich wußte nicht, wo er sich befand. Vermutlich hatte er sich in seine schäbige Dachstube zurückbegeben, die ihm als Atelier diente. Wie merkwürdig war es doch, daß sie ihn nicht zu sehen wünschte! Vielleicht wollte sie ihn nicht holen lassen, weil sie wußte, er würde nicht kommen. In welch einen Abgrund von Gefühllosigkeit mußte sie geblickt haben, daß sie vor Grauen ihrem Leben ein Ende bereiten wollte!

Fünfunddreißigstes Kapitel

Die folgende Woche war fürchterlich. Stroeve ging zweimal am Tag in das Krankenhaus, um sich nach dem Befinden seiner Frau zu erkundigen, die ihn immer noch nicht sehen wollte. Anfangs kam er erleichtert und hoffnungsvoll zurück, weil ihm gesagt worden war, es scheine der Patientin besser zu gehen. Freilich später trat die Komplikation ein, die der Arzt befürchtet hatte, eine Genesung war ausgeschlossen, und Dirk versank in tiefe Verzweiflung. Die Schwester hatte Mitleid mit seinem Elend, aber sie konnte ihm wenig Tröstliches sagen. Die arme Frau lag ganz still da und weigerte sich, zu sprechen. Ihre Augen blickten, wie auf ein Ziel gerichtet, als sähe sie dem Kommen des Todes entgegen. Es konnte sich nur noch um ein bis zwei Tage handeln, und als Stroeve am späten Abend zu mir kam, wußte ich, daß er mir ihren Tod mitteilen würde. Er war völlig erschöpft. Seine Zungenfertigkeit hatte ihn verlassen, matt sank er auf mein Sofa nieder. Ich fühlte, daß Worte der Teilnahme nichts vermochten, und ließ ihn ruhig liegen. Da ich fürchtete, herzlos zu erscheinen, wenn ich läse, setzte ich mich ans Fenster, rauchte meine Pfeife und wartete, bis er von selbst zu sprechen begann.

»Sie waren sehr gut zu mir«, sagte er endlich. »Alle Menschen waren sehr gut zu mir.«

»Unsinn«, sagte ich etwas verlegen.

»Im Krankenhaus baten sie mich, zu warten. Sie stellten mir einen Stuhl hin, und ich saß draußen vor der Tür. Als sie bewußtlos wurde, erlaubte man mir, hineinzugehen. Mund und Kinn waren von der Säure verbrannt. Es war schrecklich für mich, ihren wunderschönen Teint so zerstört zu sehen. Sie starb sehr sanft, so daß ich nicht eher wußte, daß sie tot war, bis die Schwester es mir sagte.«

Er war zu müde, um zu weinen. Matt lag er auf dem Rükken, als wäre alle Kraft aus seinen Gliedern entwichen. Eine Weile später bemerkte ich, daß er schlummerte. Es war sein erster natürlicher Schlaf seit einer Woche. Die Natur, die manchmal so grausam ist, kann auch gnädig sein. Ich deckte ihn zu und drehte das Licht ab. Als ich am Morgen erwachte, schlief er noch. Er hatte sich nicht gerührt, die goldgeränderte Brille saß noch auf seiner Nase.

Die besondern Umstände, unter denen der Tod von Blanche Stroeve stattgefunden hatte, machten eine Menge peinlicher Formalitäten nötig, aber schließlich durften wir sie begraben. Nur Dirk und ich folgten dem Leichenwagen bis zum Friedhof. Auf dem Hinweg fuhren wir im Schritt, aber zurück ging es im Trab, und die Art, mit der der Kutscher des Leichenwagens mit der Peitsche auf seine Pferde einschlug, hatte für mich etwas besonders Grauenhaftes. Es war, als wolle er den Tod mit einem Achselzucken beiseiteschieben. Der Leichenwagen vor uns schaukelte schnell dahin, und unser Kutscher trieb die Pferde an, um nicht zurückzubleiben. Auch ich empfand den dringenden Wunsch, die ganze Sache von mir abzuschütteln. Diese Tragödie, die mich im Grunde nichts anging, begann mir lästig zu werden. Indem ich mir vormachte, es Stroeve zuliebe zu tun, fing ich erleichtert an, von anderen Dingen zu reden.

»Wäre es nicht besser für Sie, ein bißchen fortzugehen?« fragte ich. »Sie haben doch jetzt keinen zwingenden Grund, in Paris zu bleiben.«

Er gab keine Antwort, aber ich fuhr rücksichtslos fort:

»Haben Sie eigentlich schon Pläne für die nächste Zukunft gemacht?«

»Nein.«

»Sie müssen versuchen, wieder den Anschluß an das Leben zu finden. Warum gehen Sie nicht nach Italien und fangen an zu arbeiten?«

Wieder gab er keine Antwort, aber der Kutscher unseres Wagens kam mir zu Hilfe. Er mäßigte für einen Augenblick das Tempo, drehte sich um und sagte etwas. Da ich ihn nicht verstand, steckte ich den Kopf zum Fenster hinaus. Er wollte wissen, wo er uns absetzen sollte. Ich bat ihn, eine Minute zu warten.

»Essen Sie doch mit mir zu Mittag«, sagte ich zu Dirk. »Soll ich ihm sagen, daß er uns auf der Place Pigalle absetzt?«

»Lieber nicht. Ich möchte ins Atelier gehen.«

Ich zögerte einen Moment.

»Wäre es Ihnen angenehm, wenn ich mitkomme?« fragte ich dann.

»Nein. Ich möchte allein sein.«

»Gut.«

Ich gab dem Kutscher die nötigen Weisungen, und schweigend fuhren wir weiter. Dirk war seit jenem unglückseligen Vormittag, an dem man Blanche ins Krankenhaus geschafft hatte, nicht mehr im Atelier gewesen. Ich war recht froh, daß ich ihn nicht zu begleiten brauchte, und verließ ihn an der Haustür mit einer wahren Erleichterung. Ich genoß mit neuem Vergnügen den Anblick der Pariser Straßen und blickte mit lächelnden Augen auf die hin und her eilenden Menschen. Der Tag war schön, die Sonne schien, ich war erfüllt von Lebenslust. Ich konnte nicht anders: ich verwies Stroeve und seinen Kummer aus meinem Gemüt. Ich wollte mich freuen.

Ich sah Stroeve fast eine Woche nicht. Dann holte er mich eines Abends nach sieben ab und lud mich zum Essen ein. Er war in tiefste Trauer gekleidet, um seinen steifen, runden Hut war ein breiter, schwarzer Flor gelegt. Sein wehmütiger Aufzug ließ vermuten, daß er in einer einzigen Katastrophe sämtliche Verwandten bis zu den angeheirateten Vettern und Basen zweiten Gliedes verloren hatte. Infolge seiner Rundlichkeit und seiner roten, feisten Backen wirkte seine Trauer nicht wenig ungereimt. O grausames Schicksal, das seinem so überaus großen Unglück etwas wie Komik verlieh!

Er teilte mir mit, er habe sich entschlossen, wegzugehen, freilich nicht nach Italien, wie ich ihm geraten hatte, sondern nach Holland.

»Ich reise morgen. Vielleicht sehen wir uns heute zum letztenmal.«

Ich machte als Antwort einen Witz, aber er lächelte nur matt.

»Ich war seit fünf Jahren nicht daheim. Mir war, als ob ich alles vergessen hätte; ich fühlte mich so fern von meinem Vaterhause, daß die Vorstellung, es wieder aufzusuchen, mich schreckte. Aber jetzt ist es meine einzige Zuflucht.«

Das Leben hatte ihn wundgescheuert, und seine Gedanken schweiften zu der Zärtlichkeit der Mutterliebe zurück. Den Fluch der Lächerlichkeit, den er so viele Jahre gelassen ertrug, empfand er jetzt als schweren Druck, da ihn der Schlag, den ihm die Untreue seiner Frau versetzt hatte, der Dickhäutigkeit beraubte, mit der er allen Spott so heiter von sich abprallen ließ. Er konnte mit denen, die sich über ihn lustig machten, nicht länger lachen. Er fühlte sich als Ausgestoßener. Schwermütig erzählte er mir von seiner Kindheit in dem schmucken Backsteinhaus und von der peinlichen Ordnungsliebe seiner Mutter. Ihre Küche war ein Wunder von blitzender Sauberkeit. Ein jedes Ding stand immer an seinem richtigen Platz, und nirgends war ein Stäubchen zu sehen. Die Sauberkeit war bei ihr beinahe zur Manie geworden. Ich sah das reinliche alte Weiblein mit Apfelbäckchen vor mir, das alle die langen Jahre hindurch sich vom Morgen bis zum Abend abplackte, um das Haus peinlich in Ordnung zu halten. Sein Vater war ein dürrer Alter, kerzengerade und wortkarg, mit von der Arbeit eines langen Lebens verkrümmten Händen; an den Abenden pflegte er laut die Zeitung vorzulesen, während seine Frau und seine Tochter (heute die Gattin des Kapitäns eines Fischkutters) sich eifrig, um ja keine Zeit zu verlieren, über ihre Näharbeit beugten. In der kleinen Stadt, die hinter dem Fortschreiten der Entwicklung zurückgeblieben war, ereignete sich nie etwas; und Jahr um Jahr verging, bis der Tod kam wie ein Freund, der dem rastlos Fleißigen endlich die verdiente Ruhe schenkte.

»Mein Vater wünschte, ich solle Zimmermann werden wie er. Seit fünf Generationen hatte sich das gleiche Handwerk vom Vater auf den Sohn fortgeerbt. Vielleicht ist dies die wahre Lebensweisheit, in seines Vaters Fußstapfen zu treten und weder nach rechts noch nach links zu schauen. Als ich ein Knabe war, wollte ich die Tochter des Sattlers heiraten, der im Hause nebenan wohnte. Sie war ein kleines Ding mit blauen Augen und einem flachsblonden Zopf. Sie hätte mein

Haus sauber und blank gehalten und mir bestimmt einen Sohn geschenkt, der nach mir einmal das Gewerbe weiterbetrieb.«

Stroeve seufzte und verstummte. Sein Geist malte sich Bilder aus von dem, was hätte sein können, und die ruhige Lebenssicherheit, die er von sich gewiesen hatte, erfüllte sein Herz mit bangem Sehnen.

»Die Welt ist hart und grausam. Wir leben hier, und keiner weiß warum; wir gehen und wissen nicht wohin. Wir sollten sehr bescheiden sein und die Schönheit der Stille erkennen. Wir sollten so unauffällig durchs Leben gehen, daß das Schicksal uns nicht bemerkt. Lasset uns doch die Liebe der Einfältigen und Unwissenden suchen! Ihr Unwissen ist besser als all unser Wissen. Lasset uns still sein, zufrieden in unserem Winkelchen, sanftmütig und freundlich wie sie. Das ist die wahre Lebensweisheit.«

Ich fand, daß sich in diesen Worten sein gebrochener Lebensmut ausdrückte, und ich rebellierte innerlich gegen einen solchen Verzicht, doch ich behielt meine Meinung für mich.

»Wie kamen Sie eigentlich darauf, Maler zu werden?« fragte ich.

Er zuckte die Achseln.

»Es stellte sich heraus, daß ich eine gewisse Fertigkeit im Zeichnen hatte. In der Schule bekam ich Preise dafür. Meine arme Mutter, die sehr stolz auf diese Begabung war, schenkte mir einen Kasten mit Wasserfarben. Sie zeigte meine Skizzen dem Pastor, dem Arzt und dem Richter. Auf den Rat dieser Herren wurde ich nach Amsterdam geschickt, um mich um ein Stipendium zu bewerben, und ich erhielt es.

Die gute, arme Seele, sie war so stolz; und obwohl es ihr beinahe das Herz brach, sich von mir zu trennen, lächelte sie und verbarg ihren Kummer. Sie freute sich, daß ihr Sohn ein Künstler sein würde. Die Eltern sparten und scharrten zusammen, damit ich genug zum Leben hätte, und als mein erstes Bild ausgestellt wurde, kamen sie alle, der Vater, die Mutter und die Schwester, nach Amsterdam, und meine Mutter weinte, als sie es sah.« Seine guten Augen leuchteten auf. »Und heute ist an jeder Wand des alten Hauses eines meiner Bilder, schön in Gold gerahmt.«

Er strahlte vor Glück. Ich dachte an seine frostigen Darstellungen von pittoresken Bauern, Zypressen und Ölbäumen. Wie sonderbar mußten sie sich in ihren prächtigen Rahmen an den Wänden des bäuerlichen Hauses ausnehmen!

»Die liebe Seele glaubte mir wunder was anzutun, weil sie mich Künstler werden ließ, aber vielleicht wäre es für mich besser gewesen, wenn meines Vaters Wille durchgedrungen und ich ein rechtschaffener Zimmermann geworden wäre.«

»Würden Sie jetzt, wo Sie wissen, was die Kunst zu bieten hat, ein anderes Dasein wählen? Möchten Sie alle Wonnen, die sie Ihnen bisher geschenkt hat, nicht erlebt haben?«

»Das Höchste auf der Welt ist die Kunst«, antwortete er nach einer Pause.

Er blickte mich eine Weile nachdenklich an und zögerte, fortzufahren. Endlich sagte er:

»Wissen Sie, daß ich Strickland aufgesucht habe?«

»Sie?«

Ich war erstaunt. Ich hätte gedacht, daß ihm sein Anblick unerträglich sein müßte.

Stroeve lächelte matt.

»Sie wissen ja schon, daß ich keine Selbstachtung besitze.«

»Was wollen Sie damit sagen?«

Und ich erfuhr eine seltsame Geschichte.

Achtunddreißigstes Kapitel

Als ich Stroeve nach der Beerdigung der armen Blanche verlassen hatte, ging er schweren Herzens in das Haus. Irgend etwas trieb ihn in das Atelier, ein dunkles, selbstquälerisches Verlangen, und dennoch fürchtete er die Seelenpein, die er voraussah. Er schleppte sich die Treppe hinauf, seine Füße wollten ihn nicht tragen. Dann, vor der Wohnungstür, zauderte er lange und sammelte all seinen Mut. Er fühlte sich furchtbar krank. Von einem plötzlichen Impuls erfaßt, wollte er die Treppe wieder hinunterlaufen und mich bitten, mit ihm ins Atelier zu kommen, weil er das Gefühl hatte, daß jemand darin sei. Er erinnerte sich, wie oft er vor dieser Tür ein oder zwei Minuten gezögert hatte, um nach dem steilen Aufstieg wieder zu Atem zu kommen, und wie seine Ungeduld, Blanche zu sehen, alle Beklemmung von ihm nahm. Sie zu sehen, war für ihn eine immer neue, sich nie erschöpfende Freude, und selbst wenn er kaum eine Stunde fortgewesen war, erregte ihn die Erwartung, als wäre er seit einem Monat von ihr getrennt. Mit einemmal blitzte es ihm auf, daß sie nun tot war. Nein, alle diese Geschehnisse waren nur ein Traum, ein grauenvoller Traum, und wenn er jetzt den Schlüssel umdrehte und die Tür öffnete, würde er sie vor sich sehen, leicht über den Tisch gebeugt in der anmutigen Stellung von Chardins »Tischgebet«, die er so sehr an ihr liebte. Hastig zog er den Schlüssel aus der Tasche, öffnete und trat ein.

Die Wohnung wirkte nicht verlassen. Die Ordentlichkeit seiner Gattin war einer der Züge, die ihm so sehr an ihr gefielen; sein Elternhaus hatte ihm eine zärtliche Hinneigung zu dieser Tugend eingeflößt, und wenn er sah, wie sie jedes Ding instinktiv an seinen richtigen Platz stellte, stieg immer ein warmes Gefühl in ihm auf. Das Schlafzimmer erweckte den Eindruck, als hätte sie es eben verlassen: auf dem Toilettentisch lagen fein säuberlich die Bürsten, zwischen ihnen der Kamm; jemand hatte das Bett gemacht, auf dem sie ihre letzte Nacht verbracht hatte; und ihr Schlafzeug lag sorgfältig zusammengelegt auf dem Kissen. Die Vorstellung, daß sie niemals in dieses Zimmer zurückkehren würde, war undenkbar.

Ihm fiel ein, daß er durstig war, und er ging in die Küche, um sich ein Glas Wasser zu holen. Auch hier war alles in Ordnung. Auf einem Gestell standen die Teller, auf denen sie am Abend der Entzweiung mit Strickland das Essen serviert hatte, und sie waren sauber gewaschen. Die Messer und die Gabeln hatte sie in eine Schublade gelegt. Unter einer Glasglocke befand sich noch ein kleines Stück Käse, und in einem Blechkasten ein Rest Brot. Sie pflegte ihre Besorgungen von einem Tag zum andern zu machen und kaufte nur das unbedingt Nötige, so daß für den nächsten Tag nichts übrigblieb. Durch seine Erkundigungen bei der Polizei wußte Stroeve, daß Strickland das Haus unmittelbar nach dem Essen verlassen hatte, und der Gedanke an Blanche, die nachher wie gewöhnlich das Geschirr wusch und Ordnung machte, erfüllte ihn mit Grauen. Daß sie so methodisch verfahren war, bewies, daß sie den Selbstmord wohlüberlegt begangen hatte. Ihre Selbstbeherrschung war erschreckend. Er fühlte einen jähen Stich im Herzen, und seine Knie wurden so schwach, daß er beinahe umsank. Er ging wieder in das Schlafzimmer und warf sich auf das Bett. Und weinend rief er ihren Namen:

»Blanche! Blanche!«

Der Gedanke an ihre Qualen war unerträglich. Er sah sie plötzlich in der Küche vor sich stehen, die kaum geräumiger war als ein großer Schrank. Sie wusch die Teller und Gläser, die Gabeln und Löffel, polierte flink die Messer an dem Messerbrett, versorgte alles, reinigte den Ausguß, hängte das Abwaschtuch zum Trocknen auf — dort hing es noch, ein grauer Lumpen. Dann warf sie einen prüfenden Blick über alles, ob es auch sauber und nett sei. Er sah, wie sie ihre aufgekrempelten Ärmel wieder herunterzog und ihre Schürze abnahm — die Schürze hing an einem Haken hinter der Tür —, und sah sie im Geiste die Flasche mit der Oxalsäure ergreifen und mit ihr dann langsam in das Schlafzimmer gehen.

Das Entsetzen trieb ihn vom Bette auf und aus dem Zimmer. Er ging in das Atelier. Es war dunkel, denn die Vorhänge vor dem großen Fenster ließen das Licht nicht herein. Er zog sie schnell zurück. Aber ein Schluchzen entrang sich seiner Brust, als er einen raschen Blick durch den Raum warf, in dem er so glücklich gewesen war. Auch hier war alles genau wie früher. Strickland, gleichgültig gegen seine Umgebung, hatte in des anderen Atelier gelebt, ohne daran zu denken, etwas zu ändern. Es wirkte entschieden künstlerisch, denn es entsprach genau der Vorstellung, die Stroeve sich von dem richtigen Milieu für einen Künstler machte. An die Wände waren alte Brokate geheftet, das Klavier bedeckte ein Stück schöner, verschossener Seide; in einer Ecke stand ein Abguß der Venus von Milo, in einer andern ein Abguß der Mediceischen Venus. Es gab antike italienische Schränkchen, darüber Delfter Teller, hier und da ein Bas-Relief. Eine Kopie von Velazquez' Innozenz X., die Stroeve in Rom verfertigt hatte, hing in einem schönen Goldrahmen an der Wand, und eine Anzahl seiner eigenen Bilder, alle prunkvoll gerahmt, waren so placiert, daß sie den denkbar dekorativsten Eindruck machten. Stroeve tat sich auf seinen Geschmack viel zugute. Er legte auf die artistische Atmosphäre eines Ateliers den allergrößten Wert, und obwohl ihm jetzt der Anblick des seinen wie ein Dolch ins Herz stach, rückte er unwillkürlich einen Louis-Quinze-Tisch zurecht, der zu seinen liebsten Kostbarkeiten gehörte. Plötzlich fiel sein Blick auf ein Bild, das mit der Vorderseite an der Wand lehnte. Die Leinwand war viel größer als die gewöhnlich von ihm benutzten, und er fragte sich, was sie hier solle. Er drehte das Bild um, um es zu betrachten. Es war ein Akt. Sein Herz begann heftig zu pochen, denn er erriet sofort, daß es sich um eine Arbeit Stricklands handeln mußte. Mit einer wütenden Bewegung wollte er das Bild wieder an die Wand lehnen — warum nur hatte es Strickland zurückgelassen? —, aber da fiel es mit der Vorderseite auf den Boden.

Einerlei, wessen Bild es war, er konnte es nicht dort im Staube liegen lassen, so richtete er es wieder auf. Aber dann gewann die Neugierde die Oberhand. Wie, wenn er sich das Bild richtig ansähe? Er stellte es auf die Staffelei und trat einen Schritt zurück.

Er fuhr zusammen. Es war das Bild einer nackten Frau: sie lag auf einem Sofa, den einen Arm unter dem Kopf, den andern längs des Körpers; ein Knie war hochgestellt, das andere Bein war ausgestreckt. Eine klassische Pose. Stroeve drehte sich der Kopf: es war Blanche. Schmerz, Eifersucht und Wut ergriffen ihn. Unfähig, Worte zu formen, stieß er mit heiserer Stimme unartikulierte Laute aus, ballte die Fäuste und erhob sie drohend gegen einen unsichtbaren Feind. Er brüllte vor Empörung, war ganz außer sich, er konnte es nicht mehr ertragen – das war zuviel! Mit wildem Blick sah er sich nach einem Werkzeug um; er wollte das Bild zerstückeln, es durfte nicht eine Minute länger existieren. Doch fand er nichts Geeignetes, begann ungeduldig in seinen Malsachen herumzuwühlen, fand noch immer nichts und wurde rasend. Endlich stieß er auf einen großen Spachtel und ergriff ihn mit Triumphgeschrei. Er zückte ihn wie einen Dolch und rannte auf das Bild zu.

Als Stroeve mir dies erzählte, geriet er beinahe in die gleiche Erregung wie während des Vorfalls selbst. Er langte auf dem Eßtisch zwischen uns nach einem silbernen Messer, schwang es, hob den Arm, wie um zuzustoßen, und öffnete dann plötzlich die Hand, so daß es klirrend zu Boden fiel. Er sah mich mit einem wehmütigen Lächeln an und sagte nichts.

»Erzählen Sie weiter«, forderte ich ihn auf.

»Ich weiß nicht, wie mir geschah. Ich war gerade im Begriff, in das Bild ein großes Loch zu machen, und holte zum Schlage aus, als ich es plötzlich sah.«

»Was sahen Sie?«

»Das Bild. Es war ein Kunstwerk. Ich war nicht imstande, es anzutasten, ich scheute mich davor.«

Stroeve schwieg und schaute mich mit offenem Munde aus seinen blauen, runden, etwas vortretenden Augen eindringlich an.

»Es war ein großes, wunderbares Bild. Ich fühlte mich von Ehrfurcht durchschauert. Denken Sie, beinahe hätte ich ein furchtbares Verbrechen begangen. Ich trat zurück, um das Gemälde besser zu sehen, und mein Fuß stieß an den Spachtel; mich durchrann es kalt.«

Ich fühlte tatsächlich etwas von der Erregung, die ihn ergriffen hatte, und war seltsam beeindruckt. Mir war, als sei ich unversehens in eine Welt versetzt, in der alle Wertungen umgestülpt waren. Ratlos stand ich daneben, gleich einem Fremden in einem Lande, in dem die Reaktionen der Menschen auf die Erlebnisse anders sind, als ich sie je gekannt. Stroeve versuchte, mir das Bild zu schildern, doch war seine Rede so unklar, daß ich erraten mußte, was er meinte. Nach seiner Ansicht hatte Strickland die Fesseln, die ihn bis dahin gefangenhielten, gesprengt. Er hatte nicht, wie man gemeinhin zu sagen pflegt, »sich selbst gefunden«, sondern eine neue Seele mit ungeahnten Kräften. Es war nicht nur die kühne Vereinfachung der Zeichnung, die eine so reiche und merkwürdige Persönlichkeit hervortreten ließ, nicht nur die Farbengebung (obgleich das Fleisch mit einer vehementen Sinnlichkeit gemalt war), die etwas von einem Wunder an sich hatte; es war nicht nur die Behandlung der Massen, welche die Dichte des Körpers so wuchtig zum Ausdruck brachte — in diesem Bild war auch eine neue und aufwühlende Vergeistigung, welche die Phantasie auf unerforschte Bahnen leitete, sie leere, dämmernde, einzig von den Sternen erleuchtete Räume ahnen ließ, in denen die Seele nakkend und bangend auf die Entdeckung unerschauter Mysterien auszog.

Wenn dies literarisch klingt, so halte man mir zugute, daß Stroeve in dieser Art sprach (erleben wir es nicht häufig, daß Menschen sich in gesteigerten Momenten ganz unwillkürlich einer poetischen Ausdrucksweise bedienen?). Stroeve versuchte ein Gefühl auszudrücken, das er bisher noch nicht gekannt hatte, und es gelang ihm nicht, es in banalen Worten wiederzugeben. Er war wie der Mystiker, der sich bemüht, das Unsagbare zu beschreiben. Aber eines machte er mir klar: die Menschen sprechen leichthin von Schönheit und brauchen, da sie kein Gefühl für das Gewicht der Wörter haben, dieses eine so unbekümmert und gedankenlos, daß es seine Kraft verliert und daß dadurch das Wesen, für das es steht, da es seinen Namen mit hundert anderen, trivialen Dingen teilt, in seiner Würde herabgemindert wird. Schön nennen die Leute ein Kleid, einen Hund, eine Predigt, und wenn sie der wahren Schönheit von Angesicht zu Angesicht gegenüberstehen, erkennen sie sie nicht. Das falsche Pathos, mit dem sie ihre wertlosen Gedanken zu schmücken suchen, stumpft ihre Empfänglichkeit ab. Wie der Scharlatan, der eine geistige Kraft heuchelt, die er vielleicht mitunter besessen hat, büßen sie die Fähigkeit ein, die sie mißbraucht haben. Aber Stroeve, der ewige Hanswurst, hatte eine Liebe und ein feines Verständnis für die Schönheit, die ebenso wahrhaft und aufrichtig waren wie seine ganze wahrhaftige und aufrichtige Seele. Schönheit bedeutete für ihn das, was Gott für den Gläubigen bedeutet, und wenn er sie sah, erschrak er.

»Was sagten Sie zu Strickland, als Sie ihn besuchten?«

»Ich forderte ihn auf, doch mit mir nach Holland zu kommen.«

Ich war wie vom Donner gerührt und starrte Stroeve mit offenem Munde an.

»Wir beide haben Blanche geliebt. In meiner Mutter Haus hätte es Platz für ihn gegeben. Ich glaube, der Umgang mit armen, schlichten Menschen müßte seiner Seele guttun. Er könnte von ihnen manches lernen, was ihm Nutzen brächte.«

»Was antwortete er?« — »Er lächelte — vermutlich hielt er mich für sehr dumm — und sagte, er habe etwas Besseres zu tun.«

Ich wünschte, Strickland hätte seine Ablehnung in eine freundlichere Form gekleidet.

»Er schenkte mir auch das Bild von Blanche«, fuhr Stroeve fort.

Ich stellte mir die Frage, warum Strickland das getan hatte, äußerte sie aber nicht, und wir schwiegen eine gute Weile.

»Was haben Sie mit allen Ihren Sachen gemacht?« fragte ich ihn endlich.

»Ich habe sie in Bausch und Bogen für eine runde Summe an einen Juden verkauft. Meine Bilder nehme ich mit nach Hause. Außer ihnen besitze ich jetzt nichts als einen Koffer mit Kleidern und Wäsche und ein paar Bücher.«

»Ich bin froh, daß Sie in Ihre Heimat zurückkehren«, sagte ich.

Seine einzige Aussicht auf Glück lag, wie mir schien, in der Möglichkeit, die ganze Vergangenheit hinter sich zu lassen. Ich hoffte, daß sein Schmerz, der heute so unerträglich schien, sich im Laufe der Zeit mildern, und daß ein barmherziges Vergessen ihm helfen würde, die Last des Lebens weiterzutragen. Er war ja noch jung; in einigen Jahren würde er auf all das Elend mit einer verklärten Melancholie zurückblicken, die einen leisen Reiz enthielt. Früher oder später würde er in Holland ein braves Mädchen heiraten und, dessen war ich sicher, mit ihm glücklich sein. Ich lächelte bei dem Gedanken an die ungeheure Zahl von Bildern, die er vor seinem Tode noch malen würde.

Am nächsten Tag brachte ich ihn an den Zug nach Amsterdam.

Neununddreißigstes Kapitel

Während des folgenden Monats war ich mit meinen eigenen Interessen beschäftigt, sah niemand, der mit dieser traurigen Angelegenheit zusammenhing, und verbannte sie aus meinem Gedächtnis. Aber eines Tages, als ich wegen einer Besorgung ausgehen mußte, begegnete mir Strickland. Sein Anblick brachte mir die grauenhafte Geschichte in Erinnerung, die ich so gern vergessen hätte, und in mir stieg ein plötzlicher Widerwille gegen ihren Urheber auf. Mit einem kurzen Nicken, denn es wäre kindisch gewesen, ihn zu schneiden, ging ich schnell weiter, aber einen Augenblick später fühlte ich eine Hand auf meiner Schulter.

»Sie haben offenbar große Eile«, sagte er jovial.

Eine seiner charakteristischen Eigenschaften war, Leuten gegenüber, die nichts mit ihm zu tun haben wollten, fröhliches Entgegenkommen zu zeigen, und die Frostigkeit meines Grußes konnte ihn über meine Abneigung nicht im Zweifel lassen.

»Jawohl«, erwiderte ich schroff.

»Ich gehe mit Ihnen«, sagte er.

»Warum?« fragte ich.

»Wegen des Vergnügens an Ihrer Gesellschaft.«

Ich gab keine Antwort, und er ging schweigend neben mir her. Das dauerte wohl fünf Minuten. Die Situation begann mir ein bißchen lächerlich vorzukommen. Als wir an einer Schreibwarenhandlung vorbeikamen, fiel mir ein, Papier zu kaufen, um ihn auf schickliche Weise loszuwerden.

»Ich gehe hier hinein«, sagte ich. »Adieu.«

»Ich werde auf Sie warten.«

Ich zuckte die Achseln und ging in den Laden. Dabei fiel mir ein, daß das französische Papier nichts taugt und daß ich mich, da ich meinen Zweck doch nicht erreicht hatte, nicht mit einem überflüssigen Einkauf zu belasten brauchte; so fragte ich nach etwas, von dem ich wußte, daß es nicht vorrätig sein konnte, und befand mich in der nächsten Minute wieder auf der Straße.

»Haben Sie das Gewünschte bekommen?« fragte er.

»Nein.«

Wir gingen schweigend weiter und gelangten auf einen Platz, wo sich mehrere Straßen kreuzten. Ich blieb stehen.

»In welcher Richtung gehen Sie?« fragte ich.

»In Ihrer«, versetzte er lächelnd.

»Ich gehe nach Hause.«

»Ich komme mit Ihnen und rauche eine Pfeife.«

»Sie hätten auf eine Einladung warten können«, entgegnete ich eisig. — »Das würde ich auch getan haben, wenn die Möglichkeit einer solchen bestanden hätte.«

»Sehen Sie die Mauer dort drüben?« sagte ich und zeigte mit dem Finger auf sie.

»Ja.«

»Dann müssen Sie meiner Ansicht nach auch sehen, daß mir Ihre Gesellschaft unerwünscht ist.«

»Ich muß gestehen, daß ich so etwas leise geahnt habe.«

Ich konnte ein Kichern nicht unterdrücken. Es gehört zu meinen Charakterfehlern, daß ich einem Menschen, der mich zum Lachen bringt, nicht auf die Dauer böse sein kann. Aber ich gab mir einen Ruck.

»Ich finde Sie abscheulich. Sie sind das widerwärtigste Subjekt, das ich je kennengelernt habe. Warum suchen Sie die Gesellschaft eines Mannes, der Sie haßt und verachtet?«

»Mein Bester, was zum Teufel glauben Sie, daß ich mir aus Ihrer Meinung über mich mache?«

»Verdammt noch mal«, rief ich noch heftiger, weil etwas mir zuflüsterte, daß meine Beweggründe nicht allzu achtbar seien, »ich wünsche Sie nicht zu kennen.«

»Fürchten Sie, daß ich Sie anstecken werde?«

In seinem Ton lag etwas, das mir das Gefühl gab, lächerlich zu sein. Ich merkte, wie er mich mit einem spöttischen Seitenblick musterte. — »Sie sitzen wohl wieder auf dem trockenen?« äußerte ich frech.

»Ich wäre ein verdammter Trottel, wenn ich annähme, daß ich aus Ihnen Geld herauskriegen kann.«

»Sie müßten schon sehr heruntergekommen sein, wenn Sie sich solche falschen Hoffnungen machten.« — Er grinste.

»Sie werden mich so lange nicht wirklich hassen, als ich Ihnen Gelegenheit gebe, dann und wann eine treffende Bemerkung anzubringen.«

Ich mußte mir auf die Lippen beißen, um nicht laut aufzulachen. Was er sagte, war leider wahr, und ein weiterer Charakterfehler von mir ist, daß ich den Umgang mit Menschen, seien sie auch noch so verderbt, gern habe, wenn sie mir mit gleicher Münze bezahlen können. Meine Abwehrstellung gegen Strickland ließ sich nur noch durch einen starken Energieaufwand meinerseits aufrechterhalten. Indessen sah ich meine moralische Schwäche ein und erkannte, daß meiner Mißbilligung schon etwas wie Pose anhaftete; zugleich wußte ich, daß, wenn ich dieses Gefühl hatte, Strickland mit seinem scharfen Spürsinn auch schon dahintergekommen war. Sicherlich lachte er sich heimlich ins Fäustchen. So ließ ich ihm das letzte Wort und suchte meine Zuflucht in verächtlichem Achselzucken und düsterem Schweigen.

Vierzigstes Kapitel

Vor dem Hause, in dem ich wohnte, angelangt, forderte ich ihn nicht auf, mitzukommen, aber er stieg wortlos die Treppe hinauf. Er folgte mir auf dem Fuß und betrat die

Wohnung unmittelbar hinter mir. Zwar war er das erstemal hier, doch schenkte er dem Zimmer, das für das Auge erfreulich zu machen ich mir so große Mühe gegeben hatte, keinen Blick. Auf dem Tisch stand eine Dose mit Tabak, er zog seine Pfeife heraus und füllte sie, setzte sich auf den einzigen Stuhl ohne Armlehnen und begann, ganz langsam zu schaukeln.

»Wenn Sie sich's gemütlich machen wollen, warum setzen Sie sich dann nicht in einen Fauteuil?« fragte ich gereizt.

»Warum kümmern Sie sich um mein Behagen?«

»Das tue ich gar nicht«, versetzte ich. »Es handelt sich nur um mein eigenes. Es macht mich kribbelig, wenn ich jemand auf einem unbequemen Stuhl sitzen sehe.«

Er kicherte in sich hinein, machte aber keine Anstalten, einen anderen Stuhl zu nehmen. Er rauchte schweigend, nahm weiter keine Notiz von mir und war offensichtlich in Gedanken versunken. Ich fragte mich, warum er überhaupt mitgekommen sei.

Der Schriftsteller wird, solange er durch Gewohnheit nicht abgestumpft ist, immer irgendwie Anstoß nehmen an jenem Trieb, der ihn zwingt, sich für die charakteristischen Besonderheiten der menschlichen Natur so heftig und ausschließlich zu interessieren, daß der moralische Sinn daneben nicht aufkommt. Er empfindet in sich bei der Betrachtung des Bösen eine künstlerische Befriedigung, die ihn wohl ein wenig erschreckt, muß aber, wenn er aufrichtig ist, zugeben, daß die Mißbilligung, die er gegenüber gewissen Handlungen fühlt, nicht annähernd so stark ist, als seine Begier, ihre Beweggründe zu erforschen. Den in sich geschlossenen, völlig logischen Charakter eines Schurken hinzustellen, hat für seinen Schöpfer einen faszinierenden Reiz, der allen Begriffen von Recht und Ordnung ins Gesicht schlägt. Ich glaube, daß Shakespeare die Gestalt des Jago mit einem Vergnügen ausheckte, das er gewißlich nicht empfand, als seine Phantasie aus Mondesstrahlen Desdemona wob. Vielleicht lebt der Schriftsteller in seinen Bösewichten eigene tiefeingewurzelte Instinkte aus, die durch die Sitten und Gebräuche der Zivilisation in die geheimnisvollen Winkel des Unterbewußtseins zurückgedrängt worden sind. Indem er der Gestalt seiner Erfindung Fleisch und Blut gibt, flößt er einem Teil seines Selbst ein Eigenleben ein, dem er auf andere Weise nicht Ausdruck verleihen darf. Seine Genugtuung entspringt ganz einfach einem Gefühl der Befreiung.

Die Sache des Schriftstellers ist weit mehr das Erkennen als das Fällen von Urteilen.

In meiner Seele wohnte neben einem vollkommen aufrichtigen Abscheu vor Strickland das kühle Interesse für seine Motive. Er war für mich ein Rätsel, und ich hätte gern erfahren, mit welchen Augen er die Tragödie ansah, in die Menschen, die ihm nur Gutes getan, durch seine Handlungsweise gestürzt worden waren. Kühn setzte ich das Operationsmesser an.

»Stroeve hat mir von Ihrem Bild seiner Frau erzählt. Es soll das beste sein, das Sie je gemacht haben.« — Strickland nahm die Pfeife aus dem Mund, in seinen Augen blitzte ein Lächeln auf.

»Es hat mir viel Spaß gemacht, es zu malen.«

»Warum haben Sie es ihm geschenkt?«

»Ich hatte es beendet. Es hatte keinen Sinn mehr für mich.«

»Wissen Sie, daß Stroeve es beinahe vernichtet hat?«

»Es hat mich immerhin nicht ganz befriedigt.«

Er schwieg eine Weile, dann nahm er wieder die Pfeife aus dem Mund und schmunzelte.

»Wissen Sie, daß der kleine Mann mich aufgesucht hat?«

»Fanden Sie sein Angebot nicht rührend?«

»O nein. Ich fand es sogar verdammt dumm und sentimental.«

»Es scheint Ihrem Gedächtnis entschwunden zu sein, daß Sie es waren, der sein Leben zerstört hat«, bemerkte ich schroff.

Er rieb sich nachdenklich das bärtige Kinn.

»Er ist ein sehr schlechter Maler«, sagte er schließlich.

»Aber ein sehr guter Mensch.«

»Und ein ausgezeichneter Koch«, fügte Strickland spöttisch hinzu.

In meiner Entrüstung über seine unmenschliche Gefühlslosigkeit war ich nicht geneigt, meine Worte behutsam zu wählen.

»Wissen Sie«, sagte ich schroff, »es würde mich aus purer Neugier interessieren, zu erfahren, ob Sie wegen des Todes von Blanche Stroeve die geringsten Gewissensbisse empfinden.«

Ich suchte auf seinem Gesicht nach einer Veränderung des Ausdrucks, aber es blieb völlig ungerührt.

»Weshalb sollte ich?« fragte er.

»Lassen Sie mich Ihnen die Tatsachen in Erinnerung bringen. Sie waren sterbenskrank, und Dirk Stroeve nahm Sie in seine Wohnung auf. Er pflegte Sie wie eine Mutter, opferte für Sie seine Zeit, seine Bequemlichkeit, sein Geld und entriß Sie den Klauen des Todes.«

Strickland zuckte die Achseln.

»Den abgeschmackten kleinen Burschen freut es, etwas für andere zu tun. Das ist nun mal sein Leben.«

»Nehmen wir an, daß Sie ihm keinen Dank schuldeten — mußten Sie sich aber auch noch so weit versteigen, ihm seine Frau zu rauben? Bis zu dem Augenblick, da Sie auf der Bildfläche erschienen, waren die beiden glücklich. Warum konnten Sie sie nicht in Frieden lassen?«

»Was veranlaßt Sie zu der Meinung, daß die beiden glücklich waren?«

»Das war doch sonnenklar.«

»Sie sind ein scharfsinniger Mensch. Glauben Sie denn, daß sie ihm jemals verzeihen konnte, was er für sie getan hat?«

»Was meinen Sie damit?«

»Wissen Sie denn nicht, warum er sie geheiratet hat?«

Ich schüttelte den Kopf.

»Sie war Gouvernante in der Familie eines römischen Fürsten, und der Sohn des Hauses verführte sie. Sie hoffte, daß er sie heiraten würde, statt dessen wurde sie schnöde vor die Tür gesetzt. Blanche war schwanger und machte einen Selbstmordversuch. Stroeve fand sie und nahm sie zur Frau.«

»Das sieht ihm ähnlich. Kein Mensch hat ein so mitleidiges Herz wie er.«

Ich hatte mir oft die Frage gestellt, wie es kam, daß diese beiden so grundverschiedenen Menschen einander geheiratet hatten, doch diese Erklärung war mir nie in den Sinn gekommen. Aber gerade darin war vielleicht die Ursache für die Besonderheit der Liebe Dirks zu seiner Frau zu suchen, die meiner Ansicht nach nicht nur leidenschaftlicher Natur war. Ich erinnerte mich auch, daß ich unter ihrer Reserviertheit immer etwas, was sie versteckte, zu spüren glaubte; jetzt aber sah ich in dieser Zurückhaltung mehr als den bloßen Wunsch, ein schändliches Geheimnis zu verbergen. Ihre Ruhe war wie die unheimliche Stille, die über einem Eiland brütet, über das ein Orkan hingebraust ist. Ihre Fröhlichkeit war die der Verzweiflung. Strickland unterbrach meinen Gedankengang durch eine Bemerkung, deren abgründiger Zynismus mich entsetzte.

»Eine Frau kann einem Mann das Leid, das er ihr angetan hat, verzeihen«, sagte er, »aber sie kann ihm nie die Opfer verzeihen, die er für sie gebracht hat.«

»Es muß für Sie ein beruhigendes Gefühl sein, daß Sie nie Gefahr laufen, das Ressentiment der Frauen zu erregen, mit denen Sie in Berührung kommen«, bemerkte ich darauf satirisch.

Ein leises Lächeln zeigte sich auf seinen Lippen.

»Sie sind immer bereit, für eine schlagfertige Antwort Ihre Grundsätze zu opfern«, sagte er.

»Und was geschah mit dem Kind?«

»Es war eine Totgeburt. Drei oder vier Monate später heirateten die beiden.«

Nun kam ich zu dem Punkt, der mir am rätselhaftesten schien.

»Können Sie mir sagen, wie Sie überhaupt darauf verfielen, sich mit Blanche Stroeve einzulassen?«

Er zögerte so lange mit der Antwort, daß ich meine Frage beinahe wiederholt hätte.

»Wie soll ich das wissen?« sagte er endlich. »Sie konnte meinen Anblick nicht ertragen. Das machte mir Spaß.«

»Soso.« — Er fuhr plötzlich wütend auf:

»Verdammt noch mal, ich wollte sie.«

Aber gleich darauf beruhigte er sich wieder und blickte mich lächelnd an.

»Anfangs war sie entsetzt.«

»Haben Sie ihr gesagt, daß Sie sie begehren?«

»Das war nicht nötig. Sie wußte es. Ich sagte kein Wort. Sie fürchtete sich vor mir. Schließlich nahm ich sie.«

Ich vermag nicht zu sagen, warum mir diese Worte die außerordentliche Wildheit seines Begehrens vermittelten. Es war ein bestürzender, fast grauenhafter Eindruck. Sein Leben war den materiellen Dingen seltsam abgewandt, und zuzeiten nahm sein Körper gleichsam fürchterliche Revanche an seiner Seele. Der Satyr in ihm bemächtigte sich seiner ganz und gar, und er befand sich willenlos in der Gewalt eines Triebes, der in seiner Stärke an die Urkräfte der Natur gemahnte. Es war wie eine Besessenheit, die keinen Raum für Besinnung oder Dankbarkeit ließ.

»Aber warum wollten Sie, daß sie mit Ihnen fortgehe?« fragte ich.

»Das wollte ich ja gar nicht«, sagte er und runzelte die Stirn. »Als sie erklärte, sie ginge mit mir, war ich fast ebenso überrascht wie Stroeve. Ich sagte ihr, daß ich sie wegschicken würde, wenn ich genug von ihr hätte. Sie war bereit, dieses Risiko auf sich zu nehmen.« Er schwieg einen Augenblick. »Sie hatte einen wunderschönen Körper, und ich wollte einen Akt malen. Als ich das Bild beendet hatte, verlor ich das Interesse an ihr.«

»Und Blanche hat Sie von ganzer Seele geliebt.«

Er sprang auf und durchmaß mit großen Schritten das kleine Zimmer.

»Ich habe keine Verwendung für Liebe. Mir fehlt dafür die Zeit. Liebe ist Schwäche. Ich bin ein Mann und brauche ab und zu ein Weib. Wenn ich meinen Durst gestillt habe, kann ich wieder anderes tun. Ich bin nicht imstande, meinen Trieb zu überwinden, aber ich hasse ihn. Er bedeutet eine Fessel für meinen Geist. Ich sehe voll Hoffnung der Zeit entgegen, wo ich, von jedem Begehren befreit, mich ohne Hemmung ganz meinem Werke hingeben kann. Weil die Weiber nichts können als lieben, messen sie der Liebe eine lächerliche Wichtigkeit bei. Sie wollen uns weismachen, daß Liebe Leben ist. Sie ist nur ein belangloser Teil des Lebens. Ich kenne die Wollust; sie ist normal und gesund. Liebe ist eine Krankheit. Weiber sind die Werkzeuge meiner Lust; ihr Anspruch, Helferinnen, Kameradinnen und Lebensgefährtinnen zu sein, ist mir widerwärtig.«

Ich hatte Strickland noch nie so viel auf einmal reden hören. Er sprach voll Leidenschaft und Entrüstung. Doch kann ich weder hier noch an anderen Stellen Anspruch auf eine genaue Wiedergabe seiner Worte erheben: sein Wortvorrat war dürftig, und er besaß nicht die Gabe, wohlgefügte Sätze zu bauen, so daß man seine Meinung aus Ausrufen, Gebärden, dem Ausdruck seines Gesichts und banalen Redensarten zusammenflicken mußte.

»Sie hätten zu der Zeit leben müssen, wo die Frauen eine Ware und die Männer Sklavenhalter waren«, sagte ich.

»Ich bin nun eben ein völlig normaler Mann.«

Ich konnte nicht umhin, über diese im vollen Ernst vorgebrachte Behauptung zu lachen. Indessen fuhr er fort, wie ein wildes Tier im Käfig, im Zimmer auf und ab zu rennen, bemüht, mir seine Ansicht klarzumachen, und doch ständig mit der Schwierigkeit des Ausdrucks kämpfend.

»Wenn eine Frau uns liebt, so läßt sie nicht eher locker, als bis sie sich unserer Seele bemächtigt hat. Weil sie schwach ist, wird sie von einer rasenden Herrschsucht besessen und will sich nicht mit weniger zufrieden geben. Sie hat einen beschränkten Geist und empfindet deshalb einen Groll gegen das Höhere, das sie nicht begreifen kann. Sie beschäftigt sich nur mit materiellen Dingen und ist eifersüchtig auf das Ideal. Die Seele des Mannes wandert durch die höchsten Regionen des Universums, und das Weib möchte sie einfangen in den engen Kreis ihres Haushaltungsbuches. Erinnern Sie sich an meine Frau? Ich merkte, wie Blanche, genau wie sie, alle die kleinen Kniffe anwendete. Mit zäher Geduld suchte sie mich zu ködern und zu binden. Sie wollte mich auf ihr Niveau herabdrücken; im Grunde machte sie sich nichts aus mir, aber ich sollte ihr Besitztum sein. Sie war bereit, für mich alles in der Welt zu tun, außer dem einen, mich in Ruhe zu lassen.«

»Was glaubten Sie, daß sie anfangen würde, als Sie sie verließen?«

»Sie hätte zu Stroeve zurückkehren können«, versetzte er ärgerlich. »Er war bereit, sie wieder aufzunehmen.«

»Sie sind ein Unmensch«, sagte ich. »Mit Ihnen über solche Dinge zu reden, ist ebenso sinnlos, als wollte man einem Blindgeborenen Farben beschreiben.«

Er blieb vor meinem Stuhle stehen und blickte mit einem Ausdruck verächtlichen Staunens auf mich herab.

»Macht es Ihnen wirklich auch nur das geringste aus, ob Blanche Stroeve lebt oder tot ist?«

Ich dachte über die Frage nach, denn ich wollte sie nach bestem Gewissen beantworten.

»Es mag herzlos von mir sein, wenn ich gestehe, daß mir persönlich ihr Tod im Grunde wenig bedeutet. Es lag noch viel Schönes vor ihr. Ich finde es entsetzlich, daß sie ihr Leben auf so grausame Weise verlieren mußte, und schäme mich, daß es mich so wenig berührt.«

»Sie haben nicht den Mut Ihrer Überzeugung. Das Leben an sich hat keinen Wert. Blanche Stroeve beging nicht Selbstmord, weil ich sie verließ, sondern weil sie ein törichtes Geschöpf ohne seelisches Gleichgewicht war. Aber wir haben reichlich genug von ihr gesprochen; sie war eine ganz und gar belanglose Person. Kommen Sie, ich werde Ihnen meine Bilder zeigen!«

Er sprach zu mir wie zu einem Kind, das auf andere Gedanken gebracht werden soll. Ich war ärgerlich, aber nicht so sehr auf ihn als auf mich selbst. Ich dachte an das glückliche Dasein zurück, das dem Paar, Stroeve und seiner Gattin, in dem traulichen Atelier am Montmartre beschieden gewesen war, dachte an der beiden Schlichtheit, Güte und Gastfreundlichkeit. Wie grausam, daß ein unbarmherziges Verhängnis dieses Zusammenleben in Scherben zerschlagen hatte! Aber das Grausamste war, daß dieses Geschehen in der Tat nichts Wesentliches änderte. Die Welt ging weiter, und niemand war durch all das Unglück auch nur im geringsten schlimmer dran. Ich stellte mir vor, daß Stroeve, ein

Mensch, dessen unmittelbare Regungen wohl stark waren, aber wenig Tiefgang hatten, bald vergessen würde; und Blanches Leben, begonnen mit wer weiß was für Hoffnungen und Träumen, war, als wäre es nie gewesen. Es schien alles so sinnlos und nichtig.

Strickland nahm seinen Hut, schaute mich an und sagte: »Kommen Sie mit?«

»Warum suchen Sie meinen Umgang?« fragte ich. »Sie wissen doch, daß ich Sie hasse und verachte.«

Er lachte gutgelaunt.

»Sie ärgern sich nur über mich, weil ich mich nicht einen Deut darum schere, was Sie über mich denken.«

Ein plötzlicher Zorn ergriff mich, ich fühlte, wie mir das Blut ins Gesicht stieg. Es war unmöglich, ihm beizubringen, daß man seine gefühllose Selbstsucht empörend fand. Ich wünschte sehnlichst, den Panzer seiner Gleichgültigkeit zu durchstoßen. Dabei wußte ich im Grunde, daß in dem, was er sagte, etwas Wahres war. Vielleicht schätzen wir, ohne es uns einzugestehen, die Macht, die wir über andere haben, nach dem Gewicht ein, das sie unserer Meinung über sie beilegen, und hassen darum jene, auf die wir einen solchen Einfluß nicht ausüben können. Aber ich wollte ihn nicht merken lassen, daß ich verstimmt war.

»Ist es einem Menschen überhaupt möglich, seine Mitmenschen gänzlich außer acht zu lassen?« Die Frage galt fast mehr mir selbst als ihm. »Unser Dasein ist doch von den andern in tausenderlei Beziehungen abhängig. Und der Versuch, ganz allein und ausschließlich aus eigener Kraft sein Leben zu gestalten, wäre purer Wahnsinn. Früher oder später werden Sie krank, müde und alt sein und reuig zur

Herde zurückkriechen. Werden Sie nicht Scham empfinden, wenn dann Ihr Herz nach Trost und Mitgefühl verlangt? Sie versuchen das Unmögliche. Eines Tages wird das Menschenkind in Ihnen sich nach den gemeinsamen Bindungen des Menschseins sehnen.«

»Kommen Sie und schauen Sie sich meine Bilder an!«

»Denken Sie manchmal an den Tod?«

»Warum sollte ich? Kommt nicht in Betracht.«

Ich starrte ihn an. Reglos, mit einem belustigten Lächeln in den Augen stand er vor mir; doch trotz alledem stieg in mir plötzlich die Vorstellung eines sich abmühenden Feuergeistes auf, der Größeres anstrebte, als die an das Fleisch gebundenen Wesen zu fassen vermochten. Flüchtig und blitzgleich hatte ich die Vision der Jagd nach dem Unsäglichen. Ich sah den Mann vor mir in seinem schäbigen Anzug, mit seiner großen Nase und den glänzenden Augen, mit seinem roten Bart und dem zerzausten Haar; und ich hatte die seltsame Empfindung, daß es sich bloß um eine Hülle handle, und daß ich einem körperlosen Geist gegenüberstände.

»Gehen wir, ich will mir Ihre Bilder ansehen«, sagte ich.

Einundvierzigstes Kapitel

Welchem Umstand hatte ich Stricklands plötzliches Angebot, mir seine Bilder zu zeigen, zu verdanken? Ich wußte es nicht. Aber ich begrüßte begierig die Gelegenheit. Das Werk eines Mannes enthüllt ihn. Im gesellschaftlichen Verkehr gibt er lediglich die Oberfläche, die er der Welt zuzukehren wünscht, und erst durch Schlüsse aus seinen kleinen, unbewußten Handlungen und seinem Mienenspiel, wenn er sich unbeobachtet glaubt, läßt sich mehr von seinem wirklichen Wesen erkennen. Zuweilen gelingt es Menschen, die Maske, die sie angenommen haben, dermaßen zu vervollkommnen, daß sie sich nach einiger Zeit in die Person, die zu sein sie scheinen, tatsächlich verwandeln. Aber in seinem Buche oder seinem Bilde liefert sich der Mensch, so wie er ist, wehrlos aus. Seine Anmaßung wird nur seine Leere aufzeigen. Die Pappe, die Stahl vorstellen soll, wird als gemeine Pappe erkannt. Durch kein Vorspiegeln von Originalität läßt sich ein banaler Geist verleugnen. Dem Spürsinn des scharfblickenden Beobachters verrät jedes Werk, das du hervorbringst, die tiefsten Geheimnisse deiner Seele.

Während ich in dem Hause, in dem Strickland wohnte, die nicht endenwollende Treppe hinaufstieg, war ich, wie ich gestehen muß, nicht wenig erregt. Ich kam mir wie an der Schwelle eines überraschenden Abenteuers vor. Neugierig sah ich mich im Zimmer um. Es war noch enger und kahler, als ich es in Erinnerung hatte. Was würden wohl jene meiner Bekannten sagen, die beteuerten, daß sie nur in geräumigen Ateliers arbeiten könnten?

»Sie stellen sich am besten dorthin«, sagte er, mit dem Finger auf eine Stelle zeigend, die seiner Meinung nach die günstigste Distanz zum Betrachten seiner Bilder bot.

»Ich brauche doch nichts zu sagen?« fragte ich.

»Nein, hol Sie der Teufel, Sie sollen nur den Mund halten.«

Er stellte ein Bild auf die Staffelei, ließ es mich ein oder zwei Minuten lang betrachten, nahm es dann weg und stellte ein anderes hin. Auf diese Weise zeigte er mir ungefähr dreißig Bilder. Das war das Ergebnis von sechs Jahren seines Schaffens. Er hatte nie etwas verkauft. Die Bilder waren verschieden groß. Die kleineren stellten Stilleben und die ganz großen Landschaften dar. Es gab auch ein halbes Dutzend Porträts.

»So, das wäre alles«, sagte er schließlich.

Ich wünschte, ich könnte hier versichern, daß ich sofort ihre Schönheit und ihre große Originalität erkannte. Heute, wo ich viele von ihnen wiedergesehen habe und die übrigen mir durch Reproduktionen vertraut sind, wundere ich mich darüber, daß ich bei ihrem ersten Anblick nur bittere Enttäuschung empfand. Ich fühlte nichts von jenem eigentümlichen Schauer, den ein Kunstwerk in uns zu erregen vermag. Stricklands Malerei brachte mich aus der Fassung, und ich muß gestehen und werde es mir immer vorwerfen, daß ich nicht einen Augenblick lang daran dachte, eines der Bilder zu kaufen. Dadurch habe ich eine unerhörte Gelegenheit verpaßt. Die meisten dieser Gemälde sind inzwischen in Museen gelandet, und der Rest ist der hochgeschätzte Besitz reicher Kunstfreunde. Ich suche nach Entschuldigungsgründen für mein Versagen. Mein Geschmack ist, wie ich glaube, gut, aber — dessen bin ich mir bewußt — keineswegs originell. Ich verstehe sehr wenig vom Malen und wandere auf den Pfaden, die andere vor mir gebahnt haben. Damals war ich ein großer Bewunderer der Impressionisten. Ich wünschte sehnlichst, einen Sisley und einen Degas zu besitzen, und verehrte glühend Manet. Seine »Olympia« erschien mir als das bedeutendste Werk der neueren Zeiten und *»Le Déjeuner sur l' Herbe«* ergriff mich tief. Diese Werke waren für mich das letzte Wort der Malerei.

Ich habe nicht die Absicht, hier die Bilder zu beschreiben, die mir Strickland zeigte. Beschreibungen von Bildern sind immer langweilig, zudem sind gerade diese allen, die sich für bildende Kunst interessieren, vertraut. Heute, da Stricklands Werk die moderne Malerei so mächtig beeinflußt hat und andere das Gebiet, das er als einer der ersten betrat, beackert haben, stände der Laie dem Anblick seiner Bilder nicht so unvorbereitet gegenüber. Es ist auch zu bedenken, daß ich nie vorher etwas Derartiges gesehen hatte. Zunächst verblüffte mich, was mir als Unbeholfenheit seiner Technik erschien. Gewöhnt an die Zeichenkunst der alten Meister und überzeugt von Ingres' Unübertrefflichkeit in der neueren Zeit, hatte ich den Eindruck, daß Strickland sehr schlecht zeichnete. Von der Vereinfachung, die er anstrebte, begriff ich nichts. Ich entsinne mich eines Stillebens, das Orangen auf einem Teller zeigte: es ärgerte mich, weil der Teller nicht rund war und die Früchte mir verzerrt erschienen. Die Porträts waren überlebensgroß, wodurch sie unangenehm, ja in meinen Augen karikaturistisch wirkten. Sie waren in einer Weise gemalt, die mir völlig neu war. Die Landschaften befremdeten mich noch mehr. Es gab ein paar Ansichten aus dem Wald von Fontainebleau, auch mehrere Bilder von Straßen in Paris. Mein erster Eindruck war: das könnte von einem betrunkenen Droschkenkutscher gemalt sein. Ich war wie vor den Kopf geschlagen. Die Farben kamen mir außerordentlich roh vor. Es ging mir durch den Sinn, ob das Ganze nicht eine erstaunliche, unverständliche Mystifikation sei. Heute in der Rückerinnerung bewundere ich mehr denn je Stroeves Scharfblick. Er sah von Anfang an, daß hier eine Revolution der Kunst im Gange war, und prophezeite den

Aufstieg eines Genies, das gegenwärtig die ganze Welt anerkennt.

Aber wenn ich mich auch vor diesen Bildern verblüfft und
fassungslos fühlte, so ließen sie mich doch nicht gleichgültig.
Trotz meiner kolossalen Ignoranz konnte ich nicht umhin,
zu spüren, daß hier, nach Ausdruck ringend, eine ursprüng-
liche Kraft am Werke war. Ich war erregt und lebhaft interessiert. Ich fühlte, daß diese Malerei mir etwas von unge-
heurer Wichtigkeit zu sagen hatte, doch ich wußte nicht,
was. Die Bilder kamen mir häßlich vor, aber zugleich wiesen
sie, ohne es zu enthüllen, auf ein Geheimnis von großer Bedeutung hin. Sie hatten etwas seltsam Quälerisches, vermittelten mir eine Empfindung, die ich nicht analysieren
konnte, verkündeten etwas, das nicht in Worte zu fassen
war. Ich stellte mir vor, daß Strickland in den materiellen
Dingen ein spirituelles Leben aufdämmerte, so seltsam, daß
er es nur mit unzureichenden Symbolen anzudeuten vermochte. Er hatte gleichsam im Chaos der Welt neue Gesetz-
mäßigkeiten entdeckt und versuchte nun unbeholfen und in
der Qual seiner Seele, sie als Maler auf die Leinwand zu
bannen. Ich sah einen Geist vor mir, der krampfhaft nach
der Erlösung durch den Ausdruck strebte.

Ich wandte mich ihm zu:

»Ich frage mich, ob Sie sich nicht im Mittel vergriffen
haben«, sagte ich.

»Was, zum Teufel noch einmal, meinen Sie eigentlich
damit?«

»Es scheint mir, daß Sie sich bemühen, etwas zu sagen,
obwohl ich nicht weiß, was es ist; aber ich bin nicht sicher,
ob der beste Weg, es auszudrücken, gerade die Malerei ist.«

Wenn ich mir eingebildet hatte, ich würde durch die Betrachtung seiner Gemälde einen Schlüssel zum Verständnis seines sonderbaren Charakters finden, so war ich im Irrtum. Diese Bilder steigerten nur meine Ratlosigkeit. Ich war mehr im ungewissen als je. Das einzige, das mir erwiesen schien — und vielleicht war auch das nur Phantasie —, war, daß er leidenschaftlich nach Befreiung von einer Gewalt strebte, die ihn in ihren Krallen hielt. Jeder von uns ist auf der Welt allein. Er ist in einem ehernen Turm eingeschlossen und kann mit seinen Mitmenschen nur durch Zeichen verkehren. Diese Zeichen haben jedoch keine allen gemeinsame Bedeutung, und ihr Sinn ist vage und unbestimmt. Kläglich bemüht, versuchen wir, den andern die Reichtümer unseres Herzens mitzuteilen, aber sie haben nicht die Fähigkeit, sie anzunehmen; und so gehen wir einsam, Seite an Seite, doch nicht vereint, sind nicht imstande, unsere Mitmenschen zu kennen, und bleiben ungekannt von ihnen. Wir sind wie Menschen, die in einem Lande leben, dessen Sprache sie so wenig beherrschen, daß sie, trotz all der schönen und tiefsinnigen Dinge, die sie zu sagen hätten, zu den Banalitäten ihres kleinen Sprachführers verurteilt sind. Ihr Hirn brodelt von köstlichen Ideen, aber sie können einander nur mitteilen, daß der Sonnenschirm der Tante des Gärtners sich im Hause befindet.

Der endgültige Eindruck, den ich empfing, war der einer übermenschlichen Anstrengung, um einen Seelenzustand auszudrücken; und in dieser Anstrengung war, so dünkte mich, die Erklärung für all das zu suchen, was mich so außerordentlich verblüffte. Offensichtlich hatten Farben und Formen für Strickland eine Bedeutung, die nur sein seltsamer Geist kannte. Er stand vor der unerträglichen Nötigung, etwas, das er fühlte, zu vermitteln, und er warf in dieser Absicht Farben und Formen auf die Leinwand. Vor Vereinfachungen oder Verzerrungen schreckte er nicht zurück, wenn er glaubte, dadurch dem Unbekannten, das er suchte, näherzukommen. An der genauen Wiedergabe der Wirklichkeit war ihm nichts gelegen, denn er bemühte sich, unter der Masse belangloser Zufälligkeiten das für ihn Bedeutsame herauszuheben. Es war, als hätte er die Seele des Weltalls wahrgenommen und würde getrieben, sie auszudrücken. Obwohl mich diese Bilder verwirrten und befremdeten, wurde ich doch von der Gefühlsglut, die in ihnen aufleuchtete, ergriffen; und ich weiß nicht warum, mich überkam eine Regung, die ich bei mir gerade gegenüber Strickland am wenigsten erwartet hätte; ich empfand ein überwältigendes Mitleid mit ihm.

»Ich glaube jetzt zu wissen«, sagte ich, »warum Sie sich Ihrem Gefühl für Blanche Stroeve hingaben.«

»Warum?«

»Vielleicht war es ein Erlahmen Ihrer Spannkraft. Die Schwachheit Ihres Körpers teilte sich Ihrer Seele mit. Ich vermag nicht zu sagen, von welchem unendlichen Sehnen Sie besessen sind, so daß Sie zu einer gefährlichen und einsamen Suche nach einem Ziel getrieben werden, in dem Sie endlich Erlösung zu finden hoffen von dem Dämon, der Sie peinigt. Ich sehe Sie als einen ewigen Pilger nach einem Heiligtum, das vielleicht nicht existiert. Ich weiß nicht, welches unerforschliche Nirwana Sie erstreben. Wissen Sie selbst es? Vielleicht sind es die Wahrheit und die Freiheit, die Sie suchen, vielleicht vermeinten Sie einen Augenblick lang, Erlösung in der Liebe zu finden. Ihre ermüdete Seele suchte die Ruhe in den Armen eines Weibes, und als Sie die Ruhe darin nicht fanden, haßten Sie dieses Weib. Sie hatten kein Mitleid mit ihr, weil Sie kein Mitleid mit sich selbst haben. Und Sie haben sie aus Angst getötet, weil Sie vor der Gefahr, der Sie kaum entronnen waren, noch zitterten.«

Er lächelte grimmig und zupfte an seinem Bart.

»Sie sind ein fürchterlich sentimentaler Bursche, mein armer Freund.«

Eine Woche später erfuhr ich zufällig, daß Strickland nach Marseille abgereist war. Ich habe ihn nie mehr im Leben wiedergesehen.

Zweiundvierzigstes Kapitel

Zurückblickend erkenne ich, daß das, was ich über Charles Strickland geschrieben habe, sehr unbefriedigend wirken muß. Ich habe einzelne Ereignisse aufgezeichnet, von denen ich erfuhr, aber sie bleiben unverständlich, weil ich die Ursachen, die zu ihnen geführt haben, nicht kenne. Das sonderbarste dieser Ereignisse — Stricklands Entschluß, Maler zu werden — scheint völlig unerklärlich, und obwohl es in den Umständen seines Lebens begründet sein muß, entgehen diese doch meiner Kenntnis. Aus dem Gespräch mit ihm konnte ich nichts erkunden. Wenn ich, statt die mir bekannten Tatsachen über eine merkwürdige Persönlichkeit zu berichten, einen Roman schriebe, würde ich so manches erfunden haben, das geeignet wäre, diese Wandlung zu erklären. Ich hätte zum Beispiel eine starke Neigung zur künstlerischen Laufbahn bei dem Knaben gezeigt, die durch den Willen des Vaters unterdrückt oder der Notwendigkeit, das tägliche Brot zu verdienen, geopfert wurde. Ich hätte ihn unter der Enge des Alltags leiden lassen, den Kampf zwischen seiner Leidenschaft für die Kunst und den Pflichten des Geschäfts geschildert und so vielleicht einige Sympathie für ihn erweckt. Er wäre auf diese Weise eine einnehmendere Figur geworden. Vielleicht wäre es möglich gewesen, in ihm einen neuen Prometheus zu sehen. Hier bot sich die günstige Gelegenheit für eine moderne Auffassung des Heros, der sich zum Heile der Menschheit den Qualen der Verdammten aussetzt. So etwas ist immer ein ergreifendes Thema.

Oder ich hätte versuchen können, Gründe für sein Verhalten in dem Einfluß seines Ehelebens aufzustöbern. Es gab ein Dutzend Möglichkeiten, dies zu bewerkstelligen. Eine latente Begabung konnte sich durch den Umgang mit den Malern und Schriftstellern, die seine Frau ins Haus lud, offenbaren; oder eheliche Zwistigkeiten verwiesen ihn auf sich selbst, und eine Liebe fachte das Feuer, das ich vorher als glimmenden Funken in seinem Herzen zu zeigen hatte, zu lichterloher Flamme an. In diesem Falle hätte ich Mrs. Strickland ganz anders schildern müssen. Von den Tatsachen abweichend, hätte ich aus ihr eine keifende, lästige Frau gemacht, oder aber eine Bigotte, die keinerlei Sympathie für künstlerische Bestrebungen hat. Ich würde Stricklands Ehe als langes Martyrium dargestellt haben, aus dem es nur eine Rettung gab: die Flucht. Vermutlich hätte ich seine Geduld mit der unverträglichen Gefährtin besonders betont und das Erbarmen, das ihn zögern ließ, sich seines Joches zu entledigen, rühmend hervorgehoben. Die Kinder hätte ich sicher weggelassen.

Effektvoll wäre auch, ihn mit einem alten Maler in Berührung zu bringen, der durch den Zwang drückender Not oder aus dem Wunsche nach geschäftlichem Erfolg dem Genius seiner Jugend untreu geworden ist und nun, in Strickland die Gaben erkennend, die er selbst vergeudet hat, ihn anhält, allem zu entsagen und sich einzig der göttlichen Tyrannei der Kunst zu unterwerfen. Ich glaube, die Schilderung des erfolgreichen alten Mannes, der, reich und geehrt, in der Person eines andern das Leben lebt, das er, trotz besserer Einsicht, nicht die Kraft gehabt hat selber durchzuführen, würde ohne Zweifel eines gewissen ironischen Reizes nicht ganz entbehren.

Die Wirklichkeit ist weit weniger interessant. Strickland trat, frisch von der Schule gekommen, ohne die geringste Spur von Abneigung in das Büro eines Börsenmaklers ein. Bis zu seiner Verheiratung lebte er genauso wie seine Kollegen, spielte vorsichtig an der Börse und war bis zur Höhe von ein bis zwei Sovereign an dem Ausgang des Derby oder den sportlichen Veranstaltungen in Oxford und Cambridge interessiert. Vermutlich hat er in seiner Freizeit auch ein wenig das Boxen betrieben. Auf seinem Kaminsims standen die Fotografien von Mrs. Langtry und Mary Anderson. Er las den *»Punch«* und die *»Sporting Times«* und ging nach Hampstead tanzen.

Daß ich ihn für längere Zeit aus den Augen verlor, hat wenig zu sagen. Die Jahre, die er der Aufgabe widmete, sich in seiner schwierigen Kunst zu vervollkommnen, verliefen eintönig, und ich glaube nicht, daß die Mittel und Wege, zu denen er durch die Notwendigkeit, das tägliche Brot zu beschaffen, zu greifen gezwungen war, besondere Aufmerksamkeit verdienen. Ein Bericht darüber gliche den Berichten über Erlebnisse, über die auch andere ein Lied zu singen wissen. Seinen Charakter dürften sie kaum beeinflußt haben. Er sammelte damals Erfahrungen, die reiches Material für einen Vagabundenroman aus dem modernen Paris geboten hätten, aber er selbst distanzierte sich innerlich von diesen Dingen, und wenn ich aus meinen Gesprächen mit ihm schließen darf, hat in allen diesen Jahren ihn nichts wesentlich berührt. Vielleicht war er, als er nach Paris ging, bereits zu alt, um dem Zauber dieser Stadt zu verfallen. So seltsam es klingen mag: er kam mir immer nicht nur als ein praktischer, sondern als ein durchaus nüchtern denkender Mensch vor. Sein Leben während dieser Zeit mag wohl romanhaft gewesen sein, aber er selbst verspürte nichts davon. Ich glaube, daß man, um das Romanhafte des Lebens zu empfinden, etwas vom Schauspieler haben muß, der fähig ist, wie ein Außenstehender seine eigenen Handlungen mit einem Interesse zu beobachten, das abgelöst und doch zugleich sehr intensiv ist. Aber kein Mensch war geradliniger als Strickland, und ich habe nie jemanden gekannt, der hemmungsloser gewesen wäre. Leider bin ich nicht in der Lage, hier eine Beschreibung des kühnen und schwierigen Weges zu geben, auf dem er unbeirrt zur Meisterschaft schritt; denn wenn ich Strickland zeigen könnte, wie er, von keinem Mißlingen entmutigt, in unablässiger Bemühung die Verzweiflung von sich fernhielt und mit zäher Verbissenheit den Zweifel an sich selbst niederkämpfte, der des Künstlers schlimmster Feind ist, würde es mir vielleicht gelingen, für seine Persönlichkeit, die, wie ich nur allzugut weiß, jeden Charmes bar ist, eine gewisse Sympathie zu erwecken. Aber ich habe nichts, das ich hier geltend machen könnte.

Nie habe ich Strickland an der Arbeit gesehen, und ich kenne auch keinen andern, der sich dessen rühmen kann. Er behielt das Geheimnis seiner Kämpfe für sich. Wenn er in der Einsamkeit seines Ateliers verzweifelt mit dem Engel des Herrn rang, so gewährte er doch keiner Menschenseele Einblick in seine Qual.

Auch hinsichtlich seiner Beziehung zu Blanche Stroeve stehen mir zu meinem Verdruß nur wenig Bruchstücke zur Verfügung. Um meiner Erzählung einen logischen Zusammenhang zu verleihen, müßte ich die Entwicklung dieser tragischen Verbindung schildern können; aber ich weiß nichts von den drei Monaten ihres Zusammenlebens. Ich weiß nicht, wie sie sich vertrugen, oder wovon sie miteinander gesprochen haben. Schließlich besteht der Tag aus vierundzwanzig Stunden, und der Höhepunkt des Gefühls wird nur in seltenen Momenten erreicht. Ich kann mir nur vorstellen, wie sie die übrige Zeit verbrachten. Solange es hell war und Blanche nicht zu müde wurde, wird Strickland sie wohl gemalt haben. Sicher wurmte es sie, ihn so absorbiert von seiner Arbeit zu sehen. Als Geliebte existierte sie dann nicht für ihn, nur als Modell. Auch gab es lange Stunden, in denen die beiden nebeneinander schweigend dahinlebten. Das muß sie mit Angst erfüllt haben. Die Andeutung Stricklands, daß ihre Hingabe an ihn zugleich einen Triumph über Dirk Stroeve enthielt, der ihr (und weil er ihr) in höchster Not zu Hilfe gekommen war, öffnete den Ausblick in düstere Möglichkeiten. Ich hoffe, daß es nicht so war; es käme mir grauenhaft vor. Aber wer vermag die Tiefen des menschlichen Herzens auszuloten? Gewiß nicht jene, die von ihm nur ehrbare Regungen und normale Empfindungen erwarten. Als Blanche erkannte, daß Strickland, ungeachtet gewisser Augenblicke der Leidenschaft, ihr fernblieb, muß sie bittere Enttäuschung empfunden haben, und selbst in jenen seltenen Momenten wird ihr vermutlich klargeworden sein, daß sie für ihn kein Individuum, sondern ein Werkzeug seiner Lust war. Er war und blieb ein Fremder, und sie versuchte, ihn mit pathetischen Künsten an sich zu binden. Sie wollte ihn mit seinen Lieblingsspeisen verführen und merkte nicht, daß das Essen ihm gleichgültig war. Sie hatte nicht den Mut, ihn sich selbst zu überlassen, verfolgte ihn mit ihren Aufmerksamkeiten, und suchte seine Leidenschaft, wenn sie erloschen schien, wieder aufzupeitschen, denn dann wenigstens konnte sie sich der Illusion hingeben, ihn zu besitzen. Vielleicht sah sie, klug wie sie war, ein, daß die Ketten, die sie schmiedete, nur seinen Zerstörungstrieb reizten, so wie es einen beim Anblick einer Spiegelscheibe in den Fingern juckt, einen Stein hineinzuwerfen. Aber ihr Herz, den Vernunftgründen unzugänglich, ließ sie auf einem Wege weiterschreiten, von dem sie wußte, daß er verhängnisvoll war. Sie muß sehr unglücklich gewesen sein. Aber die Verblendung der Liebe verleitete sie, zu glauben, was sie wünschte; und ihre Liebe war so mächtig, daß es ihr in dem Bestreben, ihren Wunschtraum zu verwirklichen, unmöglich schien, nicht eine Erwiderung von gleicher Kraft in ihm zu wecken.

Aber meine Analyse von Stricklands Charakter leidet an einem noch schwereren Mangel, als es die bloße Unkenntnis vieler Tatsachen ist. Weil sie sich der Aufmerksamkeit aufdrängen, habe ich hier von seinen Beziehungen zu Frauen berichtet, die doch in seinem Leben nur eine geringfügige Rolle spielten. Es wirkt wie eine Ironie des Schicksals, daß diese für ihn belanglose Beziehungen so tragisch in das Dasein anderer eingriffen. Sein wirkliches Leben bestand aus Träumen und aus furchtbar harter Arbeit.

Hierin liegt die Unwahrheit aller erfundenen Geschichten. Denn für Männer ist die Liebe in der Regel nur eine Episode, die sich in die andern Begebenheiten des Tages einfügt, und die Betonung, die man ihr in Romanen gibt, verleiht ihr eine Wichtigkeit, die sie im Leben nicht hat. Es gibt nur wenige Männer, für die die Liebe das Höchste in der Welt ist, und diese sind gewiß nicht die interessantesten; sogar die Frauen, denen sie alles bedeutet, empfinden eine gewisse Verachtung für diese Männer. Sie fühlen sich durch sie geschmeichelt und gekitzelt, haben aber dabei doch die peinliche Empfindung, daß sie klägliche Burschen sind. Doch selbst während der kurzen Zeitspanne, in der die Männer verliebt sind, beschäftigen sie sich mit andern Dingen, die ihren Geist ablenken: der Beruf, mit dem sie ihren Lebensunterhalt verdienen, fesselt ihre Aufmerksamkeit; manche treiben eifrig Sport; andere interessieren sich für die Kunst. In den meisten Fällen lassen sie sich in ihren verschiedenen Tätigkeiten auf den verschiedenen Gebieten nicht stören und können sich der einen widmen, ohne die andere ganz auszuschließen. Sie haben die Fähigkeit, sich auf das, was sie im Moment beschäftigt, scharf zu konzentrieren, und es verdrießt sie, wenn man mit etwas anderem dazwischentritt. Der Unterschied zwischen Männern und Frauen als Lieben-den besteht in der Hauptsache darin, daß die Frauen den ganzen Tag lang lieben können, aber die Männer nur mit-unter.

Bei Strickland nahm der sexuelle Trieb nur einen sehr ge-ringen Raum ein. Er fand ihn unwichtig und lästig. Seine Seele strebte anderswohin. Er kannte heftige Anfälle von Leidenschaft, und sein Körper wurde zuzeiten zu Orgien der Wollust getrieben, aber er haßte diese Instinkte, die ihn im Besitz seiner selbst schmälerten. Ich glaube sogar, daß er die unvermeidliche Gefährtin seiner Ausschweifungen haßte. Sobald er die Herrschaft über sich selbst zurückgewonnen hatte, ergriff ihn ein Schauder beim Anblick des Weibes, das er genossen. Seine Gedanken schwebten dann in heiteren Himmelssphären, und er empfand der Frau gegenüber den Abscheu, den vielleicht der bunte Schmetterling, der über den Blumen gaukelt, vor der Puppe empfindet, der er trium-phierend entschlüpft ist. Ich halte die Kunst für eine Äuße-rung des sexuellen Triebes. Das menschliche Herz erschauert in der gleichen Erregung beim Anblick einer lieblichen Frau, der Bucht von Neapel unter dem gelben Mond und der »Grablegung« von Tizian. Es ist möglich, daß Strickland die normale Befriedigung des Geschlechtstriebes haßte, weil sie ihm neben der Befreiung durch den künstlerischen Schöpfungsakt brutal erschien. Es mag seltsam klingen (so-gar für mich selbst), wenn ich, nachdem ich einen Mann als grausam, selbstsüchtig, brutal und sinnlich beschrieben habe, nun sage, daß er ein großer Idealist war. Aber die Tat-sache steht fest.

Er lebte armseliger als ein Handwerker und arbeitete schwerer. Er verschmähte die Dinge, mit denen die meisten Menschen ihr Leben erleichtern und verschönen. Er war dem Gelde gegenüber gleichgültig. Er fragte nicht nach Ruhm. Man kann ihn nicht deshalb loben, weil er der Versuchung widerstand, einen jener Kompromisse zu schließen, welche die Welt den meisten von uns aufzwingt. Für ihn gab es eine solche Versuchung nicht. Es wäre ihm nie in den Sinn gekommen, daß Kompromisse möglich seien. Er lebte in Paris einsamer als ein Anachoret in der Thebaischen Wüste. Das einzige, was er von seinen Mitmenschen verlangte, war, ihn in Ruhe zu lassen. Er ging geradewegs auf sein Ziel los und war in diesem Trachten bereit, nicht nur sich selbst zu opfern — das können viele —, sondern auch andere. Er hatte eine Vision.

Strickland war ein abscheulicher Bursche, aber ich glaube trotzdem, daß er ein großer Mann war.

Dreiundvierzigstes Kapitel

Man pflegt den Urteilen der Maler über die Kunst eine gewisse Wichtigkeit beizumessen. So seien denn hier Stricklands Ansichten über die großen Künstler der Vergangenheit verzeichnet. Freilich habe ich nur wenig der Erwähnung Wertes zu berichten. Strickland war kein gewandter Sprecher und besaß nicht die Fähigkeit, seinen Worten eine überraschende Prägung zu verleihen, die im Gedächtnis des Zuhörers haften bleibt. Er verfügte nicht über Esprit. Sein

Humor war — wie man gesehen haben wird, wenn es mir halbwegs gelungen sein sollte, die Art seines Gesprächs wiederzugeben — am ehesten sardonisch zu nennen. Seine Entgegnungen waren grob. Er brachte einen manchmal zum Lachen, weil er die Wahrheit sagte; aber das ist eine Art des Humors, die ihre Wirkung nur aus ihrer Ungewohntheit zieht; wäre sie allgemein üblich, so würde sie nicht mehr belustigen.

Strickland war, wenn ich so sagen darf, kein Mann von großer Intelligenz, und seine Ansichten über die Malerei unterschieden sich nicht von denen der meisten andern. Ich habe ihn nie von den Malern sprechen hören, deren Kunst eine gewisse Analogie mit der seinen hatte — von Cézanne oder van Gogh zum Beispiel; und ich bezweifle sehr, daß er jemals ihre Bilder gesehen hat. Die Impressionisten interessierten ihn nicht sonderlich. Er ließ sich zwar von ihrer Technik imponieren, fand aber, wie ich glaube, ihre Absichten banal. Als Stroeve lange Vorträge über die Herrlichkeit Monets hielt, sagte Strickland: »Ich ziehe Winterhalter vor.« Aber wahrscheinlich sagte er es bloß, um ihn vor den Kopf zu stoßen, und das gelang ihm auch.

Zu meiner Enttäuschung bin ich nicht in der Lage, hier von seinen extravaganten Ansichten über die alten Meister zu berichten. Das Bild seines absonderlichen Charakters ließe sich durch einige dem gesunden Menschenverstand ins Gesicht schlagende Bemerkungen passend ergänzen. Ich sehe zwar die Notwendigkeit ein, ihm phantastische Theorien über seine Vorgänger zuzuschreiben, muß aber zerknirscht erkennen, daß er über sie ungefähr ebenso dachte wie jedermann. Ich glaube nicht, daß er Greco kannte. Für

Velazquez empfand er eine große, aber mit Unwillen gemischte Bewunderung. Chardin entzückte ihn, und Rembrandt versetzte ihn in Ekstase. Den Eindruck, den Rembrandt auf ihn machte, beschrieb er mit einem drastischen Ausdruck, den ich hier nicht wiedergeben kann. Der einzige Maler, von dem man nicht erwartet hätte, daß er ihn so stark interessieren würde, war Breughel der Ältere. Ich wußte damals sehr wenig von ihm, und Strickland besaß nicht die Fähigkeit, sich auszudrücken. Ich habe einen seiner Aussprüche über ihn im Gedächtnis behalten, weil er so wenig besagte.

»Er ist schon recht«, hatte Strickland einfach geäußert. »Ich wette, daß ihm das Malen höllisch schwergefallen ist.«

Als ich später in Wien mehrere Gemälde von Pieter Breughel sah, glaubte ich die Anziehung, die er auf Strickland ausübte, zu begreifen. Auch hier war ein Mann mit einer nur ihm eigenen Vision der Welt. Ich machte mir damals, in der Absicht über ihn zu schreiben, zahlreiche Notizen, aber ich habe sie verloren, und es ist mir nichts geblieben als die Erinnerung an eine Impression. Breughel sah, wie mir scheinen möchte, seine Mitmenschen grotesk und nahm es ihnen übel, daß sie grotesk waren; das Leben war für ihn ein Wirrwarr von lächerlichem und niedrigem Zufallsgeschehen, so recht zum Begrinsen; und dennoch war er traurig, daß er grinsen mußte. Ich hatte von diesem Künstler den Eindruck, daß er in der Malerei Gefühle auszudrücken strebte, die sich zum Ausdruck in einer andern Kunst besser eigneten. Es ist möglich, daß das dumpfe Wissen um diese Tatsache Stricklands Sympathie weckte. Vielleicht versuchten beide Künstler, als Maler Ideen zu gestalten, die im Grunde literarisch waren.

Strickland muß um diese Zeit fast siebenundvierzig Jahre alt gewesen sein.

Vierundvierzigstes Kapitel

Ich habe schon früher gesagt, daß ich dieses Buch zweifellos nicht geschrieben haben würde, wenn ein Zufall mich nicht nach Tahiti geführt hätte. Dort war es, wo Charles Strickland nach vielen Wanderungen landete und wo er die Bilder malte, die seinen Ruhm am festesten begründet haben. Vermutlich ist es keinem Künstler vergönnt, den Traum, von dem er besessen ist, voll zu verwirklichen, und Strickland, der sich unablässig mit technischen Problemen herumschlug, mag es vielleicht noch weniger als andern gelungen sein, die Vision auszudrücken, die seinem geistigen Auge vorschwebte. Aber in Tahiti waren ihm die Umstände günstig. Er fand in diesem Milieu die natürlichen Gegebenheiten, die seine Inspiration befruchteten, und deshalb vermitteln seine späten Bilder zum mindesten eine Andeutung von dem, was er suchte. Sie bereichern die Einbildungskraft mit einem neuen und seltsamen Geschenk. Es ist, als hätte sein Geist, der bisher körperlos auf der Suche nach einer Hülle die Welt durchschweifte, endlich die Möglichkeit erspäht, sich in Fleisch und Blut zu kleiden. Um es ganz kurz mit einer alten abgestandenen Phrase auszudrücken: hier fand er sich selbst.

Man wird es für selbstverständlich halten, daß der Besuch auf dieser entlegenen Insel mein Interesse für Strickland sofort wieder wachrief; aber die Arbeit, die mich damals beschäftigte, schloß alles, was mit ihr nichts zu tun hatte, aus, so daß es etliche Tage dauerte, bis ich mich seiner Verknüpfung mit diesem Orte überhaupt entsann. Schließlich hatte ich ihn seit fünfzehn Jahren nicht gesehen, und er war seit neun Jahren tot. Aber ich glaube, daß das Erlebnis meiner Ankunft in Tahiti auch Angelegenheiten von unmittelbarer Dringlichkeit aus meinem Kopf weggeblasen haben würde; ja selbst nach einer Woche fiel es mir nicht leicht, meine Gedanken vernünftig zu ordnen.

Ich erinnere mich, wie ich am ersten Morgen frühzeitig aufwachte. Als ich auf die Terrasse des Hotels hinaustrat, rührte sich noch nichts. Ich begab mich zur Küche, aber sie war geschlossen, und draußen auf einer Bank schlief ein eingeborener Junge. Die Aussicht, in absehbarer Zeit ein Frühstück zu bekommen, schien gering, und so schlenderte ich zum Strand hinunter. Die Chinesen standen schon in ihren Läden. Der Himmel hatte noch die Blässe der Morgendämmerung, und über der Lagune lag ein geisterhaftes Schweigen. In einer Entfernung von zehn Meilen hütete die Insel Morea, gleich einer heiligen Gralsburg, ihre Geheimnisse.

Ich traute kaum meinen Augen. Seit meiner Abreise von Wellington hatten alle Tage ein sonderbares und ungewöhnliches Gesicht. Wellington ist ordentlich, sauber und englisch; es erinnert an einen Hafen der englischen Südküste. Während der drei folgenden Tage herrschte stürmisches Wetter. Graue Wolken hetzten über dem Meere hintereinander her. Dann flaute der Wind ab, und die See war still und blau. Der Pazifik wirkt einsamer als andere Meere; seine Weiten scheinen ausgedehnter, und die gewöhnlichste Reise auf ihm hat etwas vom Abenteuer. Die Luft, die man atmet, ist wie ein balsamischer Trank, der einen auf das Unverhoffte vorbereitet. Nichts auf der Welt vermag den Menschen dem begnadeten Erlebnis der goldenen Reiche der Phantasie näherzubringen als die Fahrt nach Tahiti. Schon kommt Morea, die Schwesterinsel, mit ihrer felsigen Pracht in Sicht, geheimnisvoll aus dem einsamen Meer aufragend wie ein aus unirdischer Substanz gebildeter Zauberstab. Mit ihrem zackigen Umriß ist sie der Montserrat des Pazifischen Ozeans, und man könnte sich vorstellen, daß dort oben polynesische Ritter mit seltsamen Kulten Mysterien feiern, die zu kennen dem Profanen verboten ist. Die Schönheit des Eilands entschleiert sich, sobald aus geringerer Entfernung die anmutigen Gipfel deutliche Gestalt annehmen, und dennoch wahrt es, als wir vorüberfahren, sein Geheimnis, ja scheint sich dunkel und unverletzlich zusammenzufalten, ein steiniges, unzugängliches Schrecknis. Man wäre nicht überrascht, wenn die Insel beim Näherkommen und Suchen nach einer Einfahrt im Korallenriff plötzlich verschwände und nichts dem Blicke sich böte als die blaue Leere des Ozeans.

Tahiti ist eine hohe, grüne Insel mit tiefen Falten von satterem Grün, in denen man stille Täler errät. Geheimnis webt in diesen dunklen Tiefen, durch welche kühle Bäche rauschen und plätschern; man fühlt, daß in diesen schattigen Bereichen seit unvordenklichen Zeiten das Leben auf urtümliche Weise geführt wurde. Aber auch hier ist etwas Trauriges und Furchtbares. Doch dieser letzte Eindruck verfliegt ganz schnell und trägt nur dazu bei, den Genuß des Augenblicks zu würzen. Es ist wie die Trauer, die man zuweilen in den Augen eines Spaßmachers sieht, wenn eine lustige Gesellschaft seine Witze belacht; seine Lippen lächeln, seine Possen werden noch ausgelassener, weil er sich inmitten des allgemeinen Gelächters noch unerträglicher einsam fühlt. Denn Tahiti ist Lächeln und Freundlichkeit, es ist wie eine schöne Frau, die anmutig ihren Charme und ihre Schönheit verschenkt; und nichts kann umschmeichelnder sein als die Einfahrt in den Hafen von Papeete. Die an dem Hafendamm vertäuten Zweimaster sind sauber und ordentlich, die kleine Stadt, die sich an der Bucht hinzieht, ist weiß und gepflegt. Und die scharlachroten Flamboyantbäume werfen ihre Farbe wie einen Schrei der Leidenschaft gegen den blauen Himmel. Sie wirken mit einer schamlosen Heftigkeit sinnlich, die uns den Atem stocken läßt. Und die Menge, die sich beim Anlegen des Dampfers auf dem Kai drängt, ist fröhlich und gutmütig, ein munter gestikulierendes Volk, ein Meer von braunen Gesichtern. Man hat den Eindruck eines farbigen Wellenspiels gegen das flammende Blau des Himmels. Alles erfolgt mit großer Geschäftigkeit: das Ausladen des Gepäcks, die Revision durch die Zollbeamten; und jeder lächelt uns zu. Es ist sehr heiß. Man ist vom Farbengeflimmer fast blind.

Fünfundvierzigstes Kapitel

Bald nach meiner Ankunft in Tahiti erhielt ich den Besuch von Captain Nichols. Er kam eines Morgens, als ich auf der

Terrasse des Hotels beim Frühstück saß, und stellte sich selbst vor. Er hatte gehört, daß ich mich für Charles Strickland interessiere, und kündigte mir an, er sei gekommen, um mit mir über ihn zu plaudern. In Tahiti ist man genauso auf Klatsch erpicht wie in einem englischen Dorf, und daß ich mich ein paarmal nach Bildern von Strickland erkundigt hatte, wußte man bereits im ganzen Ort. Ich fragte meinen Besucher, ob er schon gefrühstückt habe.

»Ja, ich nehme meinen Kaffee sehr früh«, antwortete er, »aber ich hätte bestimmt nichts gegen einen Tropfen Whisky.«

Ich rief den chinesischen Boy.

»Finden Sie nicht, daß es für Whisky etwas zu früh ist?« fragte der Captain.

»Das müssen Sie zwischen sich und Ihrer Leber ausmachen«, erwiderte ich.

»Ich bin eigentlich Abstinenzler«, erklärte er und goß sich ein gutes halbes Glas voll »Canadian Club« ein.

Beim Lächeln zeigte er bräunliche Zahnstummeln. Er war ein ungefähr mittelgroßer, äußerst magerer Mann mit kurzgeschnittenem, grauem Haar und einem struppigen Schnurrbart. Offensichtlich hatte er sich seit zwei Tagen nicht rasiert. In seinem von tiefen Furchen durchzogenen, von langer Bestrahlung durch die Sonne braungebrannten Gesicht saßen zwei kleine, blaue Augen von erstaunlicher Beweglichkeit. Sie folgten geschwind meinen geringsten Gebärden, was ihm das Aussehen eines Erzspitzbuben verlieh. Doch für den Augenblick war er nichts als Herzlichkeit und Kameradschaft. Er trug einen beschmutzten Khakianzug, und seinen Händen hätte das Waschen nicht geschadet.

»Ich kannte Strickland gut«, sagte er, sich in den Stuhl zurücklehnend und die Zigarre ansteckend, die ich ihm angeboten hatte. »Ich war es, der ihn auf den Gedanken brachte, hier heraus auf die Inseln zu kommen.«

»Wo haben Sie ihn kennengelernt?« fragte ich.

»In Marseille.«

»Was machten Sie dort?«

Er setzte ein gewinnendes Lächeln auf.

»Nun, ich werde damals wohl auf den Strand aufgefahren sein.«

Meines neuen Freundes äußere Erscheinung ließ darauf schließen, daß er sich jetzt in der gleichen üblen Lage befand, und ich machte mich auf einen angenehmen Verkehr gefaßt. Der Umgang mit Hafenvagabunden entschädigt einen stets für all die kleinen Peinlichkeiten, die damit verknüpft sind. Diese Leute sind nicht schwer zugänglich und lassen sich gern auf ein Gespräch ein. Sie tragen selten die Nase hoch, und die Aussicht auf einen Drink öffnet mit Sicherheit den Weg zu ihrem Herzen. Es bedarf keiner umständlichen Bemühungen, um mit ihnen intim zu werden, und man erwirbt sich nicht nur ihr Vertrauen, sondern auch ihre Dankbarkeit, wenn man ihrer Rede ein geneigtes Ohr leiht. Die Konversation bedeutet für sie das große Vergnügen ihres Lebens, wodurch sie den hohen Stand ihrer Kultur bekunden; und sie sind zumeist unterhaltende Erzähler. Der Schatz ihrer Lebenserfahrung wird durch die Fruchtbarkeit ihrer Phantasie erfreulich ergänzt. Man kann nicht behaupten, daß sie völlig harmlos seien, aber sie zollen dem Gesetz dort, wo es die Kraft hat, sich durchzusetzen, eine wohlwollende Achtung. Es ist gewagt, mit ihnen Poker zu spielen, aber ihr Scharfsinn verleiht diesem schönsten aller Spiele eine besondere Würze. Ich lernte während meines Aufenthalts in Tahiti Captain Nichols sehr gut kennen und fühle mich durch seine Bekanntschaft bereichert. Ich bin nicht der Ansicht, daß die Zigarren und der Whisky, die er auf meine Kosten konsumierte (Cocktails wies er immer zurück, weil er eigentlich Abstinenzler war), und die paar Dollar, die er mit Grandezza, als ob er mir eine Gunst erwiese, aus meiner Tasche in die seine wandern ließ, im geringsten die Unterhaltung aufwogen, die er mir verschafft hat. Ich bleibe sein Schuldner, und es täte mir leid, wenn mein Gewissen mit strengem Hinweis auf die vorgenommene Aufgabe mich zwänge, ihn nach wenigen Zeilen zu verabschieden.

Warum Captain Nichols England verließ, ist mir nicht bekannt. Er äußerte sich über dieses Thema sehr zurückhaltend, und bei Personen seines Schlages ist eine direkte Frage nie sehr taktvoll. Er deutete auf ein unverdientes Mißgeschick hin und betrachtete sich zweifellos als ein Opfer der Ungerechtigkeit. Ich ließ an meiner Phantasie allerlei Spielarten von Unterschlagung und Gewalttätigkeit vorüberziehen und stimmte freundschaftlich mit ihm überein, als er bemerkte, daß die Behörden in England so verdammt automatisch arbeiteten. Immerhin war es erfreulich, daß die Unannehmlichkeiten, die er in seiner Heimat erlitten, seinen glühenden Patriotismus nicht beeinträchtigt hatten. Immer wieder versicherte er, England sei das beste Land von der Welt, Donnerwetter!, und er fühlte sich Amerikanern, Kolonialen, Franzosen, Holländern und Kanaken mächtig überlegen.

Aber ich glaube nicht, daß er glücklich war. Er litt an Verdauungsschwierigkeiten, und ich habe ihn oft an einer Pepsinpille lutschen sehen. Des Morgens war sein Appetit gering, aber diese Unzuträglichkeiten allein wären kaum imstande gewesen, seine Lebenslust zu dämpfen. Er hatte einen gewichtigeren Grund, mit dem Schicksal unzufrieden zu sein. Vor acht Jahren hatte er in kühner Unbesonnenheit geheiratet. Es gibt Männer, die eine barmherzige Vorsehung zweifellos zum Zölibat bestimmt hat, die aber, sei es aus Halsstarrigkeit, sei es durch die Gewalt der Umstände gezwungen, den Ratschlüssen des Schicksals zuwider gehandelt haben. Es gibt kein bemitleidenswerteres Wesen als den Junggesellen, der sich auf die Ehe eingelassen hat. Einer von ihnen war Captain Nichols. Ich lernte seine Gattin kennen. Sie war eine Frau von annähernd achtundzwanzig Jahren, möchte ich sagen, obwohl sie zu dem Typus gehörte, dessen Alter nicht feststellbar ist, denn sie konnte mit zwanzig kaum jünger gewirkt haben und würde mit vierzig nicht älter aussehen. Sie erweckte den Eindruck von außerordentlicher Straffheit. Ihr unschönes Gesicht mit den schmalen Lippen war straff, ihre Haut spannte sich straff über die Knochen, ihr Lächeln war straff, ihre Kleidung saß straff, und die weiße Drillichjacke, die sie trug, wirkte wie schwarzer Bombasin. Ich konnte mir nicht erklären, warum Captain Nichols sie geheiratet hatte und, wenn er es schon getan, warum er ihr nicht wieder davongelaufen war. Vielleicht hatte er es mehrmals versucht, und seine Melancholie rührte davon her, daß es ihm nie gelingen wollte. Ich war überzeugt, daß, in welche Ferne er auch floh und an welchem noch so verborgenen Ort er sich versteckte, Mrs. Nichols, unerbittlich wie das Fatum und grausam wie das Gewissen, ihm unverzüglich nachkommen würde. Er konnte ihr ebensowenig entwischen, wie die Ursache der Wirkung entwischen kann.

Der Vagabund, genau wie der Künstler und vielleicht auch der Gentleman, gehört keiner Klasse an. Er läßt sich weder durch die Ungeniertheit des wandernden Handwerksburschen in Verlegenheit setzen noch durch die Vornehmheit des Fürsten aus der Fassung bringen. Aber Mrs. Nichols gehörte einer ganz bestimmten, neuerdings zur Geltung gekommenen Klasse an, die man die kleinbürgerliche nennt. Ihr Vater war nämlich Polizist und sicherlich ein sehr tüchtiger. Ich weiß nicht, worin ihre Macht über den Captain bestand, jedenfalls glaube ich nicht, daß es Liebe war. Ich habe sie nie sprechen hören, doch verfügte sie möglicherweise im Tête-à-tête über große Beredsamkeit. Wie dem auch sei, Captain Nichols hatte vor ihr eine Heidenangst. Zuweilen, wenn ich mit ihm auf der Terrasse des Hotels saß, spürte er plötzlich, daß sie draußen auf der Straße war. Sie rief ihn nicht, verriet durch kein Zeichen, daß sie ihn bemerkte; sie ging nur gelassen draußen auf und ab. Der Captain wurde plötzlich von einem äußerst seltsamen Unbehagen ergriffen; er schaute auf seine Uhr und sagte mit einem tiefen Seufzer:

»Nun muß ich fort.«

Weder Witze noch Whisky konnten ihn dann halten. Und doch war er ein Mann, der unerschütterlich Orkanen und Taifunen getrotzt hatte und nicht gezögert haben würde, ein Dutzend unbewaffneter Neger einzig mit seinem Revolver in Schach zu halten. Manchmal schickte Mrs. Nichols ihre Tochter, ein blasses, mürrisches Kind von sieben Jahren, ins Hotel.

»Mutter verlangt dich«, quarrte sie.

»Schon gut, schon gut, meine Liebe«, antwortete der Captain.

Er sprang auf und zog mit seiner Tochter ab. Mich dünkt, daß dies ein lehrreiches Beispiel für den Sieg des Geistes über die Materie darstellt. Und so hat meine Abschweifung wenigstens den Vorteil, eine Moral zu enthalten.

Sechsundvierzigstes Kapitel

Ich habe versucht, die Einzelheiten, die Captain Nichols mir von Strickland erzählte, in einen gewissen Zusammenhang zu bringen, und gebe sie hier, so gut ich es kann, in ihrer Reihenfolge wieder. Die beiden lernten sich in dem Winter, der meinem letzten Zusammentreffen mit Strickland in Paris folgte, in Marseille kennen. Wie er die dazwischenliegenden Monate verbracht hatte, weiß ich nicht, doch das Leben muß ihm hart mitgespielt haben, denn Captain Nichols sah ihn zum erstenmal im Nachtasyl. Zu jener Zeit gab es in Marseille einen Streik, und Strickland, dessen Geldmittel erschöpft waren, war es offenbar nicht gelungen, die kleine Summe zu verdienen, die er zum notdürftigen Leben brauchte.

Das Nachtasyl ist ein großes, steinernes Gebäude, in dem Arme oder Landstreicher für eine Woche ein Bett erhalten, vorausgesetzt, daß ihre Papiere in Ordnung sind und daß sie die frommen Brüder von ihrer Arbeitswilligkeit überzeugen können. Unter der Menge, die auf das Öffnen der Tür wartete, fiel Strickland dem Captain Nichols durch seine Größe und seine sonderbare Erscheinung auf. Die Leute warteten verdrossen, manche gingen auf und ab, einige lehnten an der Wand, andere saßen auf dem Trottoir mit den Füßen in der Gosse; und als sie endlich der Reihe nach in den Aufnahmeraum strömten, hörte Nichols, wie der Mönch, der die Ausweise prüfte, Strickland englisch anredete. Aber er fand keine Gelegenheit, mit ihm zu sprechen, denn kaum hatte er den großen gemeinsamen Saal betreten, als ein Mönch mit einer mächtigen Bibel in seinen Armen erschien, eine Kanzel am andern Ende des Raumes bestieg und eine Predigt begann, welche die unglücklichen Ausgestoßenen als Preis für ihre Beherbergung über sich ergehen lassen mußten. Er und Strickland wurden in verschiedenen Räumen untergebracht, und als er um fünf Uhr früh von einem handfesten Mönch von seinem Lager aufgejagt worden war, sein Bett gemacht und sich das Gesicht gewaschen hatte, war Strickland bereits verschwunden. Captain Nichols wanderte wohl eine Stunde durch die eisig kalten Straßen und begab sich dann nach der Place Victor Gélu, wo sich die Seeleute zu versammeln pflegen. Dort sah er, dösend gegen den Sockel einer Statue gelehnt, Strickland wieder.

Er stieß ihn an, um ihn zu wecken.

»Komm, wir gehen frühstücken, Mensch«, sagte er.

»Pack dich zur Hölle«, versetzte Strickland.

Ich erkannte den begrenzten Wortschatz meines Bekannten wieder und war nun bereit, Captain Nichols für einen glaubwürdigen Zeugen zu halten.

»Abgebrannt?« fragte der Captain.

»Hol dich der Teufel!« antwortete Strickland.

»Komm mit! Ich werde dir Frühstück verschaffen.«

Nach einigem Zögern rappelte sich Strickland vom Boden auf, und die beiden gingen zur *Bouchée de Pain*, wo die Hungrigen einen Wecken Brot bekommen, den sie aber an Ort und Stelle verzehren müssen, denn es ist streng verboten, mit ihm fortzugehen. Später begaben sie sich zur *Cuillère de Soupe*, wo man eine Woche lang um elf und um vier Uhr einen Napf dünner, salziger Suppe erhält. Diese Gebäude sind sehr weit voneinander entfernt, so daß nur der wirklich Darbende in Versuchung gerät, von den Gaben beider Gebrauch zu machen. So hatten sie ihr Frühstück im Magen, und damit begann die sonderbare Kameradschaft von Charles Strickland und Captain Nichols.

Sie müssen etwa vier Monate zusammen in Marseille verbracht haben. Ihr Leben war arm an Abenteuern, wenn man unter Abenteuer unverhoffte und erregende Ereignisse versteht, denn ihre Tage verliefen in der Bemühung, genug Geld für ein Nachtlager und so viel Nahrung zu verdienen, als für die Stillung des quälendsten Hungers nötig war. Aber ich wünschte, ich könnte hier die farbigen und urwüchsigen Schilderungen wiedergeben, die meiner Phantasie durch Captain Nichols' lebensvolles Erzählertalent geboten wurden. Sein Bericht über der beiden Entdeckerfahrten in der Unterwelt einer Hafenstadt würde ein spannendes Buch ergeben, und in den verschiedenen Gestalten, die ihren Weg kreuzten, fände der Interessierte reiches Material für ein recht vollständiges Verzeichnis verkommener Typen. Aber ich muß mich hier mit einigen kurzen Abschnitten begnügen. Ich erhielt den Eindruck eines intensiven, brutalen, wilden, bunten und sprühenden Lebens, neben dem das sonnige und gestikulierende Marseille, das ich kannte, mit seinen eleganten Hotels und den von wohlsituierten Leuten besuchten Restaurants zahm und banal erschien. Und ich beneidete die Menschen, die mit eigenen Augen das gesehen hatten, was Captain Nichols beschrieb.

Als die Tore des Nachtasyls sich für sie geschlossen hatten, vertrauten Strickland und Captain Nichols sich der Gastfreundschaft von Tough Bill an. Er war der Besitzer einer Seemannspension, ein riesiger Mulatte mit einer schweren Faust, der den arbeitslosen Seeleuten Nahrung und Obdach bot, bis er für sie eine Stelle gefunden hatte. Sie wohnten einen Monat lang bei ihm und schliefen mit einem Dutzend andern — Schweden, Negern, Brasilianern — auf dem Boden von zwei kahlen Räumen in dem Hause, das er seinen Pflegebefohlenen anwies. Jeden Tag gingen sie auf die Place Victor Gélu, wohin die Schiffskapitäne kamen, wenn sie einen Mann brauchten. Der Mulatte war mit einer dicken, schlampigen Amerikanerin verheiratet, die durch der Himmel weiß was für Umstände bis in diese Höhle herabgesunken war; und die Pensionäre mußten ihr abwechselnd bei der Hausarbeit helfen. Captain Nichols fand es fabelhaft, daß Strickland es fertiggebracht hatte, sich dieser Fron zu entziehen, indem er ein Porträt von Tough Bill malte. Dieser bezahlte nicht nur die Leinwand, Farben und Pinsel, sondern schenkte Strickland noch obendrein ein Pfund geschmuggelten Tabaks. Soviel ich weiß, schmückt dieses Bild noch immer das Wohnzimmer des baufälligen kleinen Hauses in der Nähe des Quai de la Joliette, und ich nehme an, daß es heute für fünfzehnhundert Pfund Sterling einen Käufer finden könnte. Strickland hatte die Absicht, sich von einem Schiff, das nach Australien oder Neuseeland fuhr, anheuern zu lassen und von dort aus nach Samoa oder Tahiti zu reisen. Ich weiß nicht, wie er auf die Idee kam, nach der Südsee zu gehen, obwohl ich mich erinnere, daß ihm seine Phantasie schon zur Zeit unserer Bekanntschaft ein grünes, sonniges Eiland vorgaukelte, umspült von einem Meer, blauer, als man es in nördlichen Breiten findet. Vermutlich hatte er sich an Captain Nichols angeschlossen, weil dieser mit jenen fernen Gegenden vertraut war und ihn davon überzeugt hatte, daß er sich auf Tahiti wohler fühlen würde.

»Wissen Sie, Tahiti ist französisch«, setzte er mir auseinander. »Und die Franzosen sind nicht so verdammt automatisch.«

Ich sah das ein.

Strickland besaß keinen Ausweis, aber das genierte Tough Bill wenig, wenn dabei ein Profit herausschaute (er zog den ersten Monatssold des Seemanns ein, für den er eine Stelle gefunden hatte), und so versah er Strickland mit den Papieren eines englischen Heizers, den die Vorsehung in seinem Hause hatte sterben lassen. Aber sowohl Captain Nichols als auch Strickland wollten nach dem Osten, und zufällig gab es nur Gelegenheiten, sich auf Schiffen mit Kurs nach dem Westen anheuern zu lassen. Zweimal lehnte Strickland eine Stelle auf Frachtern nach den Vereinigten Staaten ab, und einmal eine Stelle auf einem Kohlenschiff, das nach Newcastle bestimmt war. Tough Bill hatte mit einem solchen Eigensinn, der ihm nur Verlust bringen konnte, wenig Geduld und setzte schließlich Strickland und

Captain Nichols ohne weitere Umstände an die Luft. Wieder wußten sie nicht wohin.

Tough Bills Kost war selten üppig gewesen, und man pflegte von seinem Tisch fast ebenso hungrig aufzustehen, wie man sich niedergesetzt hatte, aber etliche Tage hatten sie allen Grund, ihr nachzuweinen. Sie lernten kennen, was hungern heißt. Die *Cuillère de Soupe* und das Nachtasyl waren ihnen beide verschlossen, und ihre einzige Nahrung war der Brotwecken der *Bouchée de Pain*. Sie schliefen, wo sie konnten, manchmal in einem leeren Güterwaggon auf einem Seitengeleise des Bahnhofs, manchmal in einem Lieferwagen hinter einem Warenhaus; aber es war bitterkalt, und nach ein oder zwei Stunden unruhigen Halbschlummers wanderten sie von neuem durch die Straßen. Am schmerzlichsten entbehrten sie den Tabak, und Captain Nichols konnte es ohne ihn nicht aushalten. Er ging auf der Cannebière auf die Jagd nach Zigarettenresten und Zigarrenstummeln, welche die Spaziergänger am Abend vorher weggeworfen hatten.

»Ich habe schon schlechtere Tabakmischungen in meiner Pfeife geraucht«, versicherte er mit stoischem Achselzucken, während er aus dem Etui, das ich ihm hinhielt, zwei Zigarren nahm, die eine, um sie in den Mund zu stecken, die andere für seine Tasche.

Ab und zu verdienten sie ein bißchen Geld. Zuweilen lief ein Postdampfer ein, und Captain Nichols, der sich mit dem Lademeister angebiedert hatte, brachte es fertig, daß sie beide als Stauer beschäftigt wurden. Wenn es sich um ein englisches Schiff handelte, schwindelten sie sich auf das Vorderdeck ein und bekamen von der Mannschaft ein kräftiges

Frühstück. Sie liefen dabei Gefahr, auf einen Schiffsoffizier zu stoßen und von ihm mit einem Fußtritt über das Fallreep spediert zu werden.

»So ein Tritt in den Hintern ist nicht schlimm, wenn man den Bauch voll hat«, versicherte Captain Nichols, »und ich persönlich habe es nie übelgenommen. Ein Offizier muß auf Disziplin halten.«

Ich sah lebhaft vor mir, wie Captain Nichols Kopf voran über das schmale Fallreep vor dem aufgehobenen Stiefel eines zornigen Maats floh und sich dabei als echter Engländer doch innerlich über unsere schöne Handelsmarine freute.

In der Gegend des Fischmarkts bot sich am ehesten Gelegenheit für eine kleine Dienstleistung. Einmal verdiente jeder von ihnen einen Franken für das Verstauen zahlloser Orangenkisten, die man auf dem Hafendamm ausgeladen hatte, in Waggons. Ein anderer Tag brachte ihnen einen ganz besonderen Glücksfall. Ein Frachter, der um das Kap der Guten Hoffnung herum aus Madagaskar gekommen war, sollte neu gestrichen werden, und die beiden verbrachten mehrere Tage auf einem an der Flanke des Schiffs aufgehängten Brett und bedeckten den rostigen Rumpf mit Farbe. Das muß für Stricklands sardonischen Humor ein ganz besonderes Fressen gewesen sein. Ich fragte Captain Nichols, wie er sich in diesen schweren Zeiten benommen habe. »Hab nie ein böses Wort von ihm gehört«, versicherte der Captain. »Manchmal war er ein bißchen säuerlich, aber gerade, wenn wir seit dem Morgen nichts in den Magen gekriegt und nicht einmal den Preis für ein Nachtlager beim Chinesen verdient hatten, war er so munter wie ein Spatz.«

Das überraschte mich bei Strickland nicht. Er gehörte zu den Menschen, die sich just dann über die Situation erheben, wenn sie am meisten geeignet scheint, den Mut niederzudrücken. Ob dies dem Gleichmut seiner Seele oder seinem Widerspruchsgeist zuzuschreiben ist, läßt sich schwer entscheiden.

Den Namen »Zum Chinesenkopf« hatten die Hafenvagabunden einer von einem einäugigen Chinesen betriebenen Elendsherberge hinter der Rue Bouterie gegeben, wo man für sechs Sous in einer Hängematte und für drei Sous auf dem Fußboden übernachten durfte. Hier freundeten sie sich mit andern an, die sich in der gleichen verzweifelten Lage befanden, und wenn sie keinen Penny hatten und die Nacht eiskalt war, waren sie froh, von einem, der während des Tages einen armseligen Franken verdient hatte, so viel zu borgen, um nachts ein Dach über dem Kopf zu haben. Diese umhergetriebenen Arbeitslosen waren keine Knauser. Wer zufällig zu Geld kam, teilte es bereitwillig mit den andern. Sie gehörten den verschiedensten Nationen der Erde an; das tat der guten Kameradschaft keinen Abbruch, sie fühlten sich als freie Bürger eines Landes, das sie alle umfaßte: des großen Reiches Nirgendwo.

»Immerhin konnte Strickland eklig werden, wenn ihn die Wut packte«, fügte Captain Nichols hinzu. »Eines Tages traf er auf dem Platz Tough Bill, und dieser verlangte von ihm die Ausweispapiere zurück, die er ihm gegeben hatte.

›Wenn du sie haben willst, hol sie dir selber‹, sagte Charlie.

Tough Bill war ein kräftiger Bursche, aber die Miene von Charlie gefiel ihm nicht ganz, und so begann er nur mächtig zu schimpfen. Er gab ihm alle Namen, die ihm nur einfielen, und wenn Tough Bill zu fluchen anfing, war es bemerkenswert. Nun, Charlie hörte sich das eine Weile stillschweigend an, dann trat er einen Schritt vor und sagte nur: ›Pack dich, du Schweinehund!‹ Es war nicht so sehr, was er sagte, sondern wie er es sagte. Tough Bill sprach kein Wort mehr, man konnte sehen, wie er ganz gelb wurde, und dann spazierte er davon, als ob er sich an eine Verabredung erinnert hätte.«

Strickland hatte, wenn ich Captain Nichols' Bericht Glauben schenken darf, nicht genau die Worte gebraucht, die ich hierhergesetzt habe, aber da dieses Buch für die Familienlektüre bestimmt ist, hielt ich es für besser, ihm, wenn auch auf Kosten der Wahrheit, Ausdrücke in den Mund zu legen, die dem häuslichen Kreise vertraut sind.

Nun war Tough Bill keineswegs der Mann, der sich von einem gewöhnlichen Seemann eine Demütigung gefallen lassen konnte. Seine Macht hing von seinem Prestige ab, und bald erzählte einer, dann ein anderer von den Seeleuten, die in seinem Hause wohnten, daß er geschworen habe, es Strickland heimzuzahlen.

Eines Abends saßen Captain Nichols und Strickland in einer Bar in der Rue Bouterie. Die Rue Bouterie ist eine aus ebenerdigen Häusern bestehende schmale Gasse; jedes Haus enthält nur ein Zimmer, sie alle wirken wie Buden auf einem belebten Jahrmarkt oder wie die Tierkäfige in einem Zirkus. An jeder Tür sieht man eine Frau. Manche lehnen träge an dem Pfosten, trällern vor sich hin oder rufen mit heiserer Stimme die vorübergehenden Männer an; manche lesen unbekümmert. Es gibt Französinnen, Italienerinnen,

Spanierinnen, Japanerinnen und Farbige, es gibt Dicke und Magere; und unter der dichten Schminkschicht auf ihren Gesichtern, den schwarzen, fetten Strichen auf ihren Augenbrauen, dem Rot ihrer Lippen entdeckt man die Furchen des Alters und die Spuren der Ausschweifung. Einige tragen lange, schwarze Hemden und fleischfarbene Strümpfe; andere mit gekräuseltem, gelbgefärbtem Haar in kurzen Musselinröckchen haben sich als kleine Mädchen aufgemacht. Durch die offene Tür sieht man den rotgepflasterten Fußboden, ein großes Holzbett, einen Tisch aus Tannenholz, ein Waschbecken und eine Wasserkanne. Eine buntscheckige Menge drängt sich durch die Gasse — indische Matrosen von einem Schiff der P.-and-O.-Line, blonde, nordische Männer von einem schwedischen Frachter, Japaner von einem Kriegsschiff, englische Matrosen, Spanier, nett aussehende Burschen von einem französischen Kreuzer, Neger von einem amerikanischen Tramp. Bei Tag ist diese Gasse nichts als dreckig, aber in der Nacht, wenn sie nur durch die Lampen aus den Häuschen erhellt wird, hat sie eine sinistre Schönheit. Die häßliche Geilheit, die alles durchdringt, hat etwas Niederdrückendes und Grauenvolles, und doch liegt in dem Schauspiel, das uns bedrängt und aufwühlt, ein geheimnisvoller Zauber. Man fühlt, ich weiß nicht welche Urkraft, die uns abstößt und zugleich fasziniert. Hier sind alle Schicklichkeitsbegriffe der zivilisierten Welt wie von einem Sturm hinweggefegt, und man steht von Angesicht zu Angesicht einer düsteren Wirklichkeit gegenüber. Die Atmosphäre ist von tragischer Gewalt.

Die Bar, in welcher Strickland und Nichols saßen, war von dem lauten Gedudel eines mechanischen Klaviers erfüllt, das zum Tanzen aufspielte. Ringsherum saß allerlei Volk, hier ein Dutzend betrunkener und randalierender Matrosen, dort eine Gruppe Soldaten; in der Mitte tanzten die Paare. Bärtige Seeleute mit gebräunten Gesichtern und großen, schwieligen Pratzen preßten ihre Partnerinnen eng an sich. Die Mädchen trugen nichts als ein Hemd. Der Lärm war ohrenbetäubend. Die Menschen sangen, brüllten, lachten, und wenn ein Mann dem Weib, das auf seinen Knien saß, einen langen Kuß gab, schrillten die Pfeifen der englischen Matrosen und vermehrten den Spektakel. Die Luft war dick vor Staub, den die schweren Stiefel der Gäste aufwirbelten, und grau von Tabakrauch. Es war sehr heiß. Hinter der Theke saß eine Frau und säugte ihr Kind. Der Kellner, ein im Wuchs zurückgebliebener Jüngling mit einem platten, finnigen Gesicht, hastete mit einem großen Servierbrett hin und her, das dicht mit Gläsern voll Bier besetzt war.

Eine Weile später kam Tough Bill, begleitet von zwei riesigen Negern, herein. Es war leicht zu sehen, daß er schon dreiviertel betrunken war und Händel suchte. Torkelnd stieß er an einen Tisch, an dem drei Soldaten saßen, und warf ein Glas Bier um. Es kam zu einer unfreundlichen Auseinandersetzung, und der Eigentümer der Bar forderte Tough Bill auf, sich zu trollen. Er war ein stämmiger Bursche, der nicht gewohnt war, sich von seinen Gästen Unfug gefallen zu lassen. Tough Bill zögerte. Mit dem Wirt wollte er lieber nicht anbinden, denn der hatte die Polizei auf seiner Seite. Fluchend wandte er sich zum Gehen, als er plötzlich Stricklands ansichtig wurde. Wortlos segelte er auf ihn zu, sammelte im Munde seine Spucke und spie sie Strickland mitten ins Gesicht. Dieser schleuderte sein Bierglas nach ihm. Die Tanzenden drehten sich plötzlich nicht mehr, einen Atemzug lang war es totenstill; aber als Tough Bill sich auf Strickland warf, wurden alle von Rauflust ergriffen, und einen Augenblick später wogte alles wüst durcheinander. Tische stürzten, Gläser zerschmetterten auf dem Boden. Es war ein Höllenradau. Die Mädchen liefen durch die Tür davon oder duckten sich hinter die Theke. Von draußen drangen Passanten herein. Flüche in allen Sprachen, das Klatschen von Schlägen, Wutgeschrei ertönte, und in der Mitte des Raumes kämpften mit wilder Leidenschaft ein Dutzend Männer. Auf einmal war die Polizei da, und jeder, der konnte, strebte hinaus. Als man die Bar mehr oder minder gesäubert hatte, lag Tough Bill mit einem großen Loch im Kopf bewußtlos auf dem Fußboden. Captain Nichols schleppte Strickland, an dem die Kleider in Fetzen herabhingen, und der aus einer Wunde am Arm blutete, auf die Straße. Auch er selbst hatte etwas abbekommen, einen wuchtigen Hieb auf die Nase, und war ganz mit Blut besudelt.

»Wird gut sein, wenn du aus Marseille verduftest, ehe Tough Bill aus dem Krankenhaus zurückkommt«, sagte er zu Strickland, als sich die beiden im Chinesenkopf halbwegs in Ordnung gebracht hatten.

»Das ist noch ulkiger als Hahnenkämpfe«, versicherte Strickland.

Ich sah sein sardonisches Lächeln vor mir.

Captain Nichols wurde bedenklich: er kannte Tough Bills rachsüchtiges Gemüt. Strickland hatte dem Mulatten zweimal eine Abfuhr zuteil werden lassen, und dieser war in nüchternem Zustand ein Mann, mit dem man rechnen mußte. Er würde sich nicht beeilen und ganz bedächtig den geeigneten Augenblick abwarten, aber eines Nachts würde Strickland einen Messerstich in den Rücken kriegen, und ein paar Tage später würde man aus dem schmutzigen Wasser des Hafens die Leiche eines unbekannten Hafenvagabunden auffischen. Am folgenden Abend ging Nichols in Tough Bills Haus, um die Lage auszukundschaften. Der Mulatte war noch im Spital, aber seine Frau hatte ihn besucht und erzählte, ihr Gatte habe geschworen, Strickland umzubringen, sobald er herauskomme.

Eine Woche verging.

»Sehen Sie, das sage ich immer«, erklärte Captain Nichols sentenziös. »Wenn man einen verletzt, muß man ihn tüchtig verletzen. Dadurch gewinnt man die nötige Zeit, um zu überlegen, was man weiter tun soll.«

Dann hatte Strickland Glück. Ein Schiff mit Kurs nach Australien forderte im Seemannsheim einen Heizer an; der frühere war auf der Höhe von Gibraltar in einem Anfall von Delirium tremens über Bord gesprungen.

»Jetzt renn mal schnell zum Hafen und laß dich anheuern!« sagte der Captain zu Strickland. »Deinen Seemannsausweis hast du ja.«

Strickland ging auf der Stelle, und damit hatte Captain Nichols ihn zum letztenmal gesehen. Das Schiff blieb nur sechs Stunden im Hafen; noch am gleichen Abend durchpflügte es auf seinem Weg nach Osten die Fluten des winterlichen Mittelmeers, und Captain Nichols blickte seinen beiden allmählich am Horizont verschwindenden Rauchfahnen nach.

Ich habe dies alles so gut, als ich konnte, berichtet, weil mir der Kontrast zwischen diesen Episoden und dem bürgerlichen Leben gefiel, das Strickland in Ashley Garden geführt hatte, als er sich noch mit Staatsanleihen und Aktien befaßte. Anderseits bin ich mir freilich bewußt, daß Captain Nichols ein schamloser Lügner war, und vielleicht ist an allem, was er mir erzählte, kein wahres Wort. Ich wäre durchaus nicht überrascht, wenn ich erführe, daß er Strickland nie im Leben gesehen und seine Kenntnisse von Marseille aus einem Magazin hätte.

Siebenundvierzigstes Kapitel

An dieser Stelle beabsichtigte ich mein Buch zu beenden. Meine erste Idee war, mit dem Bericht von Stricklands letzten Lebensjahren auf Tahiti und seinem entsetzlichen Tod zu beginnen und dann zurückzugreifen, um zu erzählen, was ich von seinen Anfängen wußte. So etwa war mein Plan; nicht aus einer Schrulle, sondern weil ich wünschte, als letztes Bild Strickland zu zeigen, wie er mit wer weiß was für Hoffnungen in seiner einsamen Seele nach den unbekannten Inseln ausfuhr, die seine Phantasie in Glut versetzten. Ich liebte diese Vorstellung eines Menschen, der mit siebenundvierzig Jahren, in einem Lebensalter, da die meisten Männer sich bereits in einem behaglichen Nest festgesetzt haben, nach einer neuen Welt auszieht. Ich sah das graue, unter dem Mistral schaumgekrönte Meer und ihn, der auf die verdämmernde Küste Frankreichs zurückblickte, das er nie wiedersehen sollte; und ich fand, daß er in seiner unerschrockenen Seele etwas vom fahrenden Ritter hatte. Ich wünschte mit einem Ton der Hoffnung zu schließen, mit einen Triumphgesang auf den unbezwingbaren, strebenden Menschengeist. Aber es wollte mir nicht gelingen. Irgendwie kam die Erzählung nicht in Fluß, und nach ein paar Versuchen gab ich es auf; ich fing auf die übliche Weise mit dem Anfang an und fand mich damit ab, die Tatsachen aus dem Leben Stricklands in der Reihenfolge zu erzählen, in der ich sie erfahren habe.

Allerdings verfüge ich nur über Bruchstücke. Ich bin in der Lage eines Naturforschers, der aus einem einzigen Knochen nicht nur die äußere Erscheinung eines ausgestorbenen Tieres, sondern auch seine Gewohnheiten rekonstruieren muß. Strickland machte auf die Menschen, die auf Tahiti mit ihm in Berührung kamen, keinen besonderen Eindruck. Er war für sie nichts als ein Hafenvagabund in ständiger Geldverlegenheit, bemerkenswert einzig dadurch, daß er Bilder malte, die ihnen verrückt vorkamen. Erst als einige Jahre nach seinem Tode Agenten von Kunsthändlern aus Paris und Berlin auftauchten, die nach den von ihm hinterlassenen Bildern fahndeten, ging ihnen auf, daß unter ihnen ein Mann von Bedeutung geweilt hatte. Sie merkten nun, daß sie für einen Pappenstiel Gemälde hätten kaufen können, für die heute große Beträge geboten werden, und konnten sich nicht verzeihen, daß sie diese Gelegenheit sich hatten entgehen lassen. Auf der Insel gab es einen jüdischen Händler namens Cohen, der auf eine besondere Weise zu einem Bild Stricklands gekommen war. Es war ein kleiner, alter Franzose mit sanften, gütigen Augen, halb Händler, halb Seemann, der einen Kutter besaß, in dem er zwischen den Paumotu- und den Marquesasinseln kühn hin und her fuhr, Waren auslud und dafür Kopra, Harze und Perlen zurückbrachte. Ich suchte ihn auf, weil mir erzählt worden war, daß er eine große, schwarze Perle besitze, die er billig veräußern wolle. Indessen überstieg der Preis denn doch meine Mittel, und ich begann mit ihm über Strickland zu plaudern. Er hatte ihn gut gekannt.

»Wissen Sie, er interessierte mich, weil er ein Maler war«, begann er. »Wir haben auf den Inseln nicht viele Maler, und er tat mir leid, weil er ein so schlechter war. Durch mich erhielt er seine erste Anstellung. Ich besaß auf der Halbinsel eine Plantage, und es lag mir daran, einen Weißen als Aufseher zu haben. Die Eingeborenen sind nämlich nicht zum Arbeiten zu bringen, wenn nicht ein Weißer auf sie aufpaßt. Ich sagte zu ihm: ›Sie werden eine Menge Zeit zum Malen haben, und können sich obendrein ein Stück Geld verdienen.‹ Obwohl ich wußte, daß er am Verhungern war, zahlte ich ihm ein anständiges Gehalt.«

»Ich kann mir ihn als einen sehr tüchtigen Aufseher kaum vorstellen«, meinte ich lächelnd.

»Ich drückte ein Auge zu. Ich hatte immer viel Sympathie für Künstler. Das liegt uns nun einmal im Blut. Aber er blieb nur wenige Monate. Als er genug Geld besaß, um Farben und Leinwand zu kaufen, verließ er mich. Er hatte sich in die Insel vergafft, und es zog ihn in den Busch. Trotzdem sah ich ihn auch weiterhin dann und wann. Alle paar Monate tauchte er in Papeete auf und blieb dann einige Zeit, um aus dem oder jenem Geld herauszuholen und schließlich wieder zu verschwinden. Anläßlich eines dieser Besuche in der Stadt kam er zu mir und bat mich, ihm zweihundert Franken zu leihen. Er sah aus, als ob er seit einer Woche nichts gegessen hätte, und ich hatte nicht das Herz, ihm seine Bitte abzuschlagen. Natürlich machte ich mir keine Hoffnung, mein Geld jemals wiederzusehen. Ungefähr ein Jahr später erschien er wieder bei mir und brachte ein Bild mit. Die Summe, die ich ihm geliehen hatte, erwähnte er mit keinem Wort, er sagte bloß: ›Hier ist ein Bild Ihrer Plantage, das ich für Sie gemalt habe, ich schenke es Ihnen.‹ Ich sah es mir an und wußte nicht, was ich sagen sollte, aber natürlich bedankte ich mich. Als er dann gegangen war, zeigte ich es meiner Frau.«

»Wie war denn das Bild?« fragte ich.

»Fragen Sie mich nicht! Ich konnte daraus nicht klug werden, hab' so was in meinem ganzen Leben nicht gesehen. ›Was sollen wir damit?‹ sagte ich zu meiner Frau. ›Wir können es doch nicht aufhängen‹, antwortete sie, ›die Leute würden über uns lachen.‹ So nahm sie es denn und trug es auf den Speicher unter allerlei Gerümpel, denn meine Frau ist nicht imstande, etwas wegzuwerfen. Das ist so eine Manie von ihr. Und dann — stellen Sie sich sowas vor! — eines Tages kurz vor dem Krieg schrieb mir mein Bruder aus Paris: ›Weißt du etwas von einem englischen Maler, der in Tahiti gelebt hat? Er soll ein Genie gewesen sein, und seine Bilder erzielen hohe Preise. Schau, ob du eins erwischen kannst, und schick es mir! Damit ist Geld zu machen.‹ Also sag' ich zu meiner Frau: ›Hast du eine Ahnung, wo sich das Bild befindet, das mir Strickland einmal geschenkt hat? Ob es wohl noch auf dem Speicher ist?‹ ›Ganz sicher‹, antwortete sie, ›du weißt doch, daß ich nichts wegwerfen kann. Das ist meine Manie.‹ Wir stiegen auf den Speicher und fanden dort unter all dem Gerümpel, das sich seit dreißig Jahren angesammelt hatte, das Bild. Ich schaute es an und sagte: ›Wer hätte je gedacht, daß der Aufseher meiner Plantage auf der Halbinsel, dem ich zweihundert Franken lieh, ein Genie ist? Merkst du dem Bild was an?‹ ›Nein‹, antwortete sie, ›es sieht doch unserer Pflanzung gar nicht ähnlich, auch habe ich nie Kokospalmen mit blauen Blättern gesehen; aber die Leute in Paris sind übergeschnappt, und vielleicht kann dein Bruder es für die zweihundert Franken, die du Strickland geliehen hast, verkaufen.‹ Nun gut, wir packten das Ding ein und schickten es meinem Bruder. Schließlich erhielt ich von ihm einen Brief. Was, glauben Sie, stand darin? ›Ich habe Dein Bild erhalten‹, schrieb er, ›und gestehe, daß ich zuerst an einen schlechten Scherz von Dir glaubte. Es schien mir nicht einmal das Porto wert. Ich scheute mich fast, es dem Interessenten zu zeigen. Stelle Dir meine Überraschung vor, als er sagte, es handle sich um ein Meisterwerk, und mir dreißigtausend Franken bot! Vermutlich hätte er noch mehr bezahlt, aber ich war so verdattert, daß ich den Kopf verlor und sein Angebot angenommen hatte, bevor ich noch recht zu mir kam.‹«

Dann sagte Monsieur Cohen etwas Rührendes:

»Ich wünschte, der arme Strickland wäre noch am Leben. Was würde er wohl gesagt haben, wenn ich ihm für sein Bild neunundzwanzigtausendachthundert Franken herausgegeben hätte?«

Achtundvierzigstes Kapitel

Ich wohnte damals im Hôtel de la Fleur, und Mrs. Johnson, seine Besitzerin, hatte eine traurige Geschichte von verpaßter Gelegenheit zu erzählen. Nach Stricklands Tod wurde ein Teil seiner Hinterlassenschaft auf dem Marktplatz von Papeete versteigert, und sie ging hin, weil sie unter all dem Plunder auf einen amerikanischen Ofen ein Auge hatte. Sie erwarb ihn für siebenundzwanzig Franken.

»Es gab auch ein Dutzend Bilder«, erzählte sie, »aber sie waren ungerahmt, und niemand wollte sie haben. Manche von ihnen gingen für zehn Franken ab, die meisten nur für fünf oder sechs. Denken Sie nur, wenn ich die gekauft hätte, wäre ich heute reich!«

Aber Tiaré Johnson hätte nie und nimmer eine reiche Frau sein können. Sie konnte das Geld nicht halten. Tochter einer Eingeborenen und eines englischen Schiffskapitäns, der sich auf Tahiti niedergelassen hatte, war sie, als ich sie kennenlernte, ungefähr fünfzigjährig, sah aber — vielleicht wegen ihrer ungeheuren Proportionen — älter aus. Hochgewachsen und ungemein dick, würde sie einschüchternd gewirkt haben, wenn die große Gutmütigkeit ihres Gesichts es ihr nicht unmöglich gemacht hätte, etwas anderes als Freundlichkeit auszudrücken. Ihre Arme waren wie Hammelkeulen, ihre Brüste wie riesige Kohlköpfe, ihr Gesicht, breit und fleischig, machte den Eindruck von fast unanständiger Nacktheit, und darunter folgte ein gewaltiges Kinn dem andern. Wie viele es waren, weiß ich nicht. Sie fielen kaskadenartig in die weiten Bereiche ihres Busens. Sie war gewöhnlich in einen losen rosa Kittel gekleidet und trug den

ganzen Tag lang einen breiten Strohhut. Aber wenn sie ihr
Haar auflöste, was sie ab und zu tat, denn sie war stolz darauf, konnte man sehen, daß es lang, dunkel und wellig war;
und ihre Augen waren jung und lebendig geblieben. Ihr
Lachen war das ansteckendste, das ich je gehört habe: es
begann mit einem leisen Gurren in der Kehle und wurde
lauter und lauter, bis ihr ganzer Leib sich schüttelte. Sie
liebte dreierlei: einen guten Spaß, ein Glas Wein und einen
hübschen Mann. Sie gekannt zu haben, ist ein Privilegium.

Sie war die beste Köchin auf der ganzen Insel und ein
großes Leckermaul. Vom Morgen bis zum Abend konnte
man sie auf einem Schemel in der Küche sitzen sehen, umgeben von einem chinesischen Koch und zwei eingeborenen
Mädchen, Befehle erteilend, mit all und jedem freundlich
schwatzend und die schmackhaften Gerichte persönlich ko-
stend. Wenn sie jemandem eine Ehre erweisen wollte,
kochte sie das Essen eigenhändig. Gastfreundlichkeit war
ihre Leidenschaft, und auf der ganzen Insel gab es niemand,
dem vor Hunger der Magen knurrte, solange es im Hôtel
de la Fleur etwas zum Essen gab. Nie warf sie Kunden aus
dem Hause, weil sie die Rechnung nicht bezahlt hatten. Sie
hoffte immer, sie würden es tun, sobald sie dazu in der Lage
seien. Einem Mann, der in Not geraten war, gab sie während mehrerer Monate gratis Kost und Wohnung. Als dann
der chinesische Wäscher sich weigerte, für ihn umsonst zu
arbeiten, ließ sie seine Wäsche zusammen mit der ihren
waschen. Sie könne, sagte sie, doch nicht zulassen, daß der
arme Kerl in einem schmutzigen Hemd herumgehe, und da
er ein Mann war und rauchen mußte, versah sie ihn täglich
mit einem Franken für Zigaretten. Sie benahm sich genauso

freundlich gegen ihn wie gegen die Hotelgäste, die jede Woche pünktlich ihre Rechnung beglichen.

Alter und Beleibtheit hatten sie für die Liebe untauglich gemacht, doch nahm sie an den amourösen Affären der jungen Leute eifrig teil. Den Dienst der Venus betrachtete sie als die natürliche Beschäftigung von Männern und Frauen, und sie war immer bereit, mit gutem Rat und Beispielen aus ihrer eigenen umfassenden Erfahrung auszuhelfen.

»Ich war noch nicht fünfzehn«, erzählte sie, »als mein Vater entdeckte, daß ich einen Geliebten hatte. Er war dritter Maat auf der *Tropic Bird*, ein hübscher Junge.«

Sie seufzte ein bißchen. Es heißt, daß die Frauen sich immer an ihren ersten Geliebten mit Wehmut erinnern, aber vielleicht wissen sie manchmal nicht mehr, wie er ausgesehen hat.

»Mein Vater war ein vernünftiger Mann.«

»Was tat er nach dieser Entdeckung?« fragte ich.

»Er verdrosch mich nach Noten und verheiratete mich dann mit dem Schiffskapitän Johnson. Ich hatte nichts dagegen. Er war natürlich älter, aber er war auch ein hübscher Mann.«

Tiaré — ihr Vater hatte sie nach jener weißen Blüte genannt, deren Duft, wie es heißt, den Umherschweifenden immer wieder nach Tahiti zurückzieht, wie weit er sich auch von der Insel entfernt haben mag — Tiaré erinnerte sich an Strickland sehr gut.

»Er kam manchmal her ins Hotel, und ich sah ihn oft in Papeete herumschlendern. Er tat mir leid, weil er so mager war und nie Geld hatte. Wenn ich erfuhr, daß er in der Stadt war, ließ ich ihn durch einen Jungen ausfindig machen und lud ihn zu mir zum Essen ein. Ein- oder zweimal verschaffte ich ihm eine Stelle, aber er konnte nirgends ausharren. Nach einer Weile zog es ihn wieder in den Busch, und eines Morgens war er auf und davon.«

Strickland erreichte Tahiti ungefähr sechs Monate nach seiner Abfahrt von Marseille. Er hatte sich auf einem Segelschiff anheuern lassen, das von Auckland nach San Franzisco fuhr, und kam auf der Insel mit einem Farbenkasten, einer Staffelei und zwölf Stück Malleinwand an. Damals besaß er einige Pfund, weil er in Sydney Arbeit gefunden hatte, und so konnte er in einem Eingeborenenhause außerhalb der Stadt ein kleines Zimmer mieten. Ich glaube, er muß sich von dem Augenblick an, da er in Tahiti anlangte, daheim gefühlt haben. Tiaré berichtete mir, er habe ihr einmal erzählt:

»Ich scheuerte gerade das Deck, und plötzlich sagte ein Bursche zu mir: ›Dort liegt es.‹ Ich blickte auf und sah die Umrisse der Insel, und ich wußte sofort, daß dies das Land war, nach dem ich mein ganzes Leben lang gesucht hatte. Dann kamen wir näher, und ich glaubte es wiederzuerkennen. Manchmal, wenn ich herumwandere, kommt mir alles vertraut vor. Ich könnte darauf schwören, daß ich schon einmal hier gelebt habe.«

»Mitunter packt es sie so«, sagte Tiaré. »Ich habe Männer gekannt, die für ein paar Stunden an Land kamen, während ihr Schiff aus- und einlud, und einfach hierblieben. Und ich habe Männer gekannt, die kamen, um hier ein Jahr lang in einem Büro zu arbeiten, und den Ort verfluchten. Als dann das Jahr um war und sie abfuhren, schworen sie bei Tod und Teufel, daß sie sich lieber aufhängen würden, als jemals zurückzukommen. Sechs Monate später waren sie wieder da und erklärten, sie könnten anderswo nicht mehr leben.«

Neunundvierzigstes Kapitel

Ich möchte glauben, daß es Menschen gibt, die nicht in ihrer wahren Heimat geboren werden. Der Zufall hat sie in ein gewisses Milieu versetzt, aber sie sehnen sich immer nach einem unbekannten Lande. Sie sind an ihrem Geburtsort Fremde, und die grünen Heckenwege, die sie seit ihrer Kindheit kennen, oder die belebten Straßen der Stadt, in denen sie gespielt haben, sehen sie nur als ein Einstweilen an. Es kommt vor, daß Menschen ihr ganzes Leben als Abseitsstehende unter ihren Angehörigen verbringen und immer einsam bleiben inmitten der gewohnten Szenerie, der einzigen, die sie kennen. Vielleicht ist es dieses Gefühl der Fremdheit, welches Männer in weite Ferne treibt, auf der Suche nach etwas Bleibendem, an das sich ihr Herz hängen kann. Vielleicht ist es ein tief eingewurzelter Atavismus, der den Schweifenden in Länder zurückzwingt, die seine Vorfahren in der Morgendämmerung der Geschichte verlassen haben. Bisweilen stößt ein Mann auf einen Ort, dem er sich geheimnisvoll verbunden fühlt. Hier ist die Heimat, die er suchte, hier will er sich niederlassen inmitten einer Welt, die er nie zuvor geschaut, zwischen Menschen, die er nie gekannt hat — und doch ist ihm, als wären sie ihm von Geburt an vertraut. Hier endlich findet er Frieden.

Ich erzählte Tiaré die Geschichte von einem Mann, den ich im St.-Thomas-Hospital kennengelernt hatte. Es war ein Jude namens Abraham, ein blonder, ziemlich dicker junger Mann, der schüchtern und sehr bescheiden wirkte, aber außerordentlich begabt war. Er trat mit einem Stipendium in das Krankenhaus ein und gewann im Laufe seiner fünfjährigen Dienstzeit alle Preise. Seine Tüchtigkeit bewährte sich ebenso bei inneren Krankheiten wie auf dem Gebiete der Chirurgie. Alle waren von seinen ungewöhnlichen Fähigkeiten überzeugt. Schließlich wurde er in den Ärztestab gewählt, und seine Karriere war gesichert. Soweit sich im menschlichen Leben etwas vorhersagen läßt, stand ihm der Aufstieg zu den höchsten Stellen seines Berufes offen. Ehren und Reichtum erwarteten ihn. Vor dem Eintritt in seinen neuen Pflichtenkreis wünschte er noch eine Erholungsreise zu machen, und nahm, da ihm die nötigen Mittel dazu fehlten, eine Stelle als Schiffsarzt auf einem Frachtdampfer an, der nach dem Nahen Osten fuhr. Dieses Schiff engagierte für gewöhnlich keinen Arzt, aber durch die Vermittlung eines der älteren Chirurgen am St.-Thomas-Krankenhaus, der den Direktor kannte, wurde Abraham mitgenommen.

Nach einigen Wochen erhielt das Direktorium des Hospitals einen Brief von ihm, in dem er seinen Verzicht auf die vielbegehrte Stellung aussprach. Das erregte großes Aufsehen und führte zu den wildesten Gerüchten. Wenn jemand etwas Unerwartetes tut, werden ihm von seinen Mitmenschen gerne die niedrigsten Motive untergeschoben. Immerhin fand sich ein Mann, der bereit war, Abraham zu ersetzen, und Abraham geriet in Vergessenheit. Nichts war mehr von ihm zu hören. Er verschwand von der Bildfläche.

Ungefähr zehn Jahre später befand ich mich auf einem Schiff, das im Begriff war, in Alexandrien zu landen, und wurde ersucht, mich mit den übrigen Passagieren zur ärztlichen Visite einzufinden. Der Doktor war ein dicker Mann in schäbigem Anzug, und als er den Hut abnahm, stellte ich fest, daß er fast kahl war. Er kam mir irgendwie bekannt vor, als hätte ich ihn in meinem Leben schon getroffen. Plötzlich erinnerte ich mich. — »Abraham«, sagte ich.

Er musterte mich mit einem verdutzten Blick, erkannte mich dann und schüttelte mir die Hand. Nach den ersten Begrüßungsworten und Äußerungen der Überraschung forderte er mich, da ich ihm sagte, daß ich in Alexandrien zu übernachten gedächte, auf, mit ihm im English Club zu speisen. Später am Abend drückte ich ihm meine Verwunderung aus, ihn hier zu treffen. Die Stellung, die er bekleidete, war äußerst bescheiden, und man merkte ihm an, daß er in beschränkten Verhältnissen lebte. Darauf erzählte er mir seine Geschichte. Als er damals seine Erholungsreise im Mittelmeer antrat, tat er dies durchaus in der Absicht, nach London zurückzukehren und dort seinen neuen Posten am St.-Thomas-Hospital anzutreten. Eines Morgens legte der Frachtdampfer in Alexandrien an, und er sah vom Deck aus die weiße, besonnte Stadt und das Gedränge am Landungsplatz; er sah die Eingeborenen in ihren schäbigen Galabiehs, die Neger aus dem Sudan, das lärmige Gewimmel der Griechen und Italiener, die gemessenen Türken mit ihren Tarbuschen, den Sonnenschein und den blauen Himmel — und wußte nicht, wie ihm geschah. Er fand es unmöglich, dieses Erlebnis zu beschreiben. Es sei wie ein Blitzschlag gewesen, sagte er, und dann, da dieser Vergleich ihm ungenügend schien, fügte er hinzu: wie eine Offenbarung. Sein Herz pochte wild, und plötzlich überkam ihn ein Gefühl von Jubel und wundervoller Freiheit. Er hatte seine Heimat gefunden, und er beschloß im gleichen Augenblick, den Rest seines Lebens in Alexandrien zu verbringen.

Der Kapitän des Schiffes ließ ihn, ohne Schwierigkeiten zu machen, ziehen, und vierundzwanzig Stunden später befand er sich mit seinen Habseligkeiten an Land.

»Der Kapitän muß Sie für einen ausgemachten Narren gehalten haben«, sagte ich lächelnd.

»Es war mir gleich, was andere von mir dachten. Im Grunde habe nicht ich selbst die Wahl getroffen, sondern etwas in mir, das stärker war als ich. Ich schaute um mich und dachte: ›Am besten, ich gehe in ein kleines griechisches Hotel‹, und hatte dabei das sichere Gefühl, zu wissen, wo es zu finden sei. Und denken Sie nur, ich ging geradewegs darauf zu und erkannte es sofort wieder.«

»Waren Sie schon früher einmal in Alexandrien?«

»Nein, ich hatte vorher England nie verlassen.«

Bald darauf trat er in Regierungsdienste und blieb darin bis auf den heutigen Tag.

»Haben Sie Ihren Schritt nie bereut?«

»Nie auch nur einen Augenblick. Ich verdiene gerade so viel, als ich zu meinem Unterhalt brauche, und bin zufrieden. Wenn ich bis zu meinem Tode so weiterleben kann, war es ein wunderschönes Leben.«

Ich verließ Alexandrien am folgenden Tag und hatte Abraham ganz vergessen, bis ich vor kurzem bei einem andern alten Bekannten des gleichen Berufes zum Dinner geladen war, bei Alec Carmichael, der sich gerade auf kurzem Urlaub in England befand. Ich traf ihn zufällig auf der Straße und beglückwünschte ihn zu dem Adel, der ihm für seine hervorragenden Verdienste während des Krieges verliehen worden war. Wir verabredeten, zur Erinnerung an alte Zeiten einen Abend miteinander zu verbringen, ich sollte bei ihm essen, und er wollte niemand andern einladen, damit wir ungestört plaudern könnten. Er besaß in der Queen Anne Street ein prächtiges altes Haus, das er als Mann von Geschmack wunderschön ausgestattet hatte. An den Wänden des Eßzimmers bemerkte ich einen entzückenden Bellotto, auch gab es zwei Zoffanys, um die ich ihn beneidete. Als seine Frau, ein hochgewachsenes, liebliches Geschöpf in golddurchwirktem Kleid, uns verließ, bemerkte ich lachend, wie sehr sich seine Lebensumstände seit der Zeit verändert hatten, da wir beide Medizinstudenten waren. Damals kam es uns schon als Verschwendung vor, unser Abendbrot in einem schäbigen italienischen Restaurant in der Westminster Bridge Road einzunehmen. Heute gehört Alec Carmichael der Leitung von einem halben Dutzend Krankenhäusern an. Ich glaube, er verdient zehntausend Pfund Sterling im Jahr, und seine Ernennung zum *knight* ist nur die erste der Ehren, die ihm unweigerlich zufallen müssen.

»Ich habe mich ganz nett herausgemacht«, sagte er, »aber das Sonderbare ist, daß ich dies alles einem glücklichen Zufall verdanke.« — »Wieso einem Zufall?«

»Erinnern Sie sich noch an Abraham? Er hatte eine große Zukunft vor sich. Während unserer Studienjahre schlug er mich auf der ganzen Linie. Alle Preise, alle Stipendien, um die ich mich bewarb, wurden ihm zuteil. Neben ihm spielte ich immer die zweite Geige. Wäre er bei der Stange geblieben, so hätte er jetzt die Stellung, die ich bekleide. Dieser Mensch hatte für seinen Beruf eine immense Begabung. Neben ihm hatte kein anderer Chancen. Als er in den Stab des St.-Thomas-Hospitals aufgenommen wurde, war für mich jede Aussicht, hochzukommen, dahin. Ich hätte praktischer Arzt werden müssen, und Sie wissen ja, wie wenig Möglichkeiten ein solcher hat, etwas Besonderes zu erreichen. Aber Abraham fiel aus, und ich bekam die Stelle. Der Zufall machte mein Glück.«

»Ich glaube fast, Sie haben recht.«

»Es war wirklich bloß Dusel. Ich glaube, dieser Abraham muß irgendeinen Sparren gehabt haben. Der arme Teufel, er ist ganz vor die Hunde gegangen, hat einen schlecht bezahlten Posten als Arzt in Alexandrien, Sanitätsbeamter oder so etwas. Es heißt, er lebe mit einer häßlichen alten Griechin und habe ein halbes Dutzend skrofulöser Bälger. Meiner Ansicht nach genügt es nicht, Verstand und Begabung zu haben, die Hauptsache ist der Charakter! Abraham fehlte es an Charakter.«

Charakter? Ich möchte meinen, daß eine ganze Menge Charakterstärke dazu gehört, um nach kaum halbstündiger Überlegung eine sichere und ehrenvolle Karriere fortzuwerfern, weil einem eine andere Art zu leben wesentlicher scheint. Und es gehört noch mehr Charakterstärke dazu, diesen Schritt nie zu bereuen. Aber ich ließ von meinen Gedanken nichts verlauten, und Alec Carmichael fuhr nachdenklich fort:

»Natürlich wäre es Heuchelei von mir, wenn ich jetzt sagte, daß ich Abrahams Handlungsweise bedauere. Schließlich war sie der Hebel zu meinem Erfolg.« Er paffte genüßlich an seiner langen Havannazigarre. »Aber wenn es sich nicht um mich persönlich handelte, täte es mir leid um diesen Menschen. Es muß doch ganz scheußlich sein, sich sein ganzes Leben zu verpfuschen.«

Ich fragte mich, ob Abraham sich wirklich sein Leben verpfuscht habe. Wenn man das tut, was man sich am sehnlichsten wünscht, wenn man unter den Bedingungen lebt, die einem gemäß sind, wenn man ganz im Einklang mit sich selbst ist – heißt das, sich sein Leben verpfuschen? Und kann man die Tatsache, daß man ein angesehener Arzt mit zehntausend Pfund Sterling im Jahr und einer schönen Frau ist, das große Glück nennen? Ich glaube, die Antwort auf diese Fragen hängt davon ab, welchen Sinn man dem Leben gibt, ob man die gesellschaftliche Konvention oder das Individuum für wichtiger hält. Aber ich hielt wiederum meinen Mund, denn wer bin ich, daß ich mit einem *knight* rechten könnte?

Fünfzigstes Kapitel

Als ich Tiaré diese Geschichte erzählte, lobte sie meine Zurückhaltung, und wir fuhren einige Minuten lang in unserer Arbeit, nämlich dem Aushülsen von Erbsenschoten, schweigend fort. Dann fiel ihr Blick, der immer flink in der Küche umherwanderte, auf irgendeine Tätigkeit des chinesischen Kochs, die ihr heftiges Mißfallen erregte, und sie übergoß ihn mit einem Sturzbach von Schmähungen. Der Chinese seinerseits wollte das nicht auf sich sitzen lassen, und so kam es zu einem sehr lebhaften Streit. Die beiden unterhielten sich in der Eingeborenensprache, von der ich nur wenige Wörter erlernt hatte, und es klang, als wollte die Welt untergehen. Aber kurz darauf war der Friede wiederhergestellt, und Tiaré schenkte dem Koch eine Zigarette. Auch sie rauchte behaglich.

»Wissen Sie, daß er mir seine Frau verdankt?« sagte Tiaré plötzlich mit einem Lächeln, das sich über ihr ganzes riesiges Gesicht verbreitete.

»Wer, der Koch?« — »Nein, Strickland.«

»Aber er hatte doch schon eine.«

»Gewiß, das erzählte er mir. Aber die war in England, und England ist am andern Ende der Welt.«

»Sehr richtig«, stimmte ich bei.

»Er pflegte alle zwei bis drei Monate nach Papeete zu kommen, besonders wenn er Farben, Tabak oder Geld brauchte, und trieb sich dann hier herum wie ein verlaufener Hund. Er tat mir leid. Ich hatte damals ein Mädchen namens Ata, das im Hotel die Zimmer aufräumte. Sie war eine entfernte Verwandte von mir. Ihre Eltern waren beide tot, und so ließ ich sie bei mir wohnen. Strickland erschien dann und wann, wenn er sich einmal richtig sattessen wollte, oder um mit einem Boy eine Partie Schach zu spielen. Ich merkte, daß sie ihn ansah, wenn er kam, und fragte sie, ob er ihr Geschmack sei. Ja, sagte sie, er gefalle ihr ganz gut. Sie wissen doch, wie diese Mädels sind. Alle wollen sie gern mit einem weißen Mann gehen.«

»War sie eine Eingeborene?« fragte ich.

»Ja. Sie hatte keinen Tropfen anderes Blut. Nachdem ich also mit ihr gesprochen hatte, ließ ich Strickland holen und sagte zu ihm: ›Hören Sie mal, es ist höchste Zeit, daß Sie heiraten. Ein Mann in Ihrem Alter darf sich nicht mit den Mädels am Strand einlassen. Es sind schlechte Frauenzimmer, dabei schaut nichts Gutes heraus. Strickland, Sie haben kein Geld und bleiben an einer Stelle nie länger als ein oder zwei Monate. Niemand will Sie mehr nehmen. Sie erzählen mir zwar, daß Sie im Busch immer mit der einen oder der anderen Eingeborenen leben können und daß die Mädels Sie gern mögen, weil Sie ein Weißer sind. Aber so etwas ist nicht anständig für einen weißen Mann. Lassen Sie sich von mir raten, Strickland!‹«

Tiaré brachte in ihren Reden französische und englische Brocken durcheinander, denn sie beherrschte die beiden Sprachen mit gleicher Leichtigkeit. Sie sprach sie mit einer singenden Betonung, die nicht unangenehm war. Wenn ein Vögelchen hätte Englisch sprechen können, müßte es ungefähr so geklungen haben.

»›Wie wär's, wenn Sie Ata heirateten? Sie ist ein gutes Mädchen und nicht älter als siebzehn. Sie hat sich nie mit Krethi und Plethi abgegeben wie manche dieser Mädels. Gewiß, mit einem Schiffskapitän oder einem ersten Offizier, aber nie hat sie ein Eingeborener berührt. *Elle se respecte, vois-tu.* Der Proviantmeister von der Oahu hat mir, als er das letzte Mal hier durchkam, versichert, daß er auf allen Inseln hier herum kein netteres Mädchen kennt als sie. Auch für Ata ist es Zeit zu heiraten — und überdies wünschen die Herren Kapitäne und Offiziere hie und da eine Abwechslung. Ich behalte meine Mädchen nie sehr lange. Ata hat bei Taravao, kurz bevor man auf die Halbinsel kommt, ein kleines Besitztum, und bei dem Preis, den man jetzt für Kopra erhält, läßt sich's ganz behaglich leben. Es gibt dort ein Haus, und Sie würden so viel Zeit zum Malen haben, als Sie nur wollen. Was meinen Sie dazu?‹«

Tiaré hielt einen Augenblick in ihrem Bericht inne, um zu verschnaufen.

»Damals erzählte Strickland mir, daß er in England schon eine Frau habe. ›Du liebe Güte‹, sagte ich zu ihm, ›die Mannsbilder, die hierherkommen, haben alle schon irgendwo eine Gattin. Das ist gewöhnlich der Grund, warum sie auf die Inseln gekommen sind. Ata ist ein vernünftiges Mädchen. Sie erwartet nicht, daß Sie mit ihr auf das Standesamt gehen. Sie ist eine Protestantin, und die sind bekanntlich in diesen Dingen nicht so streng wie die Katholiken.‹

Darauf meinte er nur: ›Und was sagt Ata dazu?‹ ›Sie scheint einen *béguin* für Sie zu haben‹, antwortete ich. ›Sie ist einverstanden, wenn Sie es sind. Soll ich sie rufen?‹ Er kicherte in seiner sonderbaren trockenen Weise, und ich rief sie. Das lose Ding wußte, wovon wir sprachen, und ich beobachtete aus einem Augenwinkel, wie sie mit beiden Ohren horchte, während sie tat, als bügelte sie eine Bluse, die sie für mich gewaschen hatte. Sie kam also lachend herbeigelaufen, aber ich merkte, daß sie ein bißchen befangen war; Strickland schaute sie an, ohne zu sprechen.« — »War sie hübsch?« fragte ich.

»Nicht übel. Aber Sie haben sicher Bilder von ihr gesehen. Er hat sie seither unablässig gemalt; manchmal hatte sie einen *pareo* an, manchmal gar nichts. Ja, sie war recht hübsch. Und sie konnte kochen. Ich habe es sie selber gelehrt. Da ich sah, daß Strickland unschlüssig war, sagte ich zu ihm: ›Ich habe ihr immer einen guten Lohn gezahlt, und sie hat Ersparnisse gemacht. Zusammen mit dem, was ihr die Kapitäne und Ersten Schiffsoffiziere dann und wann gegeben haben, besitzt sie jetzt sicher einige hundert Franken.‹

Er zog an seinem langen roten Bart und lächelte.

›Na, Ata‹, sagte er, ›willst du mich zum Mann haben?‹

Sie sagte nichts, sondern kicherte bloß.

›Aber ich sage Ihnen doch, mein lieber Strickland, das Mädel hat einen *béguin* für Sie‹, redete ich ihm zu.

›Ich werde dich schlagen‹, sagte er, sie anblickend.

›Woran könnte ich sonst erkennen, daß du mich liebst?‹ antwortete sie.«

Tiaré unterbrach ihre Erzählung, um mir nachdenklich folgendes mitzuteilen:

»Mein erster Gatte, Kapitän Johnson, verdrosch mich regelmäßig. Er war ein Mann, ein Prachtkerl, sechs Fuß drei Zoll hoch, und wenn er betrunken war, gab es kein Halten. Mein ganzer Körper war tagelang schwarz und blau. Oh, wie ich geweint habe, als er starb! Ich glaubte, ich würde es nicht überleben. Aber erst als ich später George Rainey heiratete, wußte ich so recht, was ich an ihm verloren hatte. Man weiß nie, wie man mit einem Manne dran ist, bevor man mit ihm zusammenlebt. Noch nie hat mich ein Mann so enttäuscht wie dieser George Rainey. Auch er war ein schöner handfester Bursche. Er war beinahe so groß wie Kapitän Johnson und sah recht stark aus. Aber es war alles nur Fassade. Nie trank er. Nie hob er eine Hand gegen mich auf. Er hätte ebensogut ein Missionar sein können. Ich ließ mich mit den Offizieren aller Schiffe ein, die auf der Insel anlegten — George Rainey merkte nie etwas. Schließlich widerte er mich so an, daß ich mich von ihm scheiden ließ. Was hat ein solcher Gatte für einen Wert? Es ist schon schrecklich, wie manche Männer die Frauen behandeln!«

Ich drückte Tiaré mein Beileid aus und bemerkte zartfühlend, daß Männer schon immer Nieten waren. Dann bat ich sie, in ihrer Erzählung über Strickland fortzufahren.

»›Mensch‹, sagte ich zu ihm, ›Sie brauchen sich nicht zu beeilen. Nehmen Sie sich Zeit und überlegen Sie sich's gut. Ata hat ein nettes Zimmer in der Dépendance. Leben Sie einen Monat mit ihr und sehen Sie, wie sie Ihnen gefällt. Die Mahlzeiten können Sie bei mir einnehmen. Und wenn der Monat um ist und Sie sich entschlossen haben, das Mädel nicht zu heiraten, können Sie wieder gehen und Atas Haus im Busch allein bewohnen.‹

Damit war er einverstanden. Ata besorgte weiter die Hausarbeit, und ich beköstigte ihn, wie ich versprochen hatte. Ich lehrte Ata einige Gerichte kochen, die er liebte. Er malte damals nicht viel, sondern schlenderte im Hügelland herum oder badete im Fluß. Auch saß er oft am Strand und blickte auf die Lagune oder ging bei Sonnenuntergang an den Punkt, von dem aus man Morea sieht. Manchmal fischte er auf dem Riff oder bummelte am Hafen entlang und plauderte mit den Eingeborenen. Er war ein ruhiger und netter Mann. Und jeden Abend ging er mit Ata in ihr Zimmer in der Dépendance. Da ich merkte, daß er sich danach sehnte, in den Busch zurückzukehren, fragte ich ihn am Ende des Monats, wozu er sich entschlossen habe. Er sagte, wenn es Ata recht sei, wolle er gern mit ihr gehen. So veranstaltete ich für die beiden ein Hochzeitsessen, das ich persönlich kochte. Es gab Erbsensuppe, Hummer *à la portugaise*, ein Curryragout und Salat von der Kokospalme — Sie haben noch nie meinen Kokossalat probiert, was? Ich muß Ihnen einen machen, bevor Sie uns verlassen — und zum Schluß gab es Gefrorenes. Wir hatten so viel Champagner, als jeder nur trinken konnte, und verschiedene Liköre. Oh, es war ein richtiges Hochzeitsmahl! Und nachher tanzten wir im Salon. Ich war damals noch nicht so dick wie heute und habe immer gern getanzt.«

Der Salon des Hôtel de la Fleur war ein mäßig großer Raum, in dem sich ein Pianino befand und einige mit gerripptem Samt bezogene Mahagonistühle in hübscher Ordnung an den Wänden standen. Auf runden Tischchen lagen Alben mit Photographien, und an den Wänden hingen vergrößerte Photographien, die Tiaré und ihren ersten Gatten, Kapitän Johnson, zeigten. Obwohl Tiaré alt und fett geworden war, rollten wir doch gelegentlich den Brüsseler Teppich zurück, ließen die Mägde und einige männliche Bekannte der Wirtin kommen und drehten uns zu der engbrüstigen Musik eines Grammophons. Auf der Veranda war die Luft vom schwülen Duft der Tiaréblüte geschwängert, und zu unseren Häupten leuchtete das Kreuz des Südens am wolkenlosen Himmel.

Mit nachsichtigem Lächeln gedachte Tiaré der Ausgelassenheit längst vergangener Zeiten.

»Wir hielten bis drei durch, und als wir endlich zu Bett gingen, war keiner mehr ganz nüchtern. Ich hatte den beiden gesagt, sie könnten meine Chaise haben, so weit als die Fahrstraße geht, denn nachher mußten sie noch einen langen Weg zu Fuß zurücklegen. Atas Besitztum lag weit entfernt in der Falte eines Berges. Sie brachen in der Morgendämmerung auf, und der Boy, den ich ihnen mitgegeben hatte, kam erst am nächsten Tag zurück.

Sehen Sie, so wurde Strickland verheiratet.«

Einundfünfzigstes Kapitel

Die drei Jahre, die nun folgten, müssen die glücklichsten in Stricklands Leben gewesen sein. Atas Haus lag ungefähr acht Kilometer von der Fahrstraße ab, die rings um die Insel läuft, und war auf einem sich schlängelnden Fußpfad erreichbar, der im Schatten der üppig wuchernden Tropenriesen dahinführte. Es war ein Bungalow aus ungestrichenem Holz, der nur zwei Zimmer enthielt, und draußen befand sich ein kleiner Schuppen, der als Küche benutzt wurde. Die Matten, die ihnen als Schlafstätte dienten, und ein einsamer Schaukelstuhl auf der Veranda waren die einzigen Einrichtungsgegenstände. Bananenstauden mit ihren großen zerfetzten Blättern, die dem zerschlissenen Prachtgewand einer ins Elend geratenen Kaiserin gleichen, wuchsen nahe am Hause. Dicht dahinter war ein Baum, der Alligatorbirnen trug, und überall ringsum die Kokospalmen, die den Erwerb der Insel bilden. Atas Vater hatte rund um das Besitztum Krotonbäume gepflanzt, die jetzt in bunter heiterer Überfülle das Grundstück gleich einem Flammenzaun umhegten. Ein Mangobaum stand vor dem Hause, und am Rande der Lichtung gab es zwei Flamboyants, Zwillingsbäume, die mit dem Scharlach ihrer Blüten das helle Gold der Kokosnüsse überspielten.

rickland, der jetzt nur selten nach Papeete
rträgnissen des Bodens. Unweit vom Hause
h, in dem er badete, und manchmal tauchte
darin   rm von Fischen auf. Dann kamen die Eingeborenen mit Speeren angelaufen und spießten mit gewal-
tigem Geschrei die erschreckten großen Tiere auf.

Zuweilen ging Strickland zum Riff hinunter und kam mit
einem Hummer oder mit einem Korb kleiner, farbiger Fische
heim, die Ata in Kokosöl briet. Ein anderes Mal bereitete sie
ihm ein wohlschmeckendes Gericht aus den großen Landkrabben, die einem immer zwischen den Füßen zu entwischen versuchen, wenn man sie fangen will. Höher oben auf
dem Bergabhang gab es wilde Orangenbäume, und Ata
stieg dann und wann mit einigen anderen Frauen aus dem
Dorf hinauf und kam beladen mit den grünen, süßen, duf-
tenden Früchten zurück.

Zu andern Zeiten mußten die Kokosnüsse gepflückt werden; dann kletterten Atas Vettern (wie alle Eingeborenen
hatte Ata ein ganzes Rudel von Verwandten) auf die Palmen und warfen die großen reifen Nüsse hinunter. Sie brachen sie auf und legten sie zum Trocknen in die Sonne.
Dann schnitten sie die Kopra heraus, verpackten sie in
Säcke, und die Weiber trugen sie zu dem Händler hinunter,
der in dem Dorf an der Lagune wohnte, und erhielten dafür
Reis, Seife, Konservenfleisch und ein wenig Geld. Manchmal
gab es ein Fest in der Nachbarschaft, und es wurde ein
Schwein geschlachtet. Dann aßen sich alle toll und voll, tanzten und sangen Hymnen.

Aber das Haus war vom Dorfe weit entfernt, und die
Leute von Tahiti sind träge. Sie fahren gern und sie schwat-

zen gern, aber zu Fuß zu gehen lieben sie gar nicht. So geschah es, daß Strickland mit Ata oft wochenlang allein blieb. Er malte oder las, und am Abend, wenn es dunkel war, saßen die beiden auf der Veranda, rauchten und blickten in die Nacht. Dann gebar Ata ein Kind, und die Alte, die heraufgekommen war, um ihr in ihren Nöten zu helfen, blieb einfach da. Dazu gesellte sich bald die Enkelin der Alten, und später tauchte noch ein Jüngling auf — man wußte nicht, woher er kam oder zu wem er gehörte — jedenfalls ließ er sich bei ihnen, ohne zu fragen, häuslich nieder, und so lebten sie alle zusammen.

Zweiundfünfzigstes Kapitel

»Tenez, voilà le Capitaine Brunot«, rief Tiaré eines Tages aus, als ich gerade dabei war, in meine Notizen nach ihren Erzählungen Ordnung zu bringen. »Er kannte Strickland gut, er war sogar bei ihm in seinem Hause.«

Ich sah einen Franzosen mittleren Alters mit einem langen schwarzen, schon etwas angegrauten Bart, sonnengebräuntem Gesicht und großen, glänzenden Augen. Er trug einen frischgewaschenen weißen Tropenanzug. Der Mann war mir schon beim Mittagessen aufgefallen, und Ah Lin, der chinesische Boy, sagte mir, daß er heute mit dem Schiff von den Paumotu-Inseln angekommen sei. Tiaré stellte uns einander vor, bei welcher Gelegenheit er mir seine Visitenkarte überreichte, ein ansehnliches steifes Blatt, auf dem gedruckt war: *René Brunot* und darunter: *Capitaine au long cours.* Tiaré und ich saßen auf einer kleinen Veranda vor der Küche; sie schnitt gerade ein Kleid zurecht, das sie für eines ihrer Mädchen nähte. Er setzte sich zu uns.

»Ja, ich war mit Strickland gut bekannt«, sagte er. »Ich bin ein großer Schachfreund, und er war immer froh, wenn er einen Partner erwischte. Die Geschäfte führen mich drei- bis viermal im Jahr nach Tahiti, und wenn ich mich in Papeete aufhielt, pflegte er aufzutauchen und mich zu einer Schachpartie aufzufordern. Als er heiratete« — Kapitän Brunot lächelte und zuckte die Achseln —, »*enfin*, als er mit diesem Mädchen zusammenlebte, das ihm Tiaré verschafft hatte, lud er mich ein, ihn zu besuchen. Ich war auch einer der Gäste bei seiner Hochzeitsfeier.« Er blickte Tiaré an, und beide lachten. »Nach diesem Ereignis erschien er nur noch selten in Papeete, und als ich zufällig etwa ein Jahr später, ich weiß nicht mehr aus welchem Grund, in jene Gegend der Insel kam und meine Geschäfte erledigt hatte, fiel mir ein: ›*Voyons*, warum soll ich nicht einmal den guten Strickland aufsuchen?‹ Ich fragte die Eingeborenen nach ihm und entdeckte, daß er nicht weiter als fünf Kilometer von dem Ort, wo ich mich befand, wohnte. So machte ich mich auf den Weg. Nie werde ich den Eindruck vergessen, den ich von diesem Besuch empfing. Ich lebe auf einem Atoll, einer niedrigen Insel, die als schmaler Streifen eine Lagune einschließt. Die Schönheit, die dieses Stück Land besitzt, ist die Schönheit von Meer und Himmel, der wechselnden Tönungen auf der spiegelnden Lagune, die Anmut der Kokospalmen. Aber der Ort, wo Strickland wohnte, hatte die Schönheit des Gartens Eden. Ich wünschte, ich könnte Ihnen dieses Fleckchen Erde mit all seiner Pracht vor Augen zaubern, diesen verborgenen Winkel, fern von den Menschen, mit dem blauen Himmel hoch oben und den üppigen Bäumen. Es war ein Fest der Farben, und zugleich war es dort duftig und kühl. Worte vermögen ein solches Paradies nicht zu schildern. Hier also lebte er, die Menschen vergessend und von ihnen vergessen. Freilich, den Augen eines Europäers muß alles erstaunlich armselig vorgekommen sein. Das Haus war schlecht instand gehalten und nicht allzu sauber. Als ich mich näherte, sah ich einige Eingeborene auf der Veranda lungern. Sie wissen ja, diese Menschen kuscheln sich gern zusammen. Da war ein junger Bursche, der ganzen Länge nach hingestreckt, der eine Zigarette rauchte und nichts als einen *pareo* anhatte.«

Der *pareo* ist ein längliches Stück aus rotem oder blauem Kattun mit weißer Musterung. Man schlingt ihn um die Hüften und läßt ihn über die Knie herabhängen.

»Ein Mädchen von vielleicht fünfzehn Jahren flocht Pandanusblätter zu einem Hut, und eine Alte saß mit untergeschlagenen Beinen und rauchte eine Pfeife. Dann sah ich Ata. Sie säugte ein neugeborenes Kind, ein anderes splitternacktes spielte zu ihren Füßen. Als sie mich erblickte, rief sie Strickland, und er trat aus der Tür. Auch er trug nur einen *pareo*. Mit seinem roten Bart, dem wirren Haar und der breiten, zottigen Brust war er eine außergewöhnliche Erscheinung. Seine schwieligen Füße waren zerkratzt und mit Narben bedeckt, woran ich erkannte, daß er immer barfuß ging. Er hatte sich ganz und gar in einen Eingeborenen verwandelt. Offensichtlich war er erfreut, mich zu sehen, denn er befahl Ata, zum Essen ein Huhn zu schlachten. Dann führte er mich in das Haus, um mir das Bild zu zeigen, an dem er, als ich kam, gearbeitet hatte. In einer Ecke des Raumes war das Lager, in der Mitte stand die Staffelei mit der aufgespannten Leinwand. Weil er mir leid tat, hatte ich für kleine Beträge ein paar Bilder von ihm für mich gekauft und andere an Freunde in Frankreich geschickt. Aber obwohl ich sie ursprünglich nur aus Barmherzigkeit erworben hatte, begann ich sie später, als ich mit ihnen lebte, zu lieben, ja, sie gewannen für mich eine seltsame Schönheit. Alle hielten mich für verrückt, aber schließlich stellte sich heraus, daß ich recht gehabt hatte. Ich war sein erster Bewunderer auf den Inseln.«

Er lächelte maliziös zu Tiaré hinüber, und sie erzählte wieder mit großem Lamento die traurige Geschichte, wie sie bei der Versteigerung von Stricklands Nachlaß die Bilder verachtet und statt dessen für siebenundzwanzig Franken einen amerikanischen Ofen erstanden hatte.

»Haben Sie die Bilder noch?« fragte ich.

»Ja. Ich will sie behalten, bis meine Tochter ins heiratsfähige Alter kommt, und werde sie dann verkaufen. Der Erlös soll ihre Mitgift sein.«

Hierauf fuhr er in der Erzählung über seinen Besuch bei Strickland fort.

»Nie werde ich die Stunden vergessen, die ich bei ihm verbrachte. Ich hatte eigentlich beabsichtigt, nur kurz zu bleiben, aber er drang in mich, bei ihm zu übernachten. Ich zögerte. Offengestanden gefiel mir das Aussehen der Matten nicht, auf denen ich schlafen sollte. Schließlich ergab ich mich achselzuckend darein. Als ich mein Haus auf den Paumotus baute, schlief ich wochenlang auf einem noch härteren Lager mit nichts über mir als dem Gesträuch der Wildnis. Und was das Ungeziefer betrifft, so ist meine Haut derb genug, um seiner Bosheit zu trotzen.

Wir gingen zum Bach hinunter und badeten, während Ata kochte, und nach dem Essen setzten wir uns auf die Veranda, rauchten und plauderten. Der junge Mann hatte eine Ziehharmonika, auf der er Schlager spielte, die in Paris vor einem Dutzend Jahren modern gewesen waren. Wie seltsam klangen sie, viele tausend Meilen von unserer Zivilisation entfernt, in dieser Tropennacht! Ich fragte Strickland, ob er es nicht als lästig empfinde, so eng zusammen mit diesen Eingeborenen zu leben. Nein, sagte er, er liebe es, seine Modelle bei der Hand zu haben. Bald darauf gingen die Insulaner mit lautem Gähnen schlafen, und ich blieb mit Strickland allein. Ich kann das Schweigen dieser Nacht nicht beschreiben. Auf meiner Insel in den Paumotus herrscht nie die tiefe Stille wie damals dort. Da ist das Knistern von Myriaden kleiner Geschöpfe auf dem Strand, all der Schalentiere, die unablässig herumkriechen, und das laute Rascheln der laufenden Landkrabben. Von der Lagune her hört man dann und wann das Springen eines Fisches und manchmal ein hastiges Plätschern, wenn ein brauner Hai die anderen Fische in wilde Flucht treibt. Vor allem aber dröhnt, unaufhörlich wie das Rinnen der Zeit, das dumpfe Gebrüll der Brandung, die sich am Riffe bricht. Dort aber war kein Laut zu vernehmen, und die Luft war erfüllt von dem Duft der weißen Nachtblumen. Es war eine Nacht, so schön, daß die Seele das Gefängnis des Körpers kaum zu ertragen vermochte. Mir war, als wollte sie in überirdische Sphären entschweben und als trüge der Tod die Züge eines geliebten Freundes.«

Tiaré seufzte:

»Ach, wäre ich doch wieder fünfzehn Jahre alt!«

Plötzlich sah sie, wie in der Küche die Katze sich an eine Schüssel mit Garnelen heranmachte, und schleuderte mit einer geschickten Gebärde und einer Flut von Schimpfworten ein Buch nach ihr, das just noch ihren entschwindenden Schwanz traf.

»Ich fragte ihn, ob er mit Ata glücklich sei.

›Sie läßt mich in Ruhe‹, erwiderte er. ›Sie kocht für mich und kümmert sich um die Kinder. Sie tut, was ich ihr sage, kurz sie gibt mir überhaupt alles, was ich von einer Frau verlange.‹

›Und denken Sie nie an Europa zurück? Sehnen Sie sich nicht manchmal nach den Lichtern der Straßen von Paris oder London, nach der Gesellschaft Ihrer Freunde und Kollegen, *que sais-je*? Nach Theatern und Zeitungen, nach dem Rumpeln der Omnibusse auf dem holprigen Pflaster?‹

Er schwieg eine gute Weile. Dann sagte er:

›Ich werde hier bis ans Ende meines Lebens bleiben.‹

›Aber langweilen Sie sich nie? Fühlen Sie sich nie vereinsamt?‹ fragte ich.

Er kicherte in seinen Bart.

›*Mon pauvre ami*‹, sagte er, ›offenbar wissen Sie nicht, was es heißt, ein Künstler zu sein.‹«

Kapitän Brunot wandte sich mir mit einem reizenden Lächeln zu, und in seinen dunklen, freundlichen Augen leuchtete es auf.

»Er tat mir unrecht, denn auch ich weiß, was es heißt, Träume zu haben. Auch ich kenne Visionen und bin auf meine Weise ebenfalls ein Künstler.«

Unser Gespräch verstummte für einige Zeit, und Tiaré kramte aus ihrer geräumigen Tasche eine Handvoll Zigaretten hervor; jeder von uns bekam eine, und dann rauchten wir alle drei. Schließlich sagte sie:

»Da *ce monsieur* sich für Strickland interessiert, sollten Sie mit ihm Dr. Coutras besuchen. Er kann ihm manches über seine Krankheit und seinen Tod erzählen.«

»*Volontiers*«, sagte der Kapitän. Ich dankte ihm für seine Bereitwilligkeit. Er schaute auf seine Uhr.

»Es ist jetzt sechs vorbei. Ich glaube, wir treffen ihn zu Hause an, falls Sie Lust haben, gleich mitzukommen.«

Ich stand sofort auf, und wir gingen auf der Landstraße davon, die zu des Doktors Haus führte. Er wohnte außerhalb der Stadt, aber das Hôtel de la Fleur lag an ihrem einen Ende, und wir gelangten schnell ins Freie hinaus. Die breite Landstraße war von Pfefferbäumen eingesäumt; zu beiden Seiten lagen die Plantagen, teils Kokos-, teils Vanillepflanzungen. Piratenvögel wiegten sich krächzend auf den Palmwedeln. Eine Steinbrücke führte über einen seichten Fluß, in dem eingeborene Jungen badeten. Wir blieben einige Minuten stehen und schauten ihnen zu: sie verfolgten einander mit hellem Geschrei und Gelächter, ihre braunen, nassen Körper glänzten in der Sonne.

Dreiundfünfzigstes Kapitel

Während wir so dahinwanderten, mußte ich über einen Umstand nachdenken, auf den ich durch die Erzählungen, die ich auf der Insel über Strickland gehört hatte, aufmerksam geworden war. Allem Anschein nach hatte er auf diesem entlegenen Eiland keineswegs den Abscheu, mit dem man ihn daheim in Europa betrachtete, hervorgerufen, sondern weit eher ein Gefühl von Mitleid; und mit seinen Schrullen fand man sich nachsichtig ab. Für diese Menschen hier, die Eingeborenen wie die Europäer, war er ein komischer Kauz, aber sie waren an Käuze gewöhnt und nahmen ihn, wie er war. Die Welt ist voll von sonderbaren Personen, die sonderbare Dinge tun; und vielleicht wußten sie, daß der Mensch nicht ist, was er sein möchte, sondern was er sein muß. In England und in Frankreich war er der vierkantige Nagel in einem runden Loch; aber hier hatten die Löcher alle Arten von Formen, und kein Nagel war ganz fehl am Ort. Ich glaube nicht, daß er auf Tahiti liebenswürdiger, weniger egozentrisch, weniger brutal war, aber die Umstände begünstigten ihn. Wenn er sein ganzes Leben in diesem Milieu verbracht hätte, würde ihn niemand für einen ausnehmend bösen Menschen gehalten haben. Hier fiel ihm zu, was er von seinen Landsleuten weder erwartete noch wünschte; hier wurde ihm Sympathie zuteil.

Ich teilte Kapitän Brunot mein Erstaunen über diese Tatsache mit. Er zögerte eine Weile mit der Antwort. — »Es ist nicht gar so verwunderlich«, sagte er schließlich, »daß gerade ich Sympathie für ihn empfand, denn obwohl vielleicht keiner von uns beiden sich dessen bewußt war, strebten wir doch beide nach dem gleichen Ziel.«

»Was können nur zwei so grundverschiedene Menschen, wie Sie und Strickland, gemeinsam anstreben?« fragte ich lächelnd. — »Schönheit.«

»Ein weites Gebiet«, murmelte ich.

»Wissen Sie, daß Menschen so von der Liebe besessen sein können, daß sie für alles andere taub und blin sind? Sie sind sind ebensowenig ihr eigener Herr, wie die an die Ruderbänke der Galeere gefesselten Sklaven es sind. Die Leidenschaft, die Strickland in ihren Fesseln hielt, war nicht weniger tyrannisch als die Liebe.«

»Wie seltsam, daß Sie das sagen!« entgegnete ich. »Schon vor vielen Jahren stieg in mir der Gedanke auf, daß er von einem Dämon besessen sei.«

»Und die Leidenschaft, die ihn beseelte, war das leidenschaftliche Verlangen, Schönheit zu schaffen. Es ließ ihm keine Ruhe und trieb ihn hin und her. Strickland war sein ganzes Leben lang ein Pilger, von einem überirdischen Heimweh erfüllt, und der Dämon in ihm war unbarmherzig. Es gibt Menschen, die in ihrem gewaltigen Streben nach Wahrheit bereit sind, die Grundfesten des Alls zu erschüttern. Ein solcher Strebender war Strickland, nur daß bei ihm die Schönheit an die Stelle der Wahrheit trat. Ich konnte ihm gegenüber nur inniges Mitleid empfinden.«

»Auch das ist seltsam«, sagte ich. »Denken Sie nur, ein Mann, den er ins Unglück gestürzt hatte, sagte mir, daß er tiefes Mitleid mit ihm fühle.« Ich schwieg einen Augenblick lang. »Mag sein, daß Sie damit die Erklärung eines Charakters gefunden haben, der mir stets unerklärlich schien. Wie kamen Sie nur darauf?«

Er wandte sich mir lächelnd zu: »Habe ich Ihnen nicht schon gesagt, daß auch ich auf meine Weise ein Künstler bin? In mir glühte der gleiche Wunsch wie in ihm. Nur daß seine Materie die Farbe war und die meine das Leben.«

Hierauf erzählte mir Kapitän Brunot seine Geschichte, die ich hier wiedergebe, weil sie, gewissermaßen als Gegenstück, den Eindruck, den ich von Stricklands Leben empfing, ergänzt. Zudem hat sie für mein Gefühl eine eigentümliche Schönheit.

Kapitän Brunot war Bretone und hatte in der französischen Kriegsflotte gedient. Nach seiner Verheiratung ließ er sich auf seinem kleinen Besitztum in der Nähe von Quimper nieder, wo er den Rest seines Lebens in Frieden zu verbringen gedachte. Allein durch die Schuld eines Rechtsanwaltes kam er plötzlich um sein ganzes Vermögen, und weder er noch seine Gattin wollten in der Gegend, wo sie sich der allgemeinen Wertschätzung erfreut hatten, in Mangel und Not weiterleben. Während seines Dienstes in der Marine hatte er auch die Südsee kennengelernt, und so faßte er den Entschluß, dort von neuem sein Glück zu versuchen. Zunächst verbrachte er, um sich über seine Pläne klarzuwerden und die nötigen Erfahrungen zu sammeln, etliche Monate in Papeete und erwarb sodann für eine Summe, die er von einem Freund in Frankreich lieh, ein Eiland in den Paumotu-Inseln. Es bestand aus einem ringförmigen Stück Land, das, völlig unbewohnt und nur von Gesträuch und wilden Guajavabäumen bedeckt, eine tiefe Lagune umschloß. Mit seiner tapferen Gattin und einigen Eingeborenen landete er dort, machte sich daran, ein Haus zu bauen und rodete die Wildnis aus, um Kokospalmen zu pflanzen. Das war nun zwanzig Jahre her, und heute hatte sich das öde Eiland in einen Garten verwandelt.

»Anfangs war es eine schwere und böse Arbeit, und wir beide mußten uns mächtig anstrengen. Täglich stand ich beim Morgengrauen auf, rodete, pflanzte, schaffte an meinem Haus, und wenn ich mich am Abend auf mein Lager warf, schlief ich die ganze Nacht durch wie ein Klotz. Meine Frau arbeitete ebenso hart wie ich. Dann wurden uns Kinder geboren, zuerst ein Sohn, dann eine Tochter. Wir haben sie alles gelehrt, was wir selber können und wissen. Wir ließen uns aus Frankreich ein Klavier schicken, auf dem sie meine Frau spielen lehrte. Sie unterrichtete sie auch in der englischen Sprache, während ich das Lateinische und die Mathematik übernahm und mit ihnen historische Bücher las. Meine Kinder verstehen es, mit einem Segelboot umzugehen, sie schwimmen ebenso geschickt wie die Eingeborenen und wissen vom Landbau alles, was sie wissen müssen. Unsere Palmen gedeihen prächtig, und auf dem Riff gibt es Perlmuscheln. Ich bin heute nach Tahiti gekommen, um einen Schoner zu kaufen. Es gibt genug Perlmuscheln, daß es sich lohnt, sie zu fischen. Und wer weiß? Vielleicht finde ich einmal eine Perle. Ich habe etwas geschaffen, wo vorher nichts war. Auch ich habe Schönheit hervorgebracht. Oh, Sie wissen nicht, was für ein Hochgefühl es ist, alle die schlanken, gesunden Palmen zu sehen und sich zu sagen, daß jede einzelne von meiner Hand gepflanzt wurde!«

»Darf ich Ihnen die gleiche Frage stellen, die Sie Strickland gestellt haben? Sehnen Sie sich nie nach Frankreich und nach Ihrer alten Heimat in der Bretagne zurück?«

»Eines Tages, wenn ich meine Tochter verheiratet habe und auch mein Sohn eine Frau hat und imstande ist, meine Stelle auf der Insel einzunehmen, werde ich zurückkehren und mein Leben in dem alten Hause beenden, in dem ich geboren bin.«

»Sie werden auf ein schönes und glückliches Leben zurückblicken können«, sagte ich.

»*Evidemment*, auf meiner Insel gibt es nichts besonders Interessantes, und wir leben sehr weit weg von der Welt — stellen Sie sich vor, daß ich, bloß um nach Tahiti zu kommen, vier Tage brauche! Aber wir sind glücklich dort. Nur wenigen ist es gegeben, das Werk, das sie beginnen, auch zu Ende zu führen. Unser Leben ist schlicht und unschuldig. Der Ehrgeiz nagt nicht an uns, und der Stolz, den wir fühlen, entstammt nur der Betrachtung des Werkes unserer Hände. Bosheit kann uns nichts anhaben, Neid uns nicht schmälern. Ah, *mon cher monsieur*, die Leute sprechen immer vom Segen der Arbeit, und es ist nichts als eine sinnlose Phrase, aber für mich hat sie die allergrößte Bedeutung. Ich bin ein glücklicher Mann.«

»Und Sie verdienen es sicherlich auch«, sagte ich.

»Ich wollte, es wäre so. Ich weiß nicht, wie ich es verdient habe, eine Gattin zu besitzen, die meine beste Freundin und Helferin, eine vollkommene Hausfrau und eine vollkommene Mutter ist.«

Ich dachte eine Weile über das Leben nach, das mir durch die Erzählung des Kapitäns so lebendig vor Augen gestellt wurde.

»Es ist klar, daß Sie, um ein solches Dasein durchzuhalten und es zu einem solchen Erfolg zu gestalten, beide einen ehernen Willen und eine unerschütterliche Charakterstärke besitzen müssen.«

»Vielleicht. Aber wir hätten doch nichts zuwege gebracht, wäre nicht noch eine andere Hilfe dazugekommen.«

»Welche?«

Er machte eine Pause und streckte pathetisch seinen Arm aus. — »Der Glaube an Gott. Ohne ihn wären wir verloren gewesen.«

Und damit waren wir vor dem Hause von Dr. Coutras angelangt.

Vierundfünfzigstes Kapitel

Dr. Coutras war ein alter Franzose von hoher Gestalt und außerordentlicher Beleibtheit. Sein Leib glich einem gewaltigen Entenei, und seine Augen, scharf, blau und gutmütig, blieben zuweilen mit einem Ausdruck des Wohlgefallens auf seinem enormen Wanst haften. Seine Gesichtsfarbe war rosig, sein Haar weiß. Man empfand sofort Sympathie für ihn. Er empfing uns in einem Zimmer, das es in einem Hause einer französischen Provinzstadt hätte geben können, und die wenigen polynesischen Kuriositäten, die ich erblickte, wirkten unangebracht. Er nahm meine Hand in die seinen — sie waren riesig — und schenkte mir einen herzlichen Blick, in dem doch zugleich eine große Verschmitztheit lag. Als er Kapitän Brunot begrüßte, erkundigte er sich höflich nach *Madame et les enfants*. Einige Minuten vergingen mit dem Austausch von Liebenswürdigkeiten, dem neuesten Inselklatsch und den Aussichten der Ernte in Kokosnüssen und Vanilleschoten, endlich kamen wir auf den Gegenstand meines Besuches zu sprechen.

Ich werde den Bericht von Dr. Coutras nicht mit seinen eigenen Worten erzählen, sondern mit den meinen; denn ich kann nicht hoffen, die sprudelnde Lebhaftigkeit seiner Rede in ihrer ganzen Unmittelbarkeit wiederzugeben. Er hatte eine tiefe, sonore Stimme, die trefflich zu seinem massigen Körper paßte, und eine große Gabe fürs Dramatische. Ihm zuzuhören, war wirklich ein Genuß, man fühlte sich wie im Theater, nur daß das Stück viel besser war, als es die meisten sind.

Dr. Coutras war eines Tages nach Taravao gefahren, um eine alte, kranke Häuptlingsfrau zu besuchen. Er vermittelte uns ein anschauliches Bild von der dicken alten Dame, die, umgeben von der Schar ihrer dunkelhäutigen Vasallen, in einem riesigen Bette lag und Zigaretten rauchte. Nachdem er sie untersucht hatte, wurde er in einen andern Raum geführt und bekam ein Mahl vorgesetzt — rohen Fisch, geröstete Bananen und Hühnerbraten — *que sais-je?*, das typische Diner der Eingeborenen —, und während er aß, sah er, wie ein junges Mädchen von der Tür weggetrieben wurde und in Tränen ausbrach. Er dachte sich nichts dabei, aber als er zu seinem Wagen ging, um nach Hause zu fahren, sah er sie wieder draußen ein wenig abseits stehen. Sie blickte ihn mit kummervoller Miene an, und die Tränen strömten über ihre Wangen. Er fragte einen Eingeborenen, was sie denn habe, und erfuhr, daß sie von den Hügeln gekommen sei, um ihn zu bitten, einen kranken weißen Mann zu besuchen. Man hatte ihr gesagt, sie solle den Doktor nicht belästigen. Darauf rief er sie heran und fragte sie, was sie wünsche. Sie sei von Ata geschickt, berichtete sie, derselben, die früher im Hôtel de la Fleur angestellt war, der Rote sei nämlich krank. Dabei drückte sie ihm ein zerknittertes Stück Zeitungspapier in die Hand, und als er es öffnete, war darin ein Hundertfrankenschein. — »Wer ist denn das, der Rote?« fragte er einen der Umstehenden.

Das sei der Mann, den sie den Engländer nannten, ein Maler, der, sieben Kilometer von Taravao entfernt, hoch oben im Tal mit Ata wohnte. Aber man könne dorthin nur zu Fuß gehen. Da es für ihn unmöglich sei, einen solchen Weg zurückzulegen, hätten sie das Mädchen fortgeschickt.

»Ich gestehe«, sagte der Doktor, indem er sich an mich wandte, »daß ich zögerte. Eine Wanderung von vierzehn Kilometern auf einem schlechten Pfad verlockte mich wenig; zudem hatte ich keine Möglichkeit, am selben Abend nach Papeete zurückzukommen. Strickland war mir übrigens nicht sympathisch. Ich hielt ihn für einen trägen, unnützen Burschen, der lieber mit einer Eingeborenen lebte, statt sich, wie wir andern, durch Arbeit seinen Lebensunterhalt zu verdienen. *Mon Dieu*, wie konnte ich wissen, daß die Welt eines Tages in ihm ein Genie entdecken würde? Ich fragte das Mädchen, ob er nicht wohl genug sei, um zu mir nach Papeete zu kommen. An was für einer Krankheit leide er denn? Sie wollte nicht antworten. Ich drang in sie, vielleicht nicht eben freundlich. Sie fing zu weinen an. Ärgerlich gab ich nach; schließlich war es meine Pflicht, zu gehen, und höchst mißgelaunt machte ich mich mit ihr auf den Weg.«

Sicherlich war seine Laune nicht besser geworden, als er stark schwitzend und sehr durstig oben ankam. Ata, die nach ihm ausgespäht hatte, kam ihm ein Stück des Weges entgegen.

»Vor allem muß ich was zu trinken haben, oder ich verdurste«, rief er aus. »*Pour l'amour de Dieu*, schaff mir eine Kokosnuß herbei!«

Sie rief, und ein Junge kam gelaufen. Er kletterte schnell auf eine Palme und warf eine reife Kokosnuß herunter. Ata bohrte sie an, und der Doktor tat einen langen, erfrischenden Schluck. Dann drehte er sich eine Zigarette und fühlte sich in besserer Verfassung.

»Nun, wo ist der Rote?« fragte er.

»Er ist im Hause und malt. Ich habe ihm nicht gesagt, daß Sie kommen. Gehen Sie hinein und sehen Sie sich ihn an.«

»Aber was für Beschwerden hat er denn eigentlich? Wenn er wohl genug ist, um zu malen, hätte er doch auch nach Taravao hinunterkommen und mir diesen verdammten Spaziergang ersparen können? Meine Zeit ist nicht weniger wertvoll als die seine.«

Ata gab keine Antwort, sie folgte ihm zusammen mit dem Jungen wortlos nach dem Hause. Das Mädchen, das ihn heraufgeführt hatte, saß jetzt auf der Veranda, und dort hockte auch eine alte Frau mit dem Rücken gegen die Wand und drehte auf einheimische Art Zigaretten. Ata zeigte mit dem Finger nach der Tür. Ärgerlich über das sonderbare Verhalten dieser Eingeborenen trat der Arzt ein und erblickte Strickland, der gerade seine Palette reinigte. Auf der Staffelei war ein Bild. Strickland, nur mit einem *pareo* bekleidet, stand mit dem Rücken zur Tür, drehte sich aber sofort um, als er den Schritt beschuhter Füße hörte, und blickte den Ankömmling unfreundlich an. Er war überrascht, ihn zu sehen, und nahm ihm sein unerwünschtes Eindringen übel. Aber der Arzt blieb wie angewurzelt auf der Schwelle stehen und starrte mit weit aufgerissenen Augen. Das hatte er nicht erwartet! Ein Grauen befiel ihn.

»Sie dringen hier ohne Umstände ein«, sagte Strickland mürrisch. »Was wünschen Sie?«

Der Arzt hatte sich inzwischen ein wenig gefaßt, aber es dauerte eine Weile, bis er einige Worte hervorbringen konnte. Seine Gereiztheit war verschwunden, und er empfand nur — *eh bien oui, je ne le nie pas* — ein überwältigendes Mitleid.

»Ich bin Dr. Coutras. Als ich heute unten in Taravao war, um die Häuptlingsfrau zu besuchen, schickte Ata nach mir und bat mich, heraufzukommen und Sie anzusehen.«

»Sie ist eine dumme Gans. Ich habe in der letzten Zeit Fieber und ein wenig Schmerzen gehabt, aber das hat nichts zu sagen, es wird wieder vergehen. Wenn nächstens einer nach Papeete geht, werde ich mir Chinin mitbringen lassen.«

»Sehen Sie einmal in den Spiegel!«

Strickland blickte ihn lächelnd an und trat vor einen billigen Spiegel, der in einem Holzrahmen an der Wand hing.

»Nun, und?«

»Bemerken Sie nicht eine sonderbare Veränderung in Ihrem Gesicht? Eine Vergröberung Ihrer Züge und ein Aussehen — ich weiß nicht, wie ich es beschreiben soll —, die Bücher bezeichnen es als Löwengesicht. *Mon pauvre ami*, muß ich Ihnen erst sagen, daß Sie eine furchtbare Krankheit haben?«

»Ich?«

»Sehen Sie in den Spiegel, er zeigt Ihnen das typische Bild des Aussätzigen.«

»Sie spaßen«, sagte Strickland.

»Wollte Gott, es wäre so!«

»Sie behaupten also, daß ich den Aussatz habe?«

»Leider besteht darüber kein Zweifel.«

Dr. Coutras hatte schon vielen Menschen das Todesurteil verkünden müssen, und doch erfüllte ihn diese Pflicht immer wieder mit demselben Grauen. Er konnte sich genau vorstellen, welchen Haß der zu gräßlichem Sterben Verdammte dem Arzt gegenüber fühlte, der heil und gesund vor ihm stand und sich des unschätzbaren Privilegiums des Lebens erfreute. Strickland blickte ihn schweigend an. Auf seinem von dem schrecklichen Leiden bereits entstellten Gesicht war keine Spur von Erregung zu bemerken.

»Wissen sie es?« fragte er und deutete auf die Personen, die auf der Veranda in einem ungewohnten Schweigen erstarrt waren.

»Die Eingeborenen kennen die Symptome ganz genau«, sagte der Arzt. »Sie hatten nur Angst, es Ihnen zu sagen.«

Strickland ging zur Tür und blickte hinaus. In seinem Gesichtsausdruck muß etwas Schreckenerregendes gewesen sein, denn plötzlich fingen alle an, laute, klagende Schreie auszustoßen. Sie erhoben ihre Stimmen und weinten. Strickland sprach kein Wort. Nachdem er sie eine Weile angesehen hatte, kam er in das Zimmer zurück.

»Wie lange, glauben Sie, kann es dauern?«

»Das läßt sich nicht sagen. Manchmal zieht sich der Prozeß zwanzig Jahre hin. Es ist noch eine Gnade, wenn es schnell geht.«

Strickland trat an die Staffelei und betrachtete sinnend das Bild, das er gemalt hatte.

»Sie haben einen weiten Weg hinter sich. Es ist nur recht und billig, daß der Überbringer einer großen Nachricht seine Belohnung empfängt. Nehmen Sie dieses Bild! Es bedeutet heute nichts für Sie, aber vielleicht werden Sie eines Tages froh sein, es zu besitzen.«

Dr. Coutras verwahrte sich gegen eine Bezahlung — er hatte Ata bereits den Hundertfrankenschein zurückgegeben —, aber Strickland bestand darauf, daß er das Bild annehmen müsse. Dann gingen sie miteinander auf die Veranda, wo die Eingeborenen noch immer untröstlich schluchzten.

»Sei still, Weib, trockne deine Tränen!« sagte Strickland zu Ata. »Es ist ja nicht sehr schlimm. Ich werde dich bald verlassen.« —

»Wird man dich mir nicht fortnehmen?« brach sie aus.

Damals wurden auf der Insel die Leprakranken noch nicht in strenger Absonderung gehalten. Sie durften, wenn sie wollten, frei umhergehen.

»Ich werde hinauf in die Berge gehen«, sagte Strickland. Ata stand auf und blickte ihm voll ins Gesicht.

»Wenn die andern dich verlassen wollen, mögen sie gehen. Ich aber bleibe bei dir. Du bist mein Mann, und ich bin deine Frau. Wenn du mich verläßt, hänge ich mich an dem Baum auf, der hinter dem Hause steht. Das schwöre ich bei Gott.«

In der Art, wie sie sprach, war etwas unendlich Zwingendes. Sie war nicht mehr das sanfte, fügsame Geschöpf aus polynesischem Stamm, sondern eine entschlossene **Frau**. Eine gewaltige Veränderung war mit ihr vorgegangen.

»Warum willst du bei mir bleiben? Du kannst doch nach Papeete zurückkehren und wirst bald einen andern weißen Mann finden. Die Alte wird sich um deine Kinder kümmern, und Tiaré wird sich freuen, dich wiederzuhaben.«

»Du bist mein Mann, und ich bin deine Frau. Wohin du gehst, gehe auch ich.«

Einen Moment lang war Stricklands Standhaftigkeit erschüttert, in jedes seiner Augen trat eine Träne und sickerte langsam über die Wange herab. Dann setzte er wieder sein gewohntes sardonisches Lächeln auf.

»Die Weiber sind sonderbare Tierchen«, sagte er, zu Dr. Coutras gewandt. »Man kann sie wie Hunde behandeln, sie prügeln, bis einem der Arm schmerzt, und sie lieben einen immer noch.« Er zuckte die Achseln. »Im Grunde gehört es zu den absurdesten Illusionen des Christentums, daß Frauen eine Seele haben.«

»Was sagst du da zu dem Doktor?« fragte Ata argwöhnisch.

»Gehst du oder bleibst du?«

»Wenn es dir so gefällt, bleibe ich bei dir, mein armes Kind.«

Ata stürzte vor ihm auf die Knie, umschlang seine Beine und küßte sie inbrünstig. Strickland ließ es geschehen und blickte Dr. Coutras mit einem müden Lächeln an.

»Zum Schluß kriegen sie einen doch, und man ist ihnen hilflos ausgeliefert. Weiß oder braun, sie sind alle gleich.«

Dr. Coutras, der fühlte, daß es sinnlos gewesen wäre, bei einem so furchtbaren Unglück mit Worten der Teilnahme aufzuwarten, verabschiedete sich. Strickland trug Tané, dem jungen Burschen, auf, ihn bis zum Dorf zu geleiten.

Der Arzt unterbrach seine Erzählung und versank in tiefes Schweigen; dann wandte er sich an mich:

»Ich mochte ihn nicht — ich habe Ihnen schon gesagt, daß er mir nicht sympathisch war —, aber als ich jetzt langsam nach Taravao hinunterwanderte, konnte ich doch der stoischen Unerschrockenheit, mit der er die vielleicht grauenhafteste aller menschlichen Krankheiten auf sich nahm, eine fast widerwillige Bewunderung nicht versagen. Als Tané mich verließ, versprach ich ihm, Strickland eine Medizin zu schicken. Freilich hatte ich nur geringe Hoffnung, daß er sich dazu verstehen würde, sie einzunehmen, und noch geringere, daß, falls er es tat, sie ihm auch wirksame Hilfe brächte. Ich ließ Ata durch den Burschen sagen, ich würde immer kommen, wenn sie nach mir schickte. Das Leben ist hart, und Mutter Natur findet zuweilen eine grausame Freude daran, ihre Kinder zu martern. Schweren Herzens kehrte ich nach Papeete in mein behagliches Heim zurück.«

Eine Pause trat ein. Lange sprach keiner von uns.

»Aber Ata schickte nicht nach mir«, fuhr der Arzt endlich fort, »und der Zufall wollte, daß ich während längerer Zeit nicht in jene Gegend der Insel kam. Von Strickland hörte ich nichts. Gelegentlich kam mir zu Ohren, daß Ata in Papeete gewesen war, um Malmaterial zu kaufen; aber ich traf sie nie. Mehr als zwei Jahre verflossen, bis ich wieder nach Taravao kam, und zwar auch dieses Mal, um der Häuptlingsfrau einen ärztlichen Besuch abzustatten. Ich fragte dort, ob man etwas von Strickland wüßte. Inzwischen war es weiterhin bekanntgeworden, daß er den Aussatz hatte. Zuerst hatte Tané, der junge Bursche, das Haus verlassen, dann die Alte mit ihrer Enkelin. Strickland und Ata blieben allein mit ihren kleinen Kindern. Niemand wagte sich an ihre Pflanzung heran, denn wie Sie wissen, haben die Eingeborenen eine entsetzliche Furcht vor dieser Krankheit, und in früheren Zeiten wurde der Aussätzige, auf den man stieß, getötet. Aber die Dorfjungen, die in den Hügeln herumkletterten, erblickten manchmal von weitem den weißen Mann mit dem großen, roten Bart und flohen in wildem Schrecken. Zuweilen schlich sich Ata bei Nacht in das Dorf hinunter und weckte den Händler, um von ihm Dinge, die sie notwendig brauchte, zu erstehen. Da sie wußte, daß die Eingeborenen sie mit dem gleichen Gefühl von Abscheu und Grauen betrachteten wie Strickland, kreuzte sie nie ihren Weg. Eines Tages waren Frauen der Pflanzung näher gekommen als gewöhnlich; sie sahen, wie sie im Bache wusch, und warfen mit Steinen nach ihr. Darauf ließ man sie durch den Händler wissen, sie dürfe nicht mehr den Bach benutzen, sonst würden die Männer kommen und ihr das Haus niederbrennen.«

»Die Unmenschen!« rief ich aus.

»*Mais non, mon cher Monsieur*, die Menschen sind immer die gleichen. Die Furcht macht sie zu grausamen Bestien ... Ich beschloß, nachdem ich mit der Häuptlingsfrau fertig war, Strickland aufzusuchen, und bat, mir einen Burschen als Führer mitzugeben. Aber keiner wollte mich begleiten, und ich mußte den Weg allein finden.«

Als Dr. Coutras in die Nähe der Pflanzung gelangte, überkam ihn ein sonderbar quälendes Gefühl. Obwohl ihm vom Steigen heiß geworden war, fröstelte er doch. Etwas Feindseliges lag in der Atmosphäre, das ihn zögern ließ: unsichtbare Kräfte schienen ihm den Weg zu versperren, unsichtbare Hände ihn zurückzuziehen. Niemand sammelte mehr die Kokosnüsse, sie lagen faulend am Boden. Überall war Trostlosigkeit. Die Wildnis drang erobernd vor; bald, sehr bald würde der Urwald wieder von dem Stück Land Besitz ergreifen, das ihm mit so viel mühseliger Arbeit abgerungen worden war. Hier, fühlte der Arzt, war die Stätte der Pein. Als er sich dem Hause näherte, befremdete ihn das gespenstische Schweigen, so daß er es anfangs für verlassen hielt. Dann erblickte er Ata. Sie saß mit untergeschlagenen Beinen in dem Anbau, der ihr als Küche diente, und kochte irgendein Gebräu in einem Topf. Nicht weit von ihr spielte ein kleiner Knabe schweigend im Schmutz. Sie lächelte nicht, als sie den Arzt bemerkte.

»Ich komme, um nach Strickland zu sehen«, sagte dieser.

»Ich werde hineingehen und es ihm sagen.«

Sie ging zum Hause, stieg die wenigen Stufen hinauf, die auf die Veranda führten, und trat ein. Dr. Coutras war ihr gefolgt, wartete aber, ihrer abwehrenden Gebärde gehorchend, draußen vor der Tür. Als sie sie öffnete, drang ihm der kranke, süßliche Geruch entgegen, der die Nähe der Aussätzigen so ekelerregend macht. Er hörte sie drinnen sprechen und hörte, daß Strickland antwortete, erkannte aber seine Stimme nicht. Sie war heiser und undeutlich geworden. Dr. Coutras runzelte bedenklich die Stirn. Er sagte sich, daß die Krankheit bereits die Stimmbänder angegriffen hatte und das Sprechen immer mehr erschwerte. Dann kam Ata wieder heraus.

»Er will Sie nicht sehen. Gehen Sie!«

So sehr der Arzt auch in sie drang, sie ließ ihn nicht hinein. Schließlich zuckte er die Achseln und wandte sich nach kurzer Überlegung zum Gehen. Sie begleitete ihn. Er fühlte, daß auch sie wünschte, ihn so schnell wie möglich loszuwerden.

»Kann ich denn gar nichts für ihn tun?« fragte er.

»Sie können ihm Farben schicken«, sagte sie. »Das ist das einzige, was ihn freut.«

»Kann er denn noch malen?«

»Er bemalt die Wände des Hauses.«

»Das muß ein furchtbares Leben für dich sein, mein armes Kind.«

Jetzt endlich lächelte sie, in ihren Augen war ein Blick von übermenschlicher Liebe, der Dr. Coutras in höchste Verwunderung versetzte und gleichzeitig erschreckte. Er war so ergriffen, daß er kein Wort fand.

»Er ist mein Mann«, sagte sie.

»Wo ist dein anderes Kind?« fragte er. »Als ich das letzte Mal hier war, hattest du doch zwei.«

»Ja, aber es ist gestorben. Wir haben es unter dem Mangobaum begraben.«

Als Ata ein kleines Stück Weges mit ihm gegangen war, sagte sie, sie müsse umkehren. Dr. Coutras vermutete, daß sie sich sträubte, weiterzugehen, weil sie Angst hatte, Leute aus dem Dorf zu treffen. Wieder versicherte er ihr, daß er bereit sei, sofort zu kommen, wenn sie nach ihm schicke.

Fünfundfünfzigstes Kapitel

Dann vergingen zwei weitere Jahre — vielleicht auch drei, denn auf Tahiti rinnt die Zeit unmerklich dahin, und es ist schwer, sich von ihrem Ablauf klare Rechenschaft zu geben —, bis endlich eines Tages Dr. Coutras die Botschaft erhielt, daß Strickland im Sterben lag. Ata hatte dem Wagen aufgelauert, der die Post nach Papeete mitnahm, und den Kutscher inständig gebeten, sogleich zum Doktor zu gehen. Aber der Doktor war auswärts beschäftigt, als die Nachricht eintraf, und es wurde Abend, bevor er sie erhielt. Zu so später Stunde war es unmöglich, aufzubrechen, und so fuhr er erst am nächsten Morgen in aller Frühe ab. Er erreichte Taravao und wanderte zum letztenmal in seinem Leben die sieben Kilometer zu Atas Haus hinauf. Der Pfad war ganz von Pflanzen überwuchert, augenscheinlich war er seit Jahren nicht begangen worden. Den richtigen Weg zu finden, war nicht leicht. Manchmal mußte er durch ein Bachbett waten, dann wieder sich durch dichtes, dorniges Gestrüpp durchzwängen; oft sah er sich genötigt, über Felsen zu klettern, um den von den Bäumen herabhängenden Hornissennestern auszuweichen. Es herrschte tiefes Schweigen.

Endlich langte er, von Kopf bis zu Fuß beschmutzt und völlig zerzaust, vor dem kleinen, ungestrichenen Hause an und seufzte erleichtert auf. Aber auch hier herrschte das gleiche lastende Schweigen. Er trat näher; ein kleiner Junge, der sorglos im Sonnenschein spielte, sprang bei seinem Anblick erschreckt auf und machte sich schnell davon; für ihn war der Fremde der Feind. Dr. Coutras hatte das Gefühl, daß das Kind heimlich hinter einem Baum hervorspähte und sein Tun beobachtete. Die Verandatür stand weit offen. Er rief, niemand antwortete. Er stieg die Stufen hinauf und klopfte an eine Tür. Wieder keine Antwort. So drückte er denn die Klinke nieder und trat ein. Bei dem Gestank, der ihn anfiel, wurde ihm furchtbar übel. Er hielt sein Taschentuch vor die Nase und zwang sich, weiterzugehen. Im Raume herrschte Dämmerung, und nach dem grellen Son-

nenschein draußen konnte er eine Weile lang nichts erkennen. Dann zuckte er zusammen. Wo befand er sich eigentlich? Ihm war, als sei er unversehens in eine Zauberwelt
eingedrungen. Er glaubte vage einen Urwald wahrzuneh-
men, in welchem nackte Gestalten unter Bäumen wandelten.
Dann sah er, daß es Malereien an den Wänden waren.

»*Mon Dieu*, hoffentlich habe ich nicht einen Sonnenstich
abbekommen!« murmelte er.

Eine schwache Bewegung zog seine Aufmerksamkeit auf
sich. Auf dem Boden lag Ata und schluchzte leise vor sich
hin.

»Ata«, rief er, »Ata!«

Sie schien ihn nicht zu bemerken. Wieder wurde er von
dem greulichen Gestank fast ohnmächtig. Er zündete sich
eine Manilazigarre an. Allmählich gewöhnten sich seine
Augen an die Dunkelheit, und jetzt ergriff ihn beim An-
schauen der bemalten Wände eine überwältigende Empfindung. Zwar war er keineswegs ein Kunstkenner, aber in
dieser Malerei war etwas, das ihn auf außergewöhnliche
Weise berührte. Vom Fußboden bis zur Decke waren die
Wände mit einer seltsamen, bis ins einzelne durchgearbeite-
ten Darstellung bedeckt, die auf unbeschreibliche Art wun-
derbar und geheimnisvoll wirkte. Sie benahm ihm den
Atem, füllte sein Herz mit einer Erregung, die er weder zu
begreifen noch zu analysieren vermochte. In einem Schauer
von scheuer Ehrfurcht und Wonne war ihm, als sähe er den
Anbeginn einer neuen Welt. Es war großartig, voll Sinnen-
freude, berauschend, und doch war etwas Grauenhaftes
darin, etwas, das ihn erschreckte. Das war das Werk eines
Mannes, der bis in die verborgensten Tiefen der Natur ein-

gedrungen war und ihnen Geheimnisse entlockte, die schön und zugleich furchtbar waren. Es war das Werk eines Mannes, der Dinge wußte, die zu kennen den Irdischen nicht gestattet ist. Etwas Urzeitliches und Schreckliches war darin, etwas nicht mehr Menschliches. Unwillkürlich mußte er an Schwarze Magie denken. Es war erhaben und obszön zugleich.

»*Mon Dieu*, das ist Genie!« — Die Worte entrangen sich seiner Brust, er wußte selbst nicht, was er gesprochen hatte.

Dann fiel sein Blick auf das Mattenlager in der Ecke, und er sah das scheußliche, verstümmelte, gespenstische Etwas, das einst Strickland gewesen war. Dieses Wesen dort war tot. Mit einer krampfhaften Willensanstrengung bezwang er sich und beugte sich über die grauenvollen Überreste von Stricklands Körper, doch plötzlich riß er sich heftig hoch, und Schrecken ließ sein Herz erstarren, denn er fühlte, daß jemand hinter seinem Rücken stand. Ata war es. Er hatte nicht gehört, wie sie sich vom Boden erhob. Nun stand sie, seinen Ellbogen streifend, neben ihm und betrachtete dasselbe, das auch er betrachtete.

»Du lieber Himmel«, rief er aus, »meine Nerven sind ganz zerrüttet. Du hast mich beinahe zu Tode erschreckt.«

Er blickte noch einmal auf das arme tote Etwas, das ein Mann gewesen war, und prallte entsetzt zurück.

»Aber er war ja blind!« rief er aus.

»Ja. Zuletzt war er beinahe ein Jahr lang blind.«

Sechsundfünfzigstes Kapitel

In diesem Augenblick wurden wir durch das Erscheinen von Madame Coutras unterbrochen, die von Besuchen in der Stadt zurückkehrte. Gleich einem Schiff mit geblähten Segeln rauschte sie herein, eine majestätische Gestalt, hoch und breit, mit einer üppigen Büste und einer Korpulenz, die von einem panzerartigen Schnürleib auf beängstigende Weise zusammengehalten wurde. Mit einer kühnen Höckernase und drei Kinnen versehen, stolzierte sie sehr aufrecht daher. Sie hatte sich keinen Augenblick lang den entnervenden Reizen des tropischen Himmelsstrichs hingegeben, sondern war, wie ihm zum Trotz, tätiger, energischer, entschlossener, als es ein Mensch im gemäßigten Klima fertigbringt. Offensichtlich war sie von äußerst redseliger Natur und gab nun pausenlos einen Schwall von Geschichten und den dazugehörigen Kommentaren von sich. Durch ihr Dazwischentreten wurde das Gespräch, das wir soeben geführt hatten, gleichsam in eine weite, unwirkliche Ferne gerückt.

Endlich wandte Dr. Coutras sich an mich: »In meinem Ordinationszimmer hängt noch das Bild, das Strickland mir geschenkt hat«, sagte er. »Möchten Sie es sehen?«

»Mit dem größten Vergnügen.«

Wir erhoben uns, und er führte mich auf die Veranda, die rings um das Haus ging.

Der herrliche Anblick der bunten Blumenpracht im Garten fesselte unsere ganze Aufmerksamkeit.

»Die Vorstellung der seltsamen Dekoration, mit der Strickland die Wände seines Hauses ausgestattet hatte, beschäftigte noch lange meine Gedanken«, sagte er sinnend.

Auch ich hatte gerade an diese Malereien gedacht. Mir schien, als müßte Strickland in ihnen den vollen und endgültigen Ausdruck seines Selbst niedergelegt haben. Ich stellte ihn mir vor, wie er in schweigender Arbeit, wohl wissend, daß hier seine letzte Chance war, alles aussprach, was er vom Leben wußte und was er ahnend erschaute. Und vielleicht schenkte ihm dies endlich den Frieden. Er fühlte sich von dem Dämon, von dem er besessen war, nun endlich befreit, und mit der Vollendung des Werkes, dessen mühselige Vorstufe sein ganzes Leben gewesen war, senkte sich die Ruhe auf seine einsame, gequälte Seele. Er starb nun gern, denn er hatte seinen Daseinszweck erfüllt.

»Was stellten diese Wandmalereien vor?« fragte ich.

»Ich vermag es kaum zu sagen. Es war seltsam und phantastisch, eine Vision vom Anbeginn der Welt mit Adam und Eva — *que sais-je?* —, ein Hymnus auf die Schönheit der menschlichen Gestalt, der männlichen und der weiblichen, ein Lobgesang auf die Natur, die erhaben und gleichgültig, holdselig und grausam ist. Es vermittelte mir ein hehres Gefühl von der Grenzenlosigkeit des Raumes, der Unendlichkeit der Zeit. Weil er die Pflanzenwelt, die ich täglich um mich sehe, gemalt hat, die Kokospalmen, die indischen Feigenbäume, die Flamboyants, die Alligatorbirnbäume, sehe ich sie seither mit neuen Augen an, als wäre in ihnen eine Seele und ein Mysterium, das ich immer im Begriffe bin zu fassen und das mir doch für alle Ewigkeit entgleitet. Die Farben schienen die mir vertrauten und waren doch verschieden. Sie enthielten eine Bedeutsamkeit, die nur ihnen eigen war. Und dann die nackten Männer und Frauen. Sie waren von dieser Erde und dennoch nicht von ihr. In ihnen glaubte man noch etwas von dem Lehm zu spüren, aus dem sie geschaffen waren, und doch zugleich ein göttliches Element. Man erblickte den Menschen in der Nacktheit seiner urzeitlichen Instinkte und erschrak, denn man erblickte sich selbst.«

Dr. Coutras lächelte, wie über sich selbst belustigt, ehe er fortfuhr:

»Sie werden mich drollig finden. Ich bin ein Materialist und ein dicker, plumper Mann — ein Falstaff, eh? —, die lyrische Note paßt nicht zu mir. Aber ich habe nie ein Kunstwerk gesehen, das mich so tief erschütterte. *Tenez,* ich hatte genau dasselbe Gefühl wie in der Sixtinischen Kapelle in Rom. Auch dort erschauerte ich in Ehrfurcht vor der Größe des Mannes, der diese Deckengemälde geschaffen hatte. Das war Genie, ein überwältigendes Wunder. Ich fühlte mich klein und belanglos davor. Indes, auf die Größe eines Michelangelo ist man vorbereitet. Nichts aber hatte mich auf die ungeheure Überraschung vorbereitet, in einer Eingeborenenhütte, weit entfernt von jeder Zivilisation, in einem Bergtälchen über Taravao diese bildliche Darstellung vorzufinden. Und Michelangelo ist geistig und körperlich gesund, seine großen Werke strömen die Ruhe des Erhabenen aus; aber hier war, trotz aller Schönheit, etwas Beunruhigendes. Ich wußte nicht, was es war, aber es brachte mich aus der Fassung. Es war ungefähr so, wie wenn man nahe an der Tür eines Zimmers sitzt, von dem man weiß, daß es verlassen ist, und dabei doch aus einem unerfindlichen Grunde das schauerliche Gefühl einer fremden Gegenwart in diesem andern Zimmer hat. Man schilt sich selbst, man ist sich bewußt, daß es nur die Nerven sind — und doch, und doch . . .

Nach einiger Zeit ist man nicht mehr imstande, dem Grauen, das einen ergreift, Widerstand zu leisten, und fühlt sich wehrlos dem unsichtbaren Schreckbild ausgeliefert. Jawohl, ich gestehe es offen, daß ich nicht allzu traurig war, als ich erfuhr, daß diese befremdlichen Meisterwerke vernichtet waren.«

»Vernichtet?« rief ich aus.

»*Mais oui*, wußten Sie das nicht?«

»Wie sollte ich es wissen? Allerdings hatte ich von diesem Werk früher nie gehört. Aber ich dachte, daß es sich vielleicht im Privatbesitz befinde. Es gibt ja bis heute kein zuverlässiges Verzeichnis von Stricklands Bildern.«

»Als er blind wurde, saß er oft stundenlang in den beiden Räumen, die er ausgemalt hatte, starrte mit erstorbenen Augen auf seine Werke und sah vielleicht mehr, als er in seinem ganzen früheren Leben gesehen hatte. Ata erzählte mir, daß er sich nie über sein Los beklagte, niemals den Mut verlor. Bis zum Ende blieb sein Gesicht heiter und unbeirrt. Doch ließ er sie versprechen, daß sie, sobald sie ihn begraben hatte — habe ich Ihnen erzählt, daß ich mit meinen eigenen Händen sein Grab ausschaufelte, denn keiner von den Eingeborenen wollte sich dem verseuchten Hause nähern, und daß wir, sie und ich, ihn, eingenäht in drei *pareos*, unter dem Mangobaum begruben? —, sie mußte ihm also versprechen, das Haus anzuzünden und sich nicht eher zu entfernen, als bis es auf den letzten Rest niedergebrannt wäre.«

Ich schwieg eine Weile, denn ich war in Gedanken versunken. Dann sagte ich:

»Er ist sich also gleich geblieben bis zu seinem Ende.«

»Werden Sie mich begreifen? Ich hielt es für meine Pflicht, ihr abzuraten.«

»Wie seltsam! Das widerspricht doch dem, was Sie soeben sagten.«

»Gewiß. Aber ich wußte, daß es sich um das Werk eines Genies handelte, und mir schien, als hätten wir nicht das Recht, die Welt dessen zu berauben. Ata freilich wollte nicht auf mich hören. Sie hatte ihm ihr Wort gegeben und war entschlossen, es zu halten. Ich wollte nicht Zeuge dieser barbarischen Handlung sein und erfuhr erst nachher, was sie getan hatte. Sie begoß die trockenen Fußböden und die Pandanusmatten mit Petroleum und steckte dann alles an. Nach kurzer Zeit war nichts übriggeblieben als glimmende Asche. Ein großes Meisterwerk existierte nicht mehr.«

»Ich glaube, Strickland wußte, daß es sein Meisterwerk war. Er hatte erreicht, wonach er strebte. Sein Leben war vollendet. Er hatte eine Welt geschaffen und sah, daß sie gut war. Aber dann, aus Stolz und Verachtung, vernichtete er sie.«

»Aber ich muß Ihnen noch mein Bild zeigen«, sagte Dr. Coutras und setzte sich in Bewegung.

»Was ist aus Ata und ihrem Kind geworden?« fragte ich.

»Die beiden gingen auf die Marquesas-Inseln. Sie hatte dort Verwandte. Der junge Bursche soll auf einem Schoner arbeiten, es heißt, daß er in der äußeren Erscheinung seinem Vater sehr gleicht.«

Vor der Tür, die von der Veranda in das Ordinationszimmer führte, blieb er lächelnd stehen.

»Es ist ein Stilleben mit Früchten«, sagte er. »Für das Ordinationszimmer eines Arztes ist es vielleicht nicht besonders geeignet, aber meine Frau will es nicht im Salon haben. Sie findet es geradezu obszön.«

»Obszön? Ein Stilleben mit Früchten?« rief ich verwundert.

Wir betraten den Raum, und mein Blick wurde sogleich von dem Bilde gefesselt. Ich betrachtete es lange.

Es stellte Mangofrüchte, Bananen, Orangen und ich weiß nicht, was noch, vor und bot sich dem Auge zunächst als ein recht harmloses Gemälde dar. Ein oberflächlicher Beobachter würde es in einer Ausstellung von Nachimpressionisten als ein zwar vortreffliches, aber nicht weiter bemerkenswertes Beispiel dieser Malweise bezeichnet haben. Später würde das Bild sich vielleicht in seine Erinnerung drängen, und zwar mit einer eigentümlichen Insistenz. Ich glaube nicht, daß er es würde völlig vergessen können.

Die Farben waren so seltsam, daß Worte nicht zu sagen vermögen, welche beunruhigende Empfindung sie bewirkten. Da gab es ein dunkles Blau, opak wie eine schön skulptierte Lapislazulischale und doch mit einem zitternden Glanz, der ein im Innersten pulsendes Leben ahnen ließ; da gab es ein Violett, abscheuerregend wie rohes, fauliges Fleisch, und doch von einer glühenden Sinnlichkeit, die vage Erinnerungen an das römische Kaiserreich eines Heliogabal wachrief; da war ein schrilles Rot, fröhlich wie die Beeren der Stechpalme — man dachte an das Weihnachtsfest in England, an Schnee, an üppiges Essen und an das Vergnügen der Kinder —, und doch wie durch Magie gedämpft bis zu der schillernden Zartheit einer Taubenbrust; da war ein tiefes Gelb, das mit einer widernatürlichen Vehemenz in ein Grün überging, so duftig wie der Frühling und so lauter wie das sprühende Wasser eines Bergbachs. Wer vermag zu sagen, welcher gepeinigten Phantasie diese Früchte entstammten? Sie gehörten einem polynesischen Garten der Hesperiden an. Es war etwas seltsam Lebendiges in ihnen, als seien sie in dunkler Urzeit in einem frühen Entwicklungsstadium der Erde geschaffen, wo die Dinge noch nicht unwiderruflich an ihre Gestalt gebunden waren. Sie waren auf überschwengliche Weise üppig; schwere tropische Düfte schienen von ihnen auszuströmen, eine eigentümliche düstere Leidenschaft ihnen innezuwohnen. Es waren Zauberfrüchte, die zu kosten das Tor zu wer weiß welchen Geheimnissen und rätselhaften Palästen der Phantasie erschloß. Sie waren düster trächtig von unverhoffter Gefahr, und wer sie genoß, mochte in ein Tier oder in einen Gott verwandelt werden. Alles, was gesund und natürlich war, alle, die in glücklichem Zusammensein als schlichte Menschen schlichte Freuden liebten, schauderten entsetzt vor ihnen zurück; und dennoch strahlten sie eine furchtbare Anziehung aus und waren, wie die Frucht vom Baume der Erkenntnis des Guten und des Bösen, schrecklich angefüllt mit unbekannter Möglichkeit.

Endlich wandte ich mich ab. Ich fühlte, daß Strickland sein Geheimnis mit ins Grab genommen hatte.

»*Voyons, René, mon ami*«, ertönte jetzt die laute, muntere Stimme von Madame Coutras, »was treibst du denn so lange? Die Aperitifs stehen bereit. Frage doch Monsieur, ob er ein Gläschen *Quinquina Dubonnet* trinken will.«

»*Volontiers, Madame*«, sagte ich, und wir gingen auf die Veranda hinaus. Der Zauber war gebrochen.

Siebenundfünfzigstes Kapitel

Die Zeit meiner Abreise von Tahiti war gekommen. Gemäß der liebenswürdigen Sitte der Insel wurden mir von den Personen, die ich kennengelernt hatte, Abschiedsgaben überreicht — aus den Blättern der Kokospalme geflochtene Körbe, Pandanusmatten, Fächer —, und Tiaré schenkte mir drei kleine Perlen und drei Töpfe mit Guajavakonfitüre, die sie mit ihren eigenen feisten Händen bereitet hatte. Als der Postdampfer, der auf seiner Fahrt von Wellington nach San Francisco in Papeete vierundzwanzig Stunden hielt, die Passagiere mit langem Sirenenruf mahnte, an Bord zu gehen, drückte mich Tiaré an ihren gewaltigen Busen, so daß ich in einer wogenden See zu versinken meinte, und preßte ihre roten Lippen auf die meinen. In ihren Augen glitzerten Tränen. Und als wir langsam und vorsichtig durch die schmale Öffnung im Korallenriff aus der Lagune herausdampften und in das offene Meer steuerten, fühlte ich mich von einer gewissen Schwermut ergriffen. Noch wehte vom Land die Brise, beladen mit den süßen Düften der Insel, herüber. Tahiti liegt sehr weit ab, und ich wußte, daß ich es nie wiedersehen würde. Ein Kapitel meines Lebens war abgeschlossen, und ich fühlte mich ein wenig näher dem unvermeidlichen Tod.

Kaum einen Monat später langte ich in London an. Nachdem ich einige dringliche Angelegenheiten geordnet hatte, die meine unverzügliche Aufmerksamkeit erforderten, fiel mir ein, daß es Mrs. Strickland vielleicht interessieren würde, etwas über die letzten Lebensjahre ihres Gatten zu erfahren. So schrieb ich ihr denn, daß ich wieder im Lande sei. Ich hatte sie viele Jahre vor dem Krieg zuletzt gesehen und mußte erst im Telefonbuch ihre jetzige Adresse heraussuchen.

Sie gab mir Tag und Stunde an, und ich stattete ihr in dem hübschen kleinen Hause am Campden Hill, das sie jetzt bewohnte, meinen Besuch ab. Sie war damals eine Frau von beinahe sechzig, aber sie trug ihre Jahre gut, und niemand hätte ihr mehr als fünfzig zugetraut. Ihr mageres, noch recht glattes Gesicht gehörte zu jenen, die in Anmut altern, so daß ein Beobachter, der sie früher nicht gekannt hatte, zum Glauben verleitet wurde, sie müsse in ihrer Jugend viel schöner gewesen sein, als es tatsächlich der Fall war. Ihr nur leicht angegrautes Haar war mit Sorgfalt frisiert, und ihr schwarzes Kleid war nach der letzten Mode. Ich erinnerte mich, gehört zu haben, daß Mrs. MacAndrews, die ihren Gemahl nur um wenige Jahre überlebte, ihrer Schwester Geld vererbt hatte, und nach dem Aussehen des Hauses und des schmucken Dienstmädchens, das mir die Tür öffnete, zu schließen, mußte es eine nette Summe sein, die der Witwe ein behagliches Auskommen gestattete.

Beim Betreten des Salons fand ich daselbst bereits einen Besucher vor und sagte mir, als ich erfuhr, wer er war, daß dieses Zusammentreffen nicht ganz unbeabsichtigt sei. Der Gast, ein Amerikaner, hieß Mr. Van Busche Taylor, und Mrs. Strickland sah sich mit einem charmanten entschuldigenden Lächeln gegen ihn veranlaßt, mir einige Erläuterungen über seine Person zu geben.

»Sie wissen ja, wir Engländer sind furchtbare Ignoranten. Verzeihen Sie, wenn es nötig ist, ihn zu belehren.« Dann wandte sie sich an mich: »Mr. Van Busche Taylor ist der hervorragendste amerikanische Kunstkritiker. Sollten Sie sein Buch noch nicht gelesen haben, so hat Ihre Bildung eine schändliche Lücke, und Sie müssen Ihr Versäumnis schleunigst wiedergutmachen. Er schreibt jetzt etwas über meinen lieben Charlie und ist hierhergekommen, um mich zu fragen, ob ich ihm bei dieser Arbeit ein wenig behilflich sein kann.«

Mr. Van Busche Taylor war ein sehr hagerer Mann mit einem großen skelettartigen Kopf und einer enormen, glänzenden Glatze; unter der mächtigen Wölbung seines Schädels nahm sich sein gelbes, durchfurchtes Gesicht winzig aus. Er betrug sich würdig und überaus höflich und sprach mit dem Akzent von Neu-England. Sein ganzes Wesen strahlte eine blutlose Kälte aus, die in mir die Frage aufsteigen ließ, was in aller Welt ihn nur dazu bewogen haben mochte, sich mit Charles Strickland zu befassen. Die Herzlichkeit, mit der Mrs. Strickland den Namen ihres Gatten erwähnte, befremdete mich ein wenig. Während die beiden miteinander plauderten, nahm ich mit meinen Blicken das Inventar des Raumes auf, in dem wir saßen. Mrs. Stricklands Geschmack hatte sich mit der Zeit gewandelt. Verschwunden waren die Morris-Tapete und der strenge Kretonnebezug der Möbel, verschwunden auch die Arundel-Drucke, welche die Wände des Salons in Ashley Gardens geschmückt hatten. Das Zimmer leuchtete in phantastischen Farben.

Ob sie wohl wußte, daß sie die buntschillernde Pracht, die ihr die Mode auferlegte, den Träumen eines armen Malers auf einer Südseeinsel verdankte? Sie gab mir selbst die Antwort.

»Was für wundervolle Kissen Sie haben!« sagte Mr. Van Busche Taylor.

»Gefallen sie Ihnen?« sagte sie lächelnd. »Von Bakst entworfen.«

Und doch gab es an den Wänden von einigen der besten Bilder Stricklands farbige Reproduktionen, die eine unternehmungslustige Berliner Firma herausgebracht hatte.

»Sie sehen sich meine Bilder an«, sagte sie, meine Blicke bemerkend. »Die Originale sind leider für mich nicht erschwinglich, aber es ist recht angenehm, wenigstens das zu besitzen. Der Verleger hat sie mir persönlich geschickt. Es bedeutet für mich einen großen Trost.«

»Es muß sehr erfreulich sein, mit solchen Bildern zusammenzuleben«, meinte Mr. Van Busche Taylor.

»Gewiß. Sie sind vor allem dekorativ.«

»Davon bin auch ich übrzeugt«, sagte Mr. Van Busche Taylor. »Große Kunst ist immer dekorativ.«

Seine Augen ruhten auf einer nackten Frau, die ihr Kleines säugte, während ein neben ihr kniendes Mädchen dem Kinde eine Blume hinhielt, die es gleichgültig beschaute. Über die Gruppe beugte sich eine dürre, runzlige, hexenartige Alte. Das war Stricklands Version der Heiligen Familie. Ich hegte den Verdacht, daß ihm zu den Figuren sein Hausstand im Bungalow über Taravao Modell gestanden hatte: die Frau mit dem Säugling waren Ata und sein erster Sohn. Hatte Mrs. Strickland die leiseste Ahnung von dieser Tatsache?

Die Unterhaltung nahm ihren Fortgang. Ich bewunderte den Takt, mit dem Mr. Van Busche Taylor jede Anspielung vermied, die auch nur im geringsten verletzend sein konnte, und andererseits die Geschicklichkeit, mit der Mrs. Strickland, ohne direkt die Unwahrheit zu sagen, durchblicken ließ, daß die Beziehungen zwischen ihr und ihrem Gatten immer die besten gewesen seien. Endlich erhob sich Mr. Van Busche Taylor, um zu gehen. Die Hand der liebenswürdigen Hausfrau ergreifend, sprach er ihr in graziöser, wenn auch vielleicht etwas gekünstelter Weise seinen Dank aus und verließ uns.

»Hoffentlich hat er Sie nicht zu sehr gelangweilt«, sagte sie, nachdem sich die Tür hinter ihm geschlossen hatte. »Natürlich ist es manchmal lästig, aber ich halte es für meine Pflicht, den Leuten jede nur mögliche Auskunft über Charlie zu geben. Die Frau eines Genies gewesen zu sein, bringt eine große Verantwortung mit sich.«

Sie schaute mich mit ihren reizenden Augen an, die noch ebenso aufrichtig und sympathisch blickten wie vor zwanzig Jahren. Ich fragte mich, ob sie sich über mich lustig mache.

»Selbstverständlich haben Sie Ihr Geschäft aufgegeben, nicht wahr?« fragte ich.

»Natürlich«, erwiderte sie leichthin. »Wissen Sie, ich habe es doch immer mehr aus Liebhaberei betrieben als aus andern Gründen. Die Kinder haben mich überredet, es zu verkaufen. Sie meinten, es übersteige meine Kräfte.«

Mrs. Strickland hatte offenbar völlig vergessen, daß sie sich jemals mit etwas so Unkleidsamem, wie es das Verdienen seines Lebensunterhaltes ist, abgegeben hatte. Ihr echt weiblicher Instinkt sagte ihr, daß es für eine Frau, die etwas auf sich hält, nicht schicklich ist, von anderer Leute Geld zu leben.

»Die Kinder sind jetzt hier«, sagte sie. »Gewiß werden

sie gern etwas über ihren Vater hören wollen. Sie erinnern sich doch noch an Robert? Denken Sie nur, wie schön, er ist für das Kriegskreuz vorgeschlagen!«

Sie ging zur Tür und rief die beiden. Herein trat ein großer Mann in Khakiuniform mit dem Pfarrerkragen, eine stattliche, vielleicht etwas zu massige Gestalt, aber mit den frischen Augen, die ich schon an dem Knaben gekannt hatte. Hinter ihm kam seine Schwester. Sie mochte ungefähr ebenso alt sein wie ihre Mutter, als ich sie vor mehr als zwanzig Jahren kennenlernte, und sah ihr sehr ähnlich. Auch von ihr hatte man den Eindruck, daß sie als junges Mädchen viel hübscher gewesen sein mußte, als sie in Wirklichkeit gewesen war.

»Mir scheint, Sie erkennen die beiden nicht wieder«, sagte Mrs. Strickland mit stolzem Lächeln. »Meine Tochter heißt jetzt Mrs. Ronaldson. Ihr Mann ist Artilleriemajor.«

»Er soll in den Generalstab kommen«, sagte Mrs. Ronaldson lustig, »darum ist er erst Major.«

Ich erinnerte mich, daß ich schon damals vor langer Zeit vorausgeahnt hatte, sie werde einen Offizier heiraten. Es war einfach unvermeidlich. Sie besaß alle Vorzüge der Offiziersfrau: sie hatte gute Manieren und war liebenswürdig, konnte aber ihre innerste Überzeugung, daß sie etwas Besseres sei als die anderen, kaum verbergen. Robert war schneidig.

»Trifft sich gut, daß ich gerade in London bin, wenn Sie auf der Bildfläche erscheinen«, sagte er. »Ich habe nur drei Tage Urlaub.«

»Er sehnt sich nach der Front zurück«, erklärte seine Mutter.

»Nun, ich stehe nicht an, zu bekennen, daß ich an der Front ein famoses Leben habe. Ich habe dort eine Menge guter Kameraden gefunden. Es ist eine erstklassige Existenz. Natürlich ist der Krieg etwas Furchtbares und so weiter, und so fort . . . Aber er fördert die besten Eigenschaften des Mannes zutage, das läßt sich nicht leugnen.«

Darauf teilte ich Charles Stricklands Familie mit, was ich auf Tahiti über ihn erfahren hatte. Ich hielt es für überflüssig, Ata und ihren Sohn zu erwähnen, war aber im übrigen so genau und so ausführlich wie möglich. Ich schloß mit der Erzählung von seinem furchtbaren Tod. Ein oder zwei Minuten lang blieb die Familie stumm. Dann zog Robert eine Streichholzschachtel aus der Tasche und zündete sich eine Zigarette an.

»Gottes Mühlen mahlen langsam, mahlen aber trefflich fein«, sagte er mit einem gewissen Nachdruck.

Mrs. Strickland und Mrs. Ronaldson blickten mit frommer Miene zu Boden, was mich darauf schließen ließ, daß sie den Spruch für ein Zitat aus der Heiligen Schrift hielten. Ich bin nicht ganz sicher, ob Robert Strickland sich nicht in derselben Illusion wiegte. Plötzlich, ich weiß nicht warum, fiel mir Stricklands Sohn von Ata ein. Ich sah ihn mit meinen geistigen Augen auf dem Schoner, auf dem er arbeitete, nur mit einem Paar blauer Baumwollhosen bekleidet, ich sah ihn des Nachts, wenn das Schiff vor einer leichten Brise dahinflog, und die Matrosen sich auf dem Oberdeck versammelten, während der Kapitän und der Superkargo, in Liegestühlen ausgestreckt, ihre Pfeifen rauchten. Ich sah ihn, wie er zu der quäkenden Musik der Ziehharmonika mit einem anderen Burschen wild im Kreise wirbelte. Und darüber war der blaue Himmel, waren die Sterne, und überall ringsum die erhabene Öde des Stillen Ozeans.

Ein Zitat aus der Bibel kam mir in den Sinn, aber ich hielt meinen Mund, denn ich weiß, daß die Geistlichkeit es als ziemlich lästerlich ansieht, wenn ein Laie in ihrem Jagdgehege wildert. Mein Onkel Henry, der siebenundzwanzig Jahre lang Vikar von Whitstable war, pflegte in solchen Fällen zu bemerken, daß der Teufel zu seinen Zwecken immer eine Bibelstelle bereit hat. Er erinnerte sich noch an die Zeit, wo man für einen Schilling dreizehn Stück erstklassige Austern bekam.

ENDE